LE DERNIER SOUHAIT

BETTY ROLLIN

Le dernier souhait

Traduit de l'américain par
Jean-Baptiste Grasset

FRANCE LOISIRS
123, boulevard de Grenelle, Paris

Ce livre a été publié sous le titre original
LAST WISH
par Linden Press/Simon et Schuster, New York

Édition du Club France Loisirs, Paris,
avec l'autorisation des éditions Belfond

ISBN 2-7242-4951-8

PRÉFACE

par Paula Caucanas-Pisier
Secrétaire générale de l'A.D.M.D.
Association pour le droit de mourir dans la dignité

L'Amérique, ce n'est pas la France. Le roman américain a quelque chose d'exotique qui dépayse le lecteur de chez nous. Pour Le dernier souhait, *c'est l'inverse. Je l'ai lu aux États-Unis en anglais, comme on lirait une traduction du français, car cette famille dont le père a émigré de Russie en 1919, je la voyais vivre à l'étage au-dessous, dans mon immeuble de la rue de la Croix-Nivert à Paris.*

Le personnage central, c'est la truculente Ida, mère de l'auteur, Betty Rollin, authentique écrivain. Le dernier souhait, *son troisième livre, est un chef-d'œuvre de tendresse, de drôlerie, d'amour, de pudeur et d'impertinence. Après son très grand succès aux États-Unis en 1985, il est déjà traduit en plusieurs langues. Si vous voulez rire et pleurer, si votre mère, elle aussi péremptoire et autoritaire, vous fait pourtant fondre, vous aimerez ce livre. Mais attention, au détour d'une page, sans crier gare, vous allez avoir la gorge nouée.*

Pendant soixante-douze ans — la moitié du livre — Ida mène tout son monde tambour battant. Après deux ans de douloureux veuvage, elle s'est même, à la stupeur générale, retrouvé un homme, de sept ans plus jeune qu'elle, exquis sous tous rapports, à qui elle cachera son âge jusqu'à sa mort. Elle qui ne sait qu'aimer va même adorer le nouveau mari de Betty. Elle refuse qu'on l'appelle « son gendre » : « C'est mon fils », dit-elle.

Quant à son insolente santé, elle croit la devoir à ses infaillibles recettes, mélange de rites ancestraux et de connaissances fraîchement glanées à la radio et dans la presse féminine : « Mangez la peau des pommes de terre à l'eau, c'est le meilleur. »

Pourtant, cette intarissable joie de vivre va brusquement cesser. Elle se découvre atteinte d'un cancer de l'ovaire, déjà étendu, et vous allez vivre pendant l'autre moitié du livre le détail des trois années, fascinantes et atroces, de sa bataille perdue contre le cancer : hystérectomie, calvitie quasi totale dès la troisième chimiothérapie, rémissions trompeuses, superbe chevelure qui repousse, rechute, nouvelles chimiothérapies, nausées incoercibles, jour et nuit, à ne pouvoir conserver une gorgée d'eau, c'est la noria du malheur.

Mais, courage, lisez jusqu'à la fin. D'abord c'est instructif, puisqu'un sur quatre d'entre nous meurt du cancer. La situation est la même en France et aux États-Unis. Je ne le savais pas avant d'avoir lu ce livre : partout les mêmes hôpitaux lugubres, les mêmes interminables formalités, les mêmes médecins qui se dérobent, les mêmes spécialistes qui se contredisent, le même personnel hospitalier, les mêmes problèmes insolubles de gardes-malades pendant les week-ends, les mêmes odeurs, les mêmes douleurs intolérables, les mêmes horreurs.

Il faut lire jusqu'au bout parce que, dans un sens, ça ne finit pas si mal : quand Ida comprend que les traitements à subir, la torture à endurer de nouveau ne feront plus que prolonger son cancer sans aucun espoir d'en guérir jamais, que sa vie est achevée, elle surmonte son épuisement et redevient celle que nous avons vue tenir les rênes, pendant soixante-douze ans. C'est elle qui décide, programme et réussit, grâce à sa fille, son suicide de la façon la plus intelligente et la plus sereine : c'est en fait le sujet du livre.

Quand il s'agit d'un grand malade affaibli par les drogues et les nausées permanentes, un tel suicide, préparé de sang-froid, en éliminant tous les risques d'échec, en protégeant les siens de tout ennui ultérieur possible, bref en prévoyant tout, est rarissime. Il y faut une personnalité hors de pair. Il fallait aussi, pour le réussir à coup sûr, une assistance exceptionnelle, en l'occurrence une fille dévouée corps et âme à sa mère et soutenue par un excellent mari.

De sorte qu'en filigrane au chant d'amour mutuel mère-fille, nous voyons se profiler un amour conjugal comme il y en a peu : au fil de ces années épuisantes, tout pourrait désunir un couple aux carrières par ailleurs prenantes — lui est mathématicien, elle journaliste de télévision. C'est au contraire complètement solidaires qu'ils vont se lancer, pour respecter le dernier désir d'Ida, dans la quête éprouvante des moyens du suicide. Ils auront tranquillement tous les courages, toutes les ruses. Une Odyssée, à laquelle, bien sûr, rien ne les préparait. Sans eux, jamais Ida, immobilisée, surveillée sans cesse, n'aurait pu « réussir sa sortie », comme elle dit.

Ce qu'il y a de rare chez Betty Rollin, c'est qu'elle ne triche jamais. Elle ne plaide aucune cause ; elle est dévouée à sa mère qu'elle aime absolument, c'est tout. Elle note avec surprise ses contradictions, sans rien cacher. Son seul propos est de l'accepter telle qu'elle est, de faire toutes ses volontés. Amenée — au prix de quels efforts — à lui procurer « la clef de la porte de sortie », elle croit encore qu'Ida n'en usera peut-être pas. Mais elle sent à quel point cette « clef », par sa seule présence, ouvre déjà la prison où sa mère est comme une bête prise au piège. De ce jour, en effet, l'entourage constate avec surprise que la malade retrouve un peu de sa vivacité. Cela vient du sentiment très fort d'être de nouveau responsable de son destin ; cette liberté enfin rendue est une exigence qui nous est commune à tous, liée à notre civilisation où la démocratie invite — ou devrait inviter — chacun à se prendre en charge tant qu'il le peut.

La nature originelle, hommes et bêtes confondus, n'était en fait « qu'un immense charnier » (Laborit) où pour continuer à manger, boire, copuler, survivre, il fallait tuer. C'était la loi du plus fort, rien d'autre. Ce sont, à vrai dire, des religieux qui ont exalté les premiers la liberté de l'être humain face au Bien et au Mal, faisant de lui un animal à part. Ils ont érigé en principe le caractère sacré de la vie de l'homme ; immense progrès à des époques où l'on disposait si aisément de la vie des autres et où l'on n'avait pour soi-même qu'une espérance de vie des plus limitées. Dans nos pays civilisés, et surtout depuis cinquante ans, les extraordinaires progrès de la médecine ont multiplié les cas de guérison et de vieillesse heureuse. Hélas ! ils ont aussi multiplié les survies prolongées dans des conditions peu enviables, voire intolérables. Tous les progrès scientifiques ont des effets pervers et la médecine n'y échappe pas. L'évolution des sciences biologiques a été si foudroyante que la législation et la philosophie ont pris un retard inévitable. De sorte que l'on se trouve devant ce paradoxe que ceux-là mêmes qui ont reconnu la dignité du libre arbitre sont aujourd'hui les adversaires de cette ultime liberté qui consiste à choisir sa propre mort.

Notons au passage que la seule idée de libre arbitre se trouve exclue de tout État totalitaire, religieux ou matérialiste : Dieu ou l'État y définit et y impose le Bien pour tous. Notons aussi que pour dénoncer les excès de la médecine, comme nous le faisons, il faut d'abord que la médecine existe : je veux dire une médecine pour tous, et non pas réservée à une petite oligarchie — qui n'hésite d'ailleurs pas à utiliser nos compétences.

Actuellement, chez nous, gens d'Église et de médecine se disputent le moribond, chacun en revendiquant la meilleure approche, souvent animé de la meilleure volonté du monde ; mais hélas ! l'avis de l'intéressé est trop souvent exclu du débat, comme s'il n'existait pas. D'où la prolifération de mouvements — 32 dans le monde, avec 500 000 membres, dont en France 15 000 de l'A.D.M.D.[1] *— d'abord soucieux de faire entendre la voix du patient, et pour cela de faire évoluer mentalités et comportements et modifier des lois que nous ne jugeons plus adéquates.*

L'exigence de toutes nos associations — unanimes sur ce point au moins — est à ce propos claire et simple. C'est le droit de chacun — en cas de souffrances intolérables et incurables — à une fin digne, paisible et conforme à sa volonté. C'est cela la grande nouveauté : que chacun

1. 103, rue La Fayette, 75010 Paris.

décide pour lui-même, chaque fois qu'il le peut... s'il préfère abréger sa vie ou bien la prolonger.

Cela mettrait d'ailleurs notre société à l'abri d'un grand risque, celui de l'euthanasie abusive, « économique », appliquée discrètement à des sujets improductifs et d'autant plus coûteux qu'ils avancent en âge : « Pas de réanimation lourde après soixante-cinq ans. »

Il ne faudrait pas s'y tromper, se laisser abuser par des interprétations malveillantes. Moi qui m'exténue à réclamer le droit, dans certains cas, à l'euthanasie volontaire, je serais la première à fonder une association... contre l'euthanasie, le jour même où cette dernière serait pratiquée sans l'accord du patient.

Aussi les Pays-Bas, où la jurisprudence tolère déjà 10 000 euthanasies volontaires par an, se sont-ils garantis, par un appareil de précautions juridioues très rigoureuses, contre tout risque de dérapage.

Pour le cas où le sujet ne pourrait plus s'exprimer, il rédige à l'avance sa « déclaration de volontés » quant à sa fin, le « living will » des Anglo-Saxons. Cette déclaration est assortie d'une délégation de pouvoir faite à un ou deux mandataires choisis par le sujet lui-même. L'État entérine au-delà même de notre mort notre testament concernant nos biens. La propriété de notre personne nous étant encore plus chère, ne va-t-il pas de soi que nous pouvons en disposer ? Nous réclamons que ce texte ait une valeur légale. C'est chose faite aux États-Unis, dans 39 États ; dans 10 autres, le projet est à l'étude cette année. Aussi nos associations s'efforcent-elles de susciter à l'échelle mondiale un mouvement d'opinion qui, dans l'attente de la reconnaissance légale d'un tel document, exerce une pression morale qui pousse chacun à en tenir compte. Dès maintenant se dessine partout dans nos pays une nette prise de conscience. Les sondages le prouvent : pour 70 % des citoyens des pays libres, il apparaît légitime de faire bénéficier les incurables entre vie et mort de moyens médicaux permettant de mettre une fin paisible à une vie que la souffrance occupait tout entière. L'Église catholique elle-même en est venue à reconnaître « la légitimité de l'emploi de calmants, même si cela devrait abréger la vie ».

Tout cela n'ira pas sans difficultés, et l'action que nous avons entreprise se heurte encore à plusieurs types de critiques :

— Les uns, 6 à 14 % selon les pays, sont intraitables parce qu'ils se réfèrent à des dogmes intangibles. « Dieu donne, Dieu prend. » Avec eux, aucune discussion n'est possible.

— D'autres craignent par-dessus tout qu'on en arrive à provoquer, sinon encourager le suicide de déprimés, de malades parfaitement curables. C'est là ce qui donne de nous, malgré toutes les précautions dont on peut s'entourer, cette image mensongère de dangereux prosélytes de la mort ; en fait, à l'opposé de notre idéal, puisque c'est justement par amour de la vie que nous voulons lui garder jusqu'à la fin toute sa dignité et toute sa saveur.

— D'autres encore estiment que l'euthanasie est une revendication des bien-portants ou de familles abusives. « Plus on est malade soi-même, moins on la réclame » et, médecins, ils ajoutent : « Depuis trente ans, aucun de mes malades ne me l'a demandée. » Dans ces cas-là, il est conseillé d'examiner de près l'attitude générale de l'équipe soignante et de comprendre pourquoi personne n'aurait l'outrecuidance de formuler pareille requête, réel affront à la qualité de leurs soins.

— D'autres enfin, d'accord en gros sur nos principes, disent pratiquer déjà l'euthanasie, discrètement, quand ils le jugent nécessaire. Mais ils craignent une loi qui dépasserait les buts qu'elle se propose : « Trop d'euthanasies serait pire que pas assez. » Les mêmes n'hésitent pas d'ailleurs à se contredire : « Une loi ? Des contrôles administratifs, des paperasses sans fin mettraient un frein déplorable — alors qu'il y a urgence — à des euthanasies que ma conscience de médecin me dicte de pratiquer discrètement, chaque fois que je le juge nécessaire. »

Il appartient certes à nos démocraties de veiller à

réduire ces risques. Mais n'est-ce pas ainsi que furent aménagées toutes nos autres libertés individuelles ?

Valère-Maxime rapporte qu'à Marseille, au premier siècle après J.C., « on gardait dans un dépôt municipal de la ciguë à l'intention de quiconque faisait valoir devant les six cents Sages du Sénat les raisons qui lui faisaient désirer mourir. À cet examen présidait un noble souci d'humanité qui ne permettait pas de sortir par légèreté de la vie, mais qui, si le motif de la quitter était justifiable, en fournissait un moyen aussi prompt que légitime ».

Peut-être arriverons-nous à nos fins quand nous aurons prouvé, comme les Marseillais du premier siècle, que nous ne désirons nullement faire preuve de légèreté dans ce domaine. Déjà nos adhérents nous disent le soulagement qu'ils éprouvent à l'idée qu'on leur évitera ces agonies interminables d'hommes d'État, si complaisamment détaillées à la télévision à l'heure du repas.

Pour vivre au mieux les dernières années de notre vie, il nous est indispensable d'être rassurés — dans la mesure du possible — sur la façon dont elle risque de se terminer. « Je ne reconnais à personne le droit de décider à ma place jusqu'où et jusqu'à quand je dois souffrir », disait Paul Henchoz, du mouvement suisse romand, peu avant de mourir. On ne saurait le dire plus simplement.

Betty Rollin, pour en revenir à elle, a dû se battre pour sa mère, avec courage, dans des domaines dont elle ignorait tout. Les milliers de lettres de ses lecteurs lui ont fait découvrir l'étendue de l'horreur. Tant de suicides ratés, tant d'appels au secours de grabataires sans famille, sans amis, tant de demandes de conseils techniques auxquelles elle ne pouvait ni ne savait répondre l'ont convaincue de la nécessité d'une action concertée.

Je défie quiconque, ayant lu son livre, de continuer à s'opposer au droit, dans des cas analogues à celui de sa mère, à l'euthanasie volontaire ou au suicide assisté par un médecin — « le médecin traitant lui-même », exige l'exemplaire Dr Pieter Admiraal des Pays-Bas, ce pionnier de nos libertés, grâce à qui l'euthanasie volontaire se pra-

tique là-bas. Mais il conseille de ne se résigner à ce geste que sur ses propres malades, quand leur dossier médical — tenu à la disposition des juges — permet de prouver qu'on s'est acharné avec toute son équipe à les guérir ou à les soulager, n'y renonçant que lorsque tout espoir était perdu. Cela exclut évidemment la « mise-à-mort » d'étrangers qui afflueraient là dans le seul but d'y achever leur vie. Car il importe particulièrement d'avoir vérifié au cours de plusieurs entretiens en tête à tête avec le malade, et à l'abri de toute pression familiale ou autre, que sa volonté d'en finir est inébranlable. On va même, si le malade est en état de le faire, jusqu'à lui demander : « Prenez devant moi les premières pilules, et je me charge du reste », le médecin ayant conscience de rendre ainsi à ce patient, qu'il n'a su ni guérir ni soulager, le dernier devoir.

Si les livres sur le suicide sont innombrables, de très rares ouvrages, quatre à ma connaissance, osent faire, à la première personne et à visage découvert, le récit de l'assistance au suicide d'un proche. Sans se cacher derrière le paravent commode de la fiction romanesque, l'auteur prend ainsi le risque de tomber sous le coup de la loi, voire de susciter l'horreur. « Le dernier souhait », le plus récent d'entre eux, fera date : d'abord parce que cette histoire est belle et nous concerne tous. Nous mourrons tous, d'une façon ou d'une autre. Cet ouvrage, profond sous sa belle humeur, nous invite à nous en aller de gré plutôt que de force.

L'appel de trois Prix Nobel, dès 1974, en faveur du droit à l'euthanasie, le projet de loi du Sénateur Caillavet en 1978 contre l'acharnement thérapeutique, ont provoqué le même remous dans l'étang des idées mortes. Einstein disait, désabusé : « Il est plus facile de désintégrer l'atome que les mentalités. »

Quant à nous, respectant la personne plus encore que la vie, avec Thomson, Pauling et Monod, « nous croyons que la société n'a ni intérêt ni besoin véritables de faire survivre un malade condamné contre sa volonté ».

Chapitre 1

Deux heures avant que ma mère ne mette fin à ses jours, je remarquai qu'elle s'était maquillée. J'en fus choquée, mais j'avais tort. Elle soignait son apparence en toutes circonstances. Ma mère était comme ça. De même, elle n'était pas femme à attendre que la mort l'appelle ; c'est elle qui appellerait la mort.

Elle aurait préféré le faire seule. Mais elle avait tout lieu de demander de l'aide. Et je n'hésitai pas à lui apporter la mienne.

Le mal qui lui fit souhaiter de quitter la vie était un cancer de l'ovaire. C'est peut-être la plus sournoise des monstruosités que puisse héberger un corps humain. Si le cancer de l'ovaire laisse aussi peu d'espoir, c'est que, contrairement aux tumeurs mammaires, les tumeurs ovariennes ne sont décelables qu'à l'occasion d'un examen gynécologique. Il est alors trop tard, car une métastase, c'est-à-dire une diffusion du processus cancéreux, s'est déjà produite.

La maladie frappa ma mère au printemps de 1981, soit deux ans et demi avant sa mort. Du moins est-ce alors qu'elle s'en rendit compte. Quant au véritable début, il n'y avait aucun moyen de le dater.

Le diagnostic fut particulièrement long à établir à cause de son obstination à considérer que le monde était ordonné. Elle savait, comme tout un chacun, qu'il arrive aux gens des choses cruelles, des choses aberrantes. Elle lisait les journaux, elle regardait les informations à la télévision. Mais jamais elle n'avait vu sa maison brûler ou son enfant renversé par un chauffard ivre. Le jour où elle apprit que j'étais gravement malade — j'avais trente ans et quelque — elle considéra comme évident que j'allais guérir. Jamais encore la vie ne l'avait prise pour cible. Et elle pensait du fond du cœur qu'en faisant les choses comme il fallait, tout se passerait bien.

En matière de santé et de maladie, faire les choses comme il fallait signifiait manger correctement, et elle avait des idées bien arrêtées sur le sujet. Dès les années trente, elle avait suivi des conférences et des émissions sur la diététique.

Tout au long de mon enfance, mon père et moi — ma mère nous traitait comme si nous avions été frère et sœur — avions tenu notre rôle à la table du petit appartement propret que nous habitions à Yonkers (New York) : le rôle de bénéficiaires du régime alimentaire idéal dont elle se portait garante.

Les choux de Bruxelles sans beurre ne suscitaient aucune contestation, pas plus que les desserts sans sucre — parfois, elle distribuait avec parcimonie un mets brun et aplati, baptisé gâteau — et le soleil se couchait rarement sans que nous ayons mangé des pommes de terre bouillies avec, pour toute garniture, cette injonction : « Mange la peau ! La peau, c'est le meilleur ! »

Mon père avait immigré de Russie aux États-Unis en 1919, connu des difficultés innombrables, et ne demandait plus rien à la vie que de lui épargner les tracas. Aussi feignait-il d'aimer ce qu'il trouvait chaque soir dans son assiette, et je dus attendre de partir en camp de vacances pour découvrir les frites et le pudding au chocolat. Encore les camps vinrent-ils trop tard. À cette époque, j'étais déjà la fille de ma mère. Les frites, indépendamment de leur perversité intrinsèque, ne parvenaient plus à exciter mon palais puritain. Et cela continua les années suivantes. Même quand j'essayais d'être une enfant normale et de manger des cochonneries, je n'y arrivais pas. Je n'aimais pas ça, et je n'aime toujours pas ça.

Peut-être maman était-elle dans le vrai. Nos systèmes digestifs auraient pu nous valoir des médailles. Et, à l'âge où les hommes commencent à se lamenter sur telle douleur, sur tel bobo, mon père ne se plaignait de rien. Son tempérament y était sans doute pour beaucoup : heureuse nature, il avait choisi une fois pour toutes de prendre l'existence du bon côté. Mais ce régime avait aussi dû l'aider à ne jamais tomber malade. Exception faite, bien sûr, de l'infarctus qui le terrassa en un instant, à l'âge de soixante-douze ans. C'était en début de soirée, il s'était levé de sa chaise pour passer de la deuxième à la quatrième chaîne de télévision.

Ma mère n'en fut pas spécialement impressionnée. « Mon Léon est mort en bonne santé », disait-elle du fond de son chagrin. D'ailleurs, étant donné ce qu'il mangeait, comment aurait-il pu ne pas être en bonne santé ? Elle n'en revenait pas qu'un de ses organes, le cœur, ait pu se montrer rebelle à tous ces légumes verts, à tous ces morceaux de viande grillée, durs comme des semelles, à toutes ces peaux de pommes de terre au four.

De la même façon, six ans plus tard, elle considéra comme un mystère insondable le fait d'avoir le cancer, elle dont les habitudes alimentaires n'étaient pas moins irréprochables.

Elle avait dû se tromper quelque part, raisonnait-elle. Quand elle commença à avoir mal au ventre, elle en rendit responsable d'abord une pomme, puis la trop grosse tranche de gâteau au chocolat qu'elle avait mangée à un repas d'anniversaire. Avant même de savoir de quoi elle souffrait, ma mère décida, d'une part, que cela était dû à quelque aliment qu'elle avait absorbé et, d'autre part, qu'elle n'avait qu'à trouver ce que c'était et arrêter d'en manger pour que la douleur disparaisse. Dans l'innocence de ses soixante-quinze ans, elle maintenait son postulat de toujours, à savoir qu'elle avait la situation bien en main et qu'en faisant ce qu'il fallait (c'est-à-dire en mangeant convenablement) elle arriverait à tout arranger et à recouvrer la santé.

Elle ignorait que le cancer ne connaît pas ces règles. Elle ignorait que le cancer ne connaît aucune règle.

Comme ses maux de ventre persistaient bien qu'elle eût renoncé tant aux pommes qu'au gâteau au chocolat, son médecin traitant lui recommanda de consulter son gynécologue habituel. Or, il s'avéra qu'elle n'en avait pas. Ma mère n'était jamais allée voir un gynécologue. « Les femmes de mon âge ne... », commença-t-elle à m'expliquer piteusement — et c'est piteusement aussi que j'essayai moi-même de comprendre comment j'avais pu l'ignorer. Je n'avais aucune réponse, si ce n'est une certaine gêne inconsciente à ce propos, du moins quand il s'agissait de ma mère. À quoi s'ajoutait cette autre raison, plus stupide encore, selon laquelle le cancer ne pouvait arriver qu'aux autres. Pas à moi. Pas à elle. Je m'étais déjà trompée en ce qui me concernait, mais apparemment je n'en avais tiré aucun enseignement. Six ans plus tôt, la boule que j'avais sur le sein gauche s'était révélée maligne, et ma poitrine à moitié plate, toujours pas reformée, était là en permanence pour me rappeler qu'il ne s'agissait pas d'un mauvais rêve. Pourtant, j'avais encore cette impression. Après l'opération, j'avais appris que mes *ganglions lymphatiques étaient normaux.* Cela signifiait qu'il n'y avait pas de métastase et que je n'avais pas besoin de chimiothérapie ou de rayons. Aussi n'avais-je jamais souffert, si ce n'est dans mon esprit. Et c'est pourquoi, sans doute, je n'avais jamais pu considérer comme entièrement réel le fait d'avoir eu un cancer. Quant à ma mère, il est certain qu'elle ne prenait pas son cancer au sérieux. Deux ans après le diagnostic, elle déclarait que celui-ci lui avait toujours semblé erroné.

Son généraliste lui recommanda un certain Dr Burns, gynécologue et chirurgien, considéré comme une sommité en matière de cancers gynécologiques. Ma mère, mortifiée de sentir la douleur s'acharner, prit rendez-vous chez le Dr Burns. Je l'accompagnai à la visite.

Nous nous assîmes dans la salle d'attente vivement éclairée et nous plongeâmes dans la lecture des magazines empilés. Après une demi-heure, nous échangeâmes nos revues. Au bout d'une heure, j'essayais de m'intéresser à un journal féminin, mais l'abandonnai au beau milieu d'une recette compliquée de tarte aux fruits, que j'étais certaine de n'avoir jamais essayée. D'ailleurs, visiblement, ma mère avait envie de parler. Nous parlâmes — pas de ce que nous avions vraiment en tête, mais de la couleur de souliers qui pourrait aller avec la robe vert jade qu'elle avait l'intention de mettre pour l'anniversaire de mon cousin, une semaine plus tard.

Nous optâmes finalement pour le beige. Décision quelque peu inutile, car, la veille de cet anniversaire, elle entra à l'hôpital pour être opérée des ovaires, de l'utérus et des trompes : une hystérectomie totale qui, selon le Dr Burns, s'imposait. Sans délai.

Nous fûmes quatre à nous retrouver dans la salle d'attente du dixième étage, au bout du couloir. D'abord la sœur cadette de ma mère, Shany, et moi. Puis mon mari, Edouard, qui avait sauté dans le métro après le cours de mathématiques qu'il donnait à l'université de New York. Enfin ma cousine Elaine, qui était elle-même malade — elle souffrait d'arthrose — et à qui j'avais demandé de ne pas venir. « Ne sois pas stupide », avait-elle simplement répondu. Et je m'étais tue, parce qu'Elaine, une petite dame qui avait le cœur tendre et la tête dure comme ma mère, avait été « adoptée » par elle quelques années auparavant. De sorte que, tout comme moi, je le savais, elle se devait d'être là.

D'une façon ou d'une autre, nous étions tous quatre les enfants de ma mère. Elle avait encore d'autres « enfants », qui auraient probablement été là si nous les avions prévenus à temps. Maman n'avait jamais admis que je fusse sa fille unique — les choses s'étaient passées comme ça, voilà tout — et comme elle n'aimait pas se priver, plutôt que de se passer d'autres enfants, elle s'en trouvait qui n'étaient pas les siens. S'ils acceptaient, quant à eux, de le devenir, c'était qu'ils n'y voyaient aucun mal. Elle nourrissait à leur égard un amour chaleureux et leur apportait — nous apportait — l'impression, quel que fût notre âge, qu'elle en savait toujours plus que nous et connaissait mieux la vie.

Shany, qui était née six ans après ma mère, avait toujours été sa fille, aussi loin que l'une et l'autre pussent s'en souvenir. Quand elles atteignirent les soixante-dix ans, ma mère disait encore à Shany ce qu'elle devait porter, ce qu'elle devait manger, ce qu'elle devait faire. Shany n'obéissait pas toujours. Surtout dans les dernières années, après la mort de son mari et de sa fille (un cancer à l'âge de quarante-sept ans) : Shany fumait cigarette sur cigarette et mangeait n'importe quoi, sans souci de sa propre vie, de sa propre mort. A cela, apparemment, ma mère ne pouvait rien. Mais elle la grondait, et Shany écoutait ses réprimandes, portait les robes que ma mère lui disait d'acheter, et réduisait peut-être même sa consommation de cigarettes.

Elaine, cinquante-cinq ans, fille d'une autre sœur de maman qui s'appelait Sarah et était morte depuis longtemps, oubliait dès qu'elle le pouvait ses problèmes d'arthrose. Comme sa mère et comme la mienne, elle prenait les festivités aussi au sérieux que les maladies, et elle était depuis longtemps l'adjointe de ma mère pour tous les projets relatifs aux anniversaires, à l'aménagement des salles de séjour, voire à toute l'existence d'autres membres de la famille.

Mon mari, Edouard, était devenu le fils de ma mère peu de temps après notre mariage. A ce moment-là, elle avait enfin compris que c'était quelqu'un de merveilleux. D'un côté, personne ne pouvait être assez bien pour sa fille ; mais, de l'autre, elle savait parfaitement qu'Edouard était assez bien, et elle n'en revenait pas de la chance que nous avions.

Je dis « nous », parce que ma mère ressentait vraiment ma chance comme étant aussi la sienne. Cela peut paraître névrotique et morbide, mais nous ne le ressentions pas ainsi. A ce stade de mon existence, ma mère et moi partagions la même définition de la chance : un bon compagnon comme Edouard, une vie professionnelle heureuse et une bonne santé. Tout au plus divergions-nous quant à l'ordre de ces trois facteurs. Et je supportais parfaitement qu'elle célèbre avec moi la chance que j'avais — ce qui n'aurait peut-être pas été le cas quand j'étais plus jeune. A la vérité, cela me faisait plaisir. J'appréciais qu'elle voie chez Edouard ce que je voyais moi aussi : son immense gentillesse silencieuse ; son intelligence ; et, nonobstant cette intelligence, sa simplicité.

« Ne dites pas mon gendre, avait-elle un jour répondu à un interlocuteur qui, en toute innocence, le demandait au téléphone. C'est mon fils. Je suis sûre que sa mère, Dieu ait son âme, me comprendrait et me pardonnerait de dire cela. On ne peut pas aimer quelqu'un autant que j'aime mon Edouard et l'appeler son gendre. »

Les manières de ma mère ne convenaient pas à tout le monde, j'en suis consciente. D'autres gendres auraient pu reculer avec horreur face à cette frénésie d'amour, à cette avalanche d'approbation et d'affection. Mon mari, d'origine et de tempérament, était un WASP[1] du Middle West. Je sais qu'il n'avait jamais connu rien de pareil. Ses parents l'avaient aimé, mais à Champaign (Illinois) on se contentait en guise d'éloges d'un simple « C'est bien, mon fils ». Aussi fut-il d'abord assez surpris. Puis il s'habitua. Et en fin de compte,

1. *Wasp* (guêpe) : initiales de l'expression *White Anglo-Saxon Protestant*. Cette catégorie ethnico-socialo-religieuse incarne, aux États-Unis, tout ce qu'il y a de plus « respectable ». (N.d.T.)

quand nous rentrions le soir, nous écoutions, sur le répondeur, la voix de ma mère : « Bonjour-mes-petits-enfants-les-plus-merveilleux-qu'une-mère-puisse-avoir ». et cinq minutes plus tard, alors que je préparais déjà le dîner, elle parlait toujours. Edouard avait approché une chaise de l'appareil et on lisait sur son visage tant d'intérêt et de ravissement qu'on aurait pu croire qu'il écoutait son programme de radio préféré. En peu de temps, ce mathématicien réservé et son exubérante belle-mère juive, qui lui arrivait à peine à hauteur de la cravate, s'aimaient autant l'un que l'autre, de manière différente mais avec une égale férocité.

Ainsi, les enfants de maman — Edouard, Shany, Elaine et moi —, nous étions assis dans la salle d'attente de l'hôpital, respirant les effluves rances laissés par les précédents occupants du lieu, regardant sans les voir les affiches touristiques, attendant que le Dr Burns apparaisse et dise : « Tumeur bénigne. » Mais quand le Dr Burns finit par venir, il déclara : « Tumeur maligne. » Il parla aussi de métastases. Je portai ma main à la bouche, Shany sursauta, les visages d'Elaine et d'Edouard se pétrifièrent. Le chirurgien avait quitté la pièce avant que nous ayons pu lui demander combien de temps il lui restait à vivre.

Chapitre 2

Un téléphone. Il fallait que je trouve un téléphone. J'avais promis d'appeler des gens. Shany préviendrait la famille, et surtout les frères. Ils étaient plus âgés, mais en bonne santé, et vivaient là-haut, à Scarsdale. Moi, je devais commencer par Alvin.

Alvin n'était pas un des « enfants » de ma mère. Il appartenait à une catégorie spéciale que j'appellerai (faute de terme plus approprié) celle des petits amis. Ma mère lui avait demandé de ne pas venir à l'hôpital. Et lui m'avait fait promettre de l'appeler dès que je saurais quelque chose. Ce que j'aurais fait de toute façon.

Il y avait deux téléphones dans le couloir sur lequel donnait la salle d'attente. L'un et l'autre occupés. Je patientai, debout entre les deux appareils. D'un côté, un homme d'aspect soigné, en costume sombre, parlait à voix basse comme s'il avait eu peur de briser le combiné. De l'autre, une grosse femme de couleur, dont le chemisier dépassait par-derrière, s'exprimait à toute vitesse dans une langue que je ne pus identifier. Elle riait sans cesse et se balançait d'un pied sur l'autre comme si elle avait eu besoin d'aller aux toilettes. Elle passa tout à coup à l'anglais, mais répéta alors chaque mot qu'elle disait. « Huit livres, huit livres ! glapissait-elle dans le récepteur. Oui, oui ! Très bien, très bien ! »

Je me rappelai soudain que j'étais dans le service de gynécologie. Où il y avait des accouchements, aussi bien que des cancers de l'ovaire. En pensant aux nouveau-nés, j'eus les larmes aux yeux. Je me sentis jalouse de la femme qui se tenait devant moi. J'aurais voulu être moi aussi heureuse et surexcitée, annoncer une naissance et non cette triste nouvelle. Quand elle raccrocha, son sac tomba par terre et elle se baissa pour le ramasser. Toujours hilare, elle leva les yeux vers moi. « Excusez, excusez », dit-elle. Son chemisier était maintenant complètement sorti de sa jupe, et elle partit à toutes jambes dans le couloir. Je me retournai vers le téléphone et composai le numéro d'Alvin.

— Tumeur maligne.

Silence au bout du fil, puis :

— Très mauvais ?

— Je ne sais pas.

— Tu m'appelleras quand tu sauras ?

— Évidemment.

Je raccrochai et restai immobile une seconde, la main posée sur le combiné. Tout cela était-il réel ? Quelqu'un attendait pour téléphoner. Je replaçai mon portemonnaie dans mon sac et m'éloignai. D'avoir parlé à Alvin rendait les choses plus précises, mais pas plus réelles pour autant. Rien n'avait changé. Nous avions simplement une information. Pourtant, cette information changeait tout.

Quand elle eut atteint soixante-dix ans, et avant même d'avoir un cancer, ma mère déclara qu'elle était prête à mourir n'importe quand. Après le décès de mon père, elle répéta souvent ces paroles. Puis il y eut la rencontre avec Alvin, et l'idée sembla l'abandonner un peu. Ses relations avec Alvin étaient et restent un mystère pour moi. Tout d'abord, si l'on considère que, de par le monde, il y a peu d'hommes à la fois disponibles, sains d'esprit et hétérosexuels, en comparaison avec le nombre de femmes, comment avait-elle fait pour le trouver ? Je sais bien que cette question peut sembler indigne d'un amour filial. La vérité n'en est pas moins que maman n'avait ni la beauté, ni la richesse, ni rien qui fût de nature à attirer les hommes. Son visage ovale plein de douceur, son délicieux teint pâle, ses yeux noirs étonnamment grands et enfoncés me paraissaient adorables. Mais je sais que n'importe qui d'autre l'aurait sans doute considérée comme le type même de la vieille dame juive, boulotte et parfois excessivement fardée.

Quand je disais cela à Edouard, il le prenait mal et faisait valoir toutes les qualités que ma mère possédait par ailleurs, en soulignant que les hommes s'attachent aussi à ce genre de détails. Edouard avait raison, bien sûr. Mais, en toute objectivité, Alvin était, est aujourd'hui encore, un bien beau parti. Il est raffiné et séduisant. Malgré sa petite taille, il a dans l'allure quelque chose de royal, parce que sa tête est haut perchée sur son cou, comme s'il scrutait ses terres (je n'ai pas dit qu'il avait des terres). En outre, Alvin est doué d'un sens de l'humour ensorcelant. Il prodiguait surtout des traits d'esprit que maman ne saisissait jamais ; mais cela ne semblait pas le déranger le moins du monde : il paraissait même y prendre plaisir. Il riait avec nous de ses plaisanteries ; ma mère, elle, souriait, heureuse de notre gaieté mais sans en bien comprendre la raison. Alors Alvin lui prenait la main et la serrait, pour qu'elle ne se sente pas exclue, ce qui, je crois, n'était pas le cas.

Plus tard, quand nous étions au restaurant, il lui saisissait doucement le bras en disant : « Par ici, Ida » et l'écartait de la mauvaise porte vers laquelle son déplorable sens de l'orientation l'avait inévitablement conduite. Je n'avais jamais vu personne se comporter ainsi avec ma mère — pas même mon père : c'était bien davantage elle qui semblait le protéger —, sans doute est-ce pourquoi cela me paraissait si charmant.

Ma mère, qui avait à peu près sept ans de plus qu'Alvin, pensa toujours qu'elle avait réussi à lui cacher cette différence d'âge. Je soupçonne Alvin de n'avoir pas été dupe. S'il feignait de l'ignorer, c'est parce qu'il devinait qu'elle ne voulait pas qu'il le sache. C'était bien dans sa manière.

Pendant leurs huit années d'amitié, ils se téléphonèrent tous les jours — parfois deux fois par jour, me confia ma mère — et dînèrent ensemble chaque jeudi, sans faute. Pourquoi le jeudi ? Je l'ignore. Après dîner, Alvin la reconduisait chez elle et elle lui faisait manger une de ses exécrables pommes au four, avec une tasse de café décaféiné (elle avait sûrement, dès le jeudi matin, disposé sur la table les deux tasses avec leurs soucoupes, le pot à crème et de petits napperons brodés, après avoir choisi, repassé et étendu sur le canapé la robe qu'elle avait l'intention de porter). Puis, vers dix heures et demie, il rentrait chez lui.

Du moins, c'est ce que j'imagine.

Un matin, après leur deuxième ou leur troisième rendez-vous, elle me téléphona et me demanda de la retrouver au Schrafft's qui fait le coin de la 57e Rue et de la IIIe Avenue. La plupart des établissements de cette chaîne de salons de thé ont aujourd'hui disparu. Le personnel de chez Schrafft's était en majorité composé de vertueuses serveuses irlandaises avec des résilles dans les cheveux, et l'on y servait une nourriture simple tout à fait acceptable pour ma mère. Je me souviens de l'avoir entendue plus d'une fois me dire : « Ici, aucun de tous ces plats mystérieux. » Quand ma mère estimait que quelque chose valait la peine d'être dit, elle ne se contentait pas de le dire une seule fois.

Aussi longtemps que nous vécûmes toutes deux à New York, quand nous devions discuter d'un sujet important, nous nous retrouvions chez Schrafft's. Il y avait un je ne sais quoi dans les résilles des serveuses et dans ces vases disposés au centre des tables de bois verni qui nous permettait d'affronter tranquillement toutes les révélations que l'une se préparait peut-être à faire à l'autre. Ma mère arrivait toujours la première. En m'attendant, elle surveillait les tables situées près de la fenêtre et, dès que l'une d'entre elles se libérait, elle s'y installait. Quand j'entrais, elle avait déjà décidé ce qu'elle voulait manger : une « surprise aux tomates » qui, si l'on songe qu'elle commandait toujours le même plat, ne méritait plus guère son nom. Je l'embrassais sur la joue, m'asseyais et ôtais ma veste de tailleur, avec le sentiment d'être en retard. En fait, je ne l'étais pas ; c'était elle qui avait la fâcheuse habitude d'être toujours en avance. Je commandais alors une « surprise aux tomates », ou n'importe quel autre plat capable de m'éviter un exposé de diététique.

Notre dernier grand colloque chez Schrafft's, avant la réunion consacrée à Alvin, s'était tenu deux ans plus tôt, au mois de mai. Plusieurs rencontres de moindre importance avaient eu lieu entre-temps, mais celle de 1975 avait été d'une tout autre portée. J'enfonçai mon foulard dans la manche de ma veste et m'assis en face de ma mère, en me disant qu'elle n'avait pas du tout le même air que ce jour-là. Je n'avais sûrement pas le même air non plus. Ce jour-là, c'était ma mère qui attendait mes informations, qui se demandait ce que je m'apprêtais à lui dire, et c'était moi qui venais pleine d'agitation pour lui parler. Elle avait l'air étonnamment calme, comme si elle me faisait confiance. Comme si, quel que soit le genre de bombe que j'avais prévu de poser sur la table, elle-même s'était préparée à rester tranquillement assise et à supporter l'explosion sans broncher, avec son chapeau sur la tête et son sac sur les genoux, en pensant à part elle : « Ce n'est qu'une petite explosion. Le vase, on le remplacera. » Ce qu'elle avait fait. Elle avait même fait mieux.

Sans attendre mes tomates farcies, je lui avais expliqué, dans un torrent de paroles, que suite à la mastectomie que j'avais subie cinq semaines auparavant j'avais l'intention de quitter mon mari, de partir avec un autre homme vivre dans une autre ville, de laisser tomber mon travail et d'écrire un livre sur ce qu'on ressentait quand on avait un cancer du sein. J'étais tranquille, aucune de ces perspectives ne pouvait la choquer vraiment. Elle savait que mon couple battait de l'aile, qu'il y avait un autre homme dans ma vie, que l'opération m'avait rendue un peu maboule et que, quand j'étais un peu maboule, j'écrivais. Je ne pensais donc pas qu'elle allait s'évanouir. Je m'attendais plutôt au genre de réponses rebattues que font les mères dans ces cas-là : « Eh bien (une pause), j'espère que tu sais ce que tu fais. » Au lieu de quoi, sans changement perceptible dans son expression, elle baissa d'abord les yeux vers la table, puis les releva vers moi, s'efforça — en vain — de ne pas laisser filtrer le moindre sourire, soupira et dit : « J'aurais pu avoir une fille plus ennuyeuse. »

Si ma mère avait été un personnage à la Noel Coward, j'imagine que j'aurais été moins frappée par sa réplique. Mais elle n'était vraiment pas comme ça et ne le fut jamais. C'était simplement une mère qui, avec les années, s'était un peu détendue — bien plus que je ne l'aurais cru possible. Tout en sachant que la direction du Schrafft's désapprouvait tout geste démonstratif à l'intérieur de l'établissement, je n'hésitai pas à me lever et à sauter au cou de ma mère, si fort que je fis tomber son chapeau bleu marine, qu'elle avait pourtant agrafé par-devant, comme toujours, avec une épingle nacrée.

Nos rencontres chez Schrafft's, importantes ou secondaires, se déroulaient presque toujours de la même façon : je parlais, elle écoutait. Ou plutôt elle réagissait. Car ma mère aurait eu bien du mal à rester assise sans rien dire. La plupart du temps, je récitais des bulletins d'information sur mon existence : mon travail, mes robes, mes amis — pas mes amours, c'était un sujet trop délicat pour être évoqué chez Schrafft's, du moins jusqu'à mon mariage.

Et voilà que nous nous mîmes à discuter non seulement de mes amours mais, qui plus est, des siennes ! Il faut dire cependant que, en raison de la manière très particulière dont ma mère abordait les sujets, je ne compris pas tout de suite de quoi elle parlait.

— Penses-tu vraiment que ça ne pose pas de problème ? demanda-t-elle. Sa façon de dire « ça » laissait toujours planer le mystère.

— Si je pense que *quoi* ne pose pas de problème ?

— Je ne voudrais rien faire qui puisse déplaire à ma fille.

C'était aussi dans sa manière de me parler à la troisième personne. Sans doute les mots « mon » ou « ma » y étaient-ils pour quelque chose : elle adorait prononcer des possessifs. A une certaine époque, cela me mettait hors de moi. Plus tard, ça m'agaçait encore, mais j'avais appris à en rire — d'autant qu'Edouard était là pour rire avec moi.

— Maman, demandai-je en m'appuyant contre le dossier de ma chaise, comment pourrais-tu faire quelque chose qui me déplaise ?

— En voyant un homme que je n'ai pas l'intention d'épouser. (C'était donc ça ! Elle poursuivit :) Parce que tu n'as qu'un mot à dire, et...

— Maman, pour l'amour du ciel, nous ne sommes plus en 1900. Mais au fait, pourquoi ne veux-tu pas te marier ?

— Tu vois, tu vois ! Ça te déplaît.

— Arrête, maman ! Ça ne me déplaît pas. Je voudrais juste savoir. Il y a des gens de ton âge qui se marient, tu sais.

— Alvin est un ami merveilleux. A quoi bon me marier ? J'ai été mariée à ton père pendant quarante-trois ans, et c'était merveilleux. Je n'ai pas besoin de recommencer.

A la vérité, je ne pense pas qu'Alvin ait eu, plus qu'elle, envie de se remarier. Il était veuf également, et avait repris une vie de célibataire pas trop désagréable. Peut-être était-ce une des raisons qui l'attiraient vers ma mère. Avec sans doute le fait qu'on ne lisait pas le signe « dollar » dans ses yeux. Non qu'elle n'aimât pas l'argent. Mais elle savait distinguer entre la richesse matérielle et le mérite personnel.

Maman possédait une autre qualité qui avait dû

séduire Alvin, comme elle avait séduit tous ces gens qui étaient devenus ses « enfants ». C'était sans doute la plus attrayante de toutes, et même de toutes celles qu'un être humain peut avoir — sinon, pourquoi tous les politiciens et les représentants de commerce prétendraient-ils en être pourvus ? Ma mère était réellement intéressée, voire absorbée, par tout ce qui concernait autrui, par ce que les autres pouvaient être, penser ou dire. Pour ce qui est d'écouter, elle était imbattable. Du coup, les gens lui parlaient : aussi bien les membres de sa famille que ses amis ou même des inconnus rencontrés à un arrêt d'autobus.

Je suis au courant, pour les arrêts d'autobus, parce que ma mère me le racontait souvent après coup. « J'attendais le 5 — tu sais comment c'est, le 5, il y en a très peu, et si tu le rates il faut attendre une demi-heure — enfin bon, j'ai rencontré cette femme — très jolie, elle ressemble un peu à ta cousine Anita, mais en blonde — et elle m'a raconté une histoire très triste, à propos de la femme de son fils. Ils vivaient à San quelque chose — San Antonio ? C'est où, ça ? Au Texas ? — et alors ils ont acheté une maison et... »

Ce n'était pas du tout qu'elle-même fût taciturne. Elle parlait énormément, en particulier de moi. Puis, après mon mariage, de nous. Elle arrivait à se contrôler quand nous étions dans les parages mais, dès que nous avions tourné le dos, je savais qu'elle irait importuner tous les habitants de New York qu'elle connaissait, fût-ce depuis quelques minutes. Cependant elle accordait à ses interlocuteurs non seulement une égalité de temps de parole, mais encore une égalité de sentiments. Elle était aussi émue lorsqu'elle écoutait que lorsqu'elle parlait. Il me semble que ce n'est pas le cas de la plupart des gens. Même quand ils daignent écouter, ils ferment la vanne de leurs sentiments — et s'ils paraissent attentifs, c'est parce qu'ils sont bien élevés. Ma mère, elle, n'écoutait pas pour respecter les bonnes manières, mais parce qu'elle avait bon cœur.

Alvin lui parlait beaucoup d'affaires d'immobilier — elle-même s'y était un peu lancée. Dans ces conversations-là, ma mère n'était plus une gosse qui ne comprend pas les plaisanteries, mais une fine mouche à qui rien n'échappait.

Elle en savait long sur bien d'autres sujets, et sur l'existence en général. Elle avait parfaitement compris que la vie s'était montrée bonne pour elle. Et elle lui exprimait sa reconnaissance par une sorte de continuelle gaieté, assez étrange si l'on considère qu'elle était issue d'un milieu — juif orthodoxe — adonné au devoir et à l'effort bien plus qu'à la joie.

Certes, ma mère ne se laissa aller à cette joie qu'une fois certaine d'avoir convenablement sacrifié au devoir et à l'effort. Elle dut d'abord se décerner un 20 sur 20 en tant qu'épouse et que mère (la modestie n'avait pas sa place dans les excellentes notes qu'elle s'accordait). Mais une fois qu'elle eut commencé à s'amuser, ce fut sans répit, jusqu'à la fin.

La vie new-yorkaise n'y était pas pour rien. Mes parents avaient emménagé à New York au début des années soixante-dix. La ville réussissait bien à maman. Comme elle n'avait jamais su conduire, elle avait toujours dû compter sur les autres pour se déplacer lorsqu'elle vivait en banlieue. Mon père était le principal sollicité, ce qui n'était une bonne chose ni pour l'un ni pour l'autre. Quand elle se sentait dépendante, ma mère devenait irritable, et il arrivait que cela retombât sur mon père.

A New York, elle avait tout à coup été en mesure de circuler, à pied et en bus. C'est ainsi qu'elle me retrouvait dans le centre pour déjeuner, hors d'haleine mais heureuse, les joues empourprées par le froid, après avoir passé la matinée à papillonner entre toutes les missions qu'elle se fixait elle-même. « Bonjour, ma chérie ! criait-elle dès qu'elle me voyait, en agitant un paquet. Regarde ce que j'ai trouvé chez Bloomingdale's pour... » (pour moi, pour Shany, pour quelque neveu ou nièce). La ville rajeunissait ma mère.

Quand mon père mourut — j'ai horreur de l'écrire, parce qu'elle aurait eu horreur de le lire, mais c'est pourtant la vérité —, elle rajeunit plus encore. Pas tout de suite. Elle sombra d'abord dans le chagrin, comme il est normal, et cela dura presque deux ans. Puis elle rencontra Alvin, à qui — je n'aime pas non plus avouer cela — elle semblait avoir beaucoup plus de choses à dire qu'à mon père. Et j'observai bientôt qu'elle était devenue très différente de la femme pleine de prudence que nous avions toujours connue. J'imagine que pareille transformation se produit chez beaucoup de personnes âgées quand l'existence leur a souri. Elles cessent de considérer celle-ci avec angoisse, comme si c'était un fruit récalcitrant, et se mettent à en boire le jus.

« Je suis devenue égoïste », disait ma mère avec un sourire coquin. Et, Dieu merci ! c'était vrai. Elle avait au moins cessé de ne vivre et de ne respirer que pour mon père et pour moi. Mon père était mort. Moi, j'étais mariée et heureuse avec Edouard, qu'elle avait adoré dès le début. « J'ai fait ce que j'avais à faire, aimait-elle à dire, maintenant je peux être égoïste. »

Sa conception de l'égoïsme était de prendre des leçons de piano. « Je n'ose pas te dire combien ça coûte », murmurait-elle, ravie que ce soit aussi cher. Elle éprouvait également le plaisir d'apporter un démenti à mes affirmations : comment, en effet, aurait-elle pu payer quinze dollars la leçon et être aussi pingre (pour ce qui était d'elle-même) que je le prétendais ?

Et ce n'est pas tout. Ma mère — qui s'était toujours abstenue de tout ce qui n'avait pas une utilité précise, en général liée à moi — se mit au bridge. Partout où elle allait, elle emportait un carnet rempli de tableaux d'enchères. Elle les étudiait dans les queues des supermarchés, dans l'autobus, dans le métro (je lui avais interdit de prendre le métro, mais elle passait outre)

Elle s'inscrivit aussi à la YWHA, où elle allait danser deux fois par semaine et se fit autant d'amis qu'un enfant débarquant dans une nouvelle école.

J'observai qu'en même temps elle laissait tomber bon nombre d'anciens amis et surtout de connaissances datant de l'époque où elle ne vivait que pour le devoir. « Elle ne fait que se plaindre, disait-elle de quelqu'un. Elle n'a jamais fait que se plaindre. Ça intéresse qui ? C'est assommant ! (C'était sa nouvelle expression :) Ça intéresse qui ? » Elle la prononçait comme si elle avait toujours été quelqu'un d'insouciant et de boute-en-train.

Il lui fallait parfois un public à qui montrer ce qu'elle venait d'apprendre. « Maintenant, asseyez-vous ! », nous ordonna-t-elle un soir, à Edouard et à moi, en nous désignant le canapé doré du salon, qui grâce à des housses, des têtières et une utilisation parcimonieuse, avait largement dépassé son espérance de vie, et venait enfin de retrouver son aspect d'origine. « Je suis votre mère, et c'est un morceau court. » Elle s'assit alors à son épinette Steinway, au bois toujours aussi luisant — cette place où je m'étais tenue trente-cinq ans plus tôt, elle debout derrière moi pour s'assurer que je gardais le dos bien droit — et nous fit écouter les résultats de sa dixième leçon : une interprétation hésitante, mais techniquement parfaite, du thème de Lara dans *Le docteur Jivago.* Elle frappa le dernier accord et se retourna, ivre de l'exaltation des artistes. « Qu'en pensez-vous ? demanda-t-elle. Pas mal, pour une vieille dame, hein ? »

C'est la même année que ma mère et sa récente amie de l'YWHA, Rose (qui avait vécu au Mexique, écrivait des poèmes et portait des fichus à franges), décidèrent d'entrer dans une troupe de théâtre consacrée à je ne sais quels buts charitables. Je crois qu'ils donnaient des représentations en faveur d'enfants défavorisés, mais je n'en vis aucun le samedi après-midi où je me mêlai au public, dans la pénombre d'un théâtre proche de l'East

River, pour regarder maman se lancer dans le rôle de la marâtre de *Hänsel et Gretel.*

Elle trichait, bien entendu. Elle portait une robe beaucoup trop belle, et on aurait cru qu'Elisabeth Arden en personne était sortie de sa tombe pour la maquiller. De plus, elle en rajoutait dans sa façon de jouer, surtout dans la scène où la belle-mère renvoie les enfants dans les bois. Elle mettait une méchanceté exagérée dans ses expressions. Je ne lui en adressai pas moins des compliments extravagants après la représentation, exactement comme elle quand j'avais joué le rôle de Miss Amérique pour un spectacle scolaire, vers 1947 — de façon toutefois moins expansive qu'elle, pour autant que je me souvienne.

Malgré tout cela, même dans ces années qui furent les plus insouciantes de sa vie, ma mère continua de respecter certaines obligations qui lui venaient du passé. Ainsi, comme il convenait selon elle à une veuve approchant des soixante-dix ans, et longtemps avant de tomber malade, elle entreprit les préparatifs nécessaires à sa mort. Et ce, sans jouer les martyrs, sans même donner à cette activité le moindre caractère lugubre : de façon naturelle, comme si toute personne convenable se devait d'agir ainsi.

Non, ce n'est pas cela. On pourrait croire qu'elle accomplissait un devoir quand, en réalité, elle tirait de ces arrangements beaucoup de plaisir et de fierté. Oui, elle était fière de pouvoir me laisser de l'argent, même si je n'en avais pas besoin, et que je me fâchais quand elle abordait la question ; elle était fière, aussi, d'avoir pris certaines dispositions afin que sa mort n'entraîne aucune complication pour Edouard et pour moi. Elle avait choisi et payé une concession funéraire, nous avait remis un double de la clef de son coffre-fort pour que nous puissions l'ouvrir immédiatement, avait veillé à ce que ses comptes en banque me soient accessibles, et n'achetait que des titres au porteur.

Ce n'était pas qu'elle fût désireuse d'en finir. Tout en

prenant ces précautions, elle s'efforçait de ne pas songer à leur signification. Elle n'avait aucune envie de penser à la mort, même si elle ne le reconnaissait pas toujours — comme s'il y avait eu quelque chose de mal dans le fait de ne pas souhaiter mourir. Lors de sa première conversation intime avec Edouard, peu de temps après que nous lui avions annoncé nos projets de mariage, elle lui raconta que, pendant les deux années qui suivirent la mort de mon père, elle n'avait eu d'autre désir que de « le rejoindre ». « Mais ensuite, avait-elle ajouté avec un sourire dans lequel Edouard devina un sentiment de culpabilité, je me suis aperçue que je n'étais pas si pressée... »

L'entrain de ma mère était parfois exaspérant, à cause de cette façon qu'elle avait de toujours trouver un bon côté à tout, même quand il n'y en avait aucun, comme dans le cas de mon premier mariage. Elle recourait constamment à des maximes édifiantes, qu'elle aurait mieux fait de broder sur des coussins : « Parfois les erreurs ne sont pas des erreurs, ce sont des leçons. » Mais regarde les choses en face, maman ! avais-je envie de lui dire, et je le lui disais parfois. Elle ne pouvait pas, et je le savais. Pourtant, quand je voyais autour de moi toutes ces mères qui se plaignaient de leurs enfants et répétaient en geignant que la vie ne les avait pas récompensées et ne les récompenserait jamais de leurs sacrifices, puis qu'en rentrant du bureau épuisée, je mettais en marche mon répondeur pour entendre les roucoulements de ma mère, qui duraient entre deux et cinq minutes (« Allô, mes chéris ! Ici la maman la plus heureuse du monde... »), je trouvais que je n'avais pas lieu d'être mécontente.

Et elle nous demandait si peu de chose ! Si nous lui téléphonions, c'était bien ; sinon, c'était bien aussi, elle n'en était que plus contente quand nous appelions. Et nous appelions. Non pas parce que c'était un devoir, mais parce que nous en avions envie, parce qu'à sa manière elle nous remontait le moral, nous amusait, nous réchauffait, nous apportait un amour aussi profond et immense que celui que nous éprouvions pour elle...

Tout cela est-il vrai ? Ne suis-je pas en train de faire ce que fait tout le monde après la mort d'une personne aimée ? N'ai-je pas édulcoré mes souvenirs pour magnifier son personnage, la représenter meilleure et plus aimable qu'elle n'était ? C'est difficile à savoir. Je l'aimais tant que je sentais et sens encore cet amour jusque dans la moelle de mes os ; et quand sa maladie s'aggrava, cet amour devint pour moi pesant et douloureux — mais plus fort encore. Je l'aimais même pour ses côtés irritants et je les regrettai avant même qu'elle n'eût disparu. A mesure que croissaient ce poids et cette douleur, j'eus envie de m'en débarrasser. J'ai essayé. Je me promenais dans la ville en regardant les vitrines et en tâchant de penser à autre chose. Mais je n'arrivais pas à en sortir. Et encore aujourd'hui je n'y arrive pas toujours.

Chapitre 3

Le Dr Burns avait prescrit huit séances de chimiothérapie. Une fois par mois, les médicaments lui seraient administrés par voie intraveineuse, à l'hôpital. Le premier traitement aurait lieu avant son retour à la maison. À la douleur due à la tumeur avait succédé celle causée par l'intervention chirurgicale, mais chaque jour apportait un léger mieux. Une semaine après l'opération, quand elle parut en mesure de le supporter, une infirmière installa dans la chambre le pied à perfusion et la première séance commença.

— Ce n'est rien, me dit ma mère une heure après que l'interne lui eut planté une aiguille dans la veine, au dos de la main gauche. Je ne sens rien du tout. Vraiment rien du tout, ma chérie.

Je connaissais le ton avec lequel elle prononçait ces mots. C'était celui qu'elle prenait pour me materner. Même à mon âge.

— Tu sais, me dit-elle en se retournant sur l'oreiller pour me regarder avec ses grands yeux noirs si doux, parfois on a plus de peur que de mal.

Je connaissais aussi cette façon d'employer des phrases toutes faites pour adoucir la réalité. Je baissai les yeux et serrai les dents, pour qu'elle ne voie pas mes larmes.

— Quand j'ai entendu le mot chimiothérapie, poursuivit-elle, je me suis dit : mon dieu, je vais avoir des nausées, je vais perdre mes cheveux. (Elle étendit le bras et prit ma main dans la sienne.) Sais-tu ce qu'a dit le Dr Burns ? (Je fis non de la tête.) Il a dit que si mes cheveux tombent, ils repousseront tout de suite. Et tu sais ce qu'il a dit aussi? Qu'ils pourraient même repousser tout roux. Tu ne trouves pas que c'est drôle? Mais regarde-moi un peu! Tu as les yeux cernés. Rentre donc! Je vais très bien.

Je vais très bien...

Il est vraiment préférable d'ignorer ce qui nous attend. Parce que, lorsqu'on le sait, on se rend malade rien qu'à y penser. Les mois suivants, elle sentirait souvent la nausée monter avant même qu'on n'ait amené le pied à perfusion.

La chimiothérapie n'est pas toujours une pareille descente aux enfers. La mère d'Edouard, quand elle fut atteinte de cancer, ressortait toute fraîche de ses séances. Chimiothérapie signifie traitement par des médicaments, choisis en fonction du genre de cellules malignes qu'on essaie de tuer. Les médicaments sont plus ou moins toxiques et les organismes y réagissent plus ou moins bien. Parfois, le patient se contente d'aller chez un médecin, de prendre un comprimé et de rentrer chez lui. Il ne peut guère espérer aller danser le soir même, mais il ne passe pas non plus les huit heures suivantes à contempler la lunette des cabinets.

Ma mère ne vomissait pas dans les toilettes. Elle se servait pour cela des pratiques récipients de plastique (en demi-lune, comme certaines assiettes à salade) que l'hôpital fournissait par piles entières.

Elle était obligée de suivre son traitement à l'hôpital parce que les drogues qu'on lui donnait (Cisplatyl et Adriamycine) ne pouvaient pas s'administrer par voie orale, mais seulement par voie intraveineuse. Chaque séance durait un week-end entier. Le vendredi après-midi, j'allais à pied chez elle dans la 44e Rue Est, à l'autre bout de la ville, et je l'emmenais à l'hôpital en taxi. Quand nous arrivions à en trouver un. Il commençait à faire beau et les gens partaient à la campagne en fin de semaine. Aussi, trouver un taxi un vendredi après-midi tenait de la prouesse sportive, et ma mère et moi n'y parvenions presque jamais. Sur la IIIe Avenue, nous étions prises de vitesse par la vague des jeunes gens de la rive Est qui portaient d'élégantes mallettes au bout de leurs longs bras bronzés. Chaque fois que je devais m'avouer vaincue, je me mettais à transpirer inutilement et je tournais la tête vers ma mère restée debout sur le trottoir là où je lui avais dit d'attendre, triste et toute petite dans sa jolie robe, tenant son porte-billets comme une petite fille aurait porté une carafe de table, et avec, sur la tête, le turban qu'elle était obligée de mettre maintenant que ses cheveux étaient tombés.

Je savais qu'elle supportait la chute de ses cheveux bien plus mal qu'elle ne voulait l'admettre. Ils avaient été si beaux — épais, noirs, brillants, avec seulement quelques mèches grises sur les tempes. Elle en avait toujours été très fière. Elle adorait raconter combien les coiffeurs ou d'autres femmes, qui pensaient qu'elle les teignait, étaient étonnés en s'apercevant que ce n'était pas le cas.

Comme ils n'étaient pas tombés tout de suite, elle s'était d'abord dit que, peut-être, ils ne tomberaient pas du tout. Mais leur chute commença dès la troisième séance. Un jour, chez elle, elle me dit à voix basse, levant sa brosse : « Regarde. » Il y avait tant de cheveux sur la brosse qu'on ne la voyait plus. Puis elle tendit le doigt vers son oreiller, parsemé de mèches noires, et ajouta en essayant de sourire : « Ça fait un peu sale. » A partir de ce moment, elle garda la tête couverte en permanence. Quand elle sortait, elle mettait un turban. Rarement, une perruque, car elle estimait que ça se verrait (et c'était vrai). Chez elle, elle portait une sorte de résille blanche qui lui donnait l'air d'une petite fille dans un conte.

Comme une petite fille. Voilà deux fois que j'écris ces mots. C'est bien ce que la maladie avait fait d'elle. Et pas n'importe quel genre de petite fille : silencieuse, docile, obéissante, surtout avec les médecins et tout particulièrement à l'hôpital. Je pense qu'elle considérait l'hôpital comme une prison et ses employés comme des gardiens prêts à la torturer. Si elle était sage, ils la tortureraient peut-être moins. Même avec le personnel administratif, elle se montrait « sage ». Chaque vendredi, nous devions attendre au moins une heure aux admissions, parce qu'elle tenait à arriver exactement à l'heure qu'on lui avait fixée. Un vendredi matin, je lui dis au téléphone :

— Maman, pourquoi ne viendrais-tu pas un peu plus tard, cette fois-ci ? Vers trois heures, mettons.

— Mais ils m'ont dit deux heures.

— Je sais bien, mais tu te souviens de ce qui s'est passé la dernière fois ? Nous avons attendu jusqu'à quatre heures.

— Je sais, mais...

— Ça n'a aucun sens !

— Écoute, ils doivent bien avoir une raison.

— Bien sûr qu'ils ont une raison ! (J'avais haussé le ton et m'en repentis aussitôt.) C'est le plus facile, pour eux. Ils sont sûrs que tu es là, à leur disposition, jusqu'au moment où ils décident de te faire entrer. Eux, ils se fichent pas mal de ce que tu ressens.

En réalité, j'étais injuste. Aux admissions, les employés étaient vraiment gentils. Quand nous arrivions en retard, ils ne disaient rien. Et si j'expliquais que ma mère n'en pouvait plus, ils s'arrangeaient pour l'installer sans tarder dans une chambre.

Je n'étais pas non plus très juste, ni particulièrement aimable, avec la bénévole, une Allemande d'un certain âge, qui nous accompagnait généralement jusqu'à la chambre.

— Attendez une minute, disait-elle en louchant vers nous. J'ai l'impression de vous avoir vues quelque part. Vous êtes déjà venues ici ?

— A peu près quatre mille fois, répondais-je sans aménité, tout en prenant à l'épaule le sac de voyage de ma mère et en précédant les deux femmes vers l'ascenseur.

— Ah ! je vois que vous connaissez le chemin.

— C'est exact, répondais-je, tandis que ma mère lui souriait et lui parlait gentiment du beau temps.

Je me comportais simplement — sans en avoir conscience — comme tout le monde a tendance à le faire après avoir reçu un coup qu'il ne sait pas à qui rendre : je frappais n'importe qui. Le personnel de l'hôpital était une cible qui en valait une autre. Mais, dans l'ensemble, ces gens étaient parfaits. C'était le cancer qui n'était pas parfait. Le cancer, et ce qu'on faisait pour essayer d'en venir à bout.

Chapitre 4

Ma mère m'étonnait. Je n'aurais pas cru qu'elle ferait preuve d'un tel désir de vivre ; j'avais imaginé qu'elle préférerait la mort au supplice. Pourtant, elle se préparait bel et bien à entamer son quatrième week-end de chimiothérapie (quatre autres devaient encore suivre). Elle avait des nausées, les forces lui manquaient, ses cheveux étaient tombés et elle ne se faisait plus d'illusions sur ce qui l'attendait. Mais elle ne reculait pas pour autant et, à ma connaissance, l'idée de s'avouer vaincue ne lui était même pas venue.

En ce quatrième vendredi, un 21 août, New York était une étuve nauséabonde. Les passants, accablés par la chaleur, ressemblaient à des drogués, le regard perdu dans le vide. Entre mon domicile et l'appartement de ma mère, il y avait plusieurs avenues à traverser. A chaque carrefour, je dus sauter par-dessus les caniveaux, jonchés de boîtes de limonade et de détritus infestés de mouches, que déversaient les poubelles remplies à ras bord. C'était une de ces journées où New York devient un enfer que l'on s'empresse de fuir pour peu que l'on ait cinq dollars en poche. Aussi n'y avait-il pas de taxis libres. Pas un seul. Et les nausées de ma mère avaient déjà commencé. Je l'avais compris dès le matin, quand je l'avais eue au téléphone.

— Tu vas bien ?

— Oui... je vais bien.

Elle répondait toujours ça, et seule la durée de la pause qu'elle marquait me révélait son véritable état.

Lorsque j'arrivai chez elle, elle n'avait pas fini de

s'habiller. Je ne lui demandai même pas comment elle se sentait. C'était inutile. À la voir se déplacer, on aurait cru qu'elle avançait sous l'eau, et elle ne parlait presque pas. L'ascenseur mit longtemps à arriver. Tout fonctionnait au ralenti, ce jour-là. Elle l'attendit en gardant les yeux fixés sur la moquette unie. Quand nous sortîmes de l'immeuble, elle releva la tête, surprise par la chaleur enveloppante. Je la pris par le bras et nous remontâmes la rue. Un homme assez âgé, qui vendait des fruits au coin de la IIIe Avenue, la laissa s'asseoir sur un cageot vide pendant que je descendais sur la chaussée pour faire signe aux taxis. Dix minutes plus tard, je vis arriver un autobus poussif.

— Tu veux qu'on le prenne ? criai-je à ma mère tout en agitant la main.

— Bien sûr, répondit-elle.

Nous montâmes. Par bonheur, il y avait une place libre au fond. Mais, après quelques minutes, je m'aperçus que le climatiseur ne fonctionnait pas. Les passagers avaient ouvert les fenêtres, mais cette circulation d'air humide et brûlant n'arrangeait absolument rien. Ma mère demeura toute raide sur son siège jusqu'à la fin du trajet. Son visage était blême. D'une main elle s'agrippait à la barre à côté d'elle, de l'autre elle tenait un mouchoir pressé sur ses lèvres.

Pendant que nous marchions de l'arrêt d'autobus à l'hôpital, à quelques rues de là, elle affirma qu'elle se sentait mieux.

Au bureau des admissions, une femme au visage anguleux et aux lèvres pincées, que je n'avais jamais vue jusque-là, me lança, sans lever les yeux du registre où elle écrivait : « Il faudra attendre. » Je lui expliquai, avec tout le calme et la délicatesse possibles, que ma mère était dans un état épouvantable, mais elle se contenta de répéter machinalement sa formule, sans m'accorder un regard. Jamais je n'avais aussi bien compris ce qu'est une impulsion homicide. J'aurais voulu lui arracher son crayon des mains pour le lui planter dans le cœur. Mais je retournai dans la salle d'attente où était restée ma mère, lui pris la main et dis que la chambre serait bientôt prête.

« Ida Rol-lin. » Quand cette sorcière appela ma mère, au bout de dix minutes seulement, je lui en fus si reconnaissante qu'en me rappelant mes idées de meurtre je sentis monter une flambée de remords. Mais elle tenait toujours les yeux baissés et ma culpabilité s'envola en fumée. Et puis qu'importe ! me dis-je, avec tout le détachement d'un passager inscrit sur une liste d'attente et qui vient d'être admis dans l'avion. D'ailleurs, une meilleure cible s'offrait maintenant à ma mauvaise humeur. La petite dame allemande, dans sa blouse bleue de bénévole, arrivait sur nous de sa démarche de canard. Elle se baissa pour prendre le sac de voyage de ma mère, mais interrompit son geste, releva la tête et demanda en nous regardant en biais :

— Vous êtes déjà venues ?

Une fois dans la chambre, à ce dixième étage qui m'était devenu odieusement familier, ma mère se laissa tomber sur le bord du lit. Pendant que je l'aidais à se déshabiller, je remarquai avec soulagement que l'autre lit était vide. Il était arrivé une fois ou deux que ma mère se sente à peu près bien le vendredi soir et se lie rapidement d'amitié avec ses compagnes de chambre. Elles lui faisaient plutôt du bien, ces femmes qui souffraient de troubles gynécologiques ou de Dieu sait quoi d'autre (dès le samedi soir, maman s'était arrangée pour l'apprendre). Mais ce jour-là, je me dis qu'il valait bien mieux qu'elle soit seule.

« Merci, ma chérie », me dit-elle avec cette voix éteinte qui était la sienne depuis quelque temps, tout en levant le bras comme une enfant sage pour me permettre de lui retirer sa blouse. Elle choisissait encore avec soin les vêtements qu'elle mettait pour se rendre à l'hôpital, quoiqu'elle flottât dedans comme s'ils avaient appartenu à quelqu'un d'autre. Et elle se maquillait toujours : un peu de fond de teint, du rouge à joues, du rouge à lèvres. Ma tante Shany, à qui il arrivait de l'emmener à l'hôpital à ma place et qui passait des heures auprès d'elle pendant chaque week-end de chimiothérapie, avait sa théorie personnelle là-dessus. Nous nous téléphonions tous les jours depuis le début de la maladie et Shany, pour être à même de juger comment allait sa sœur, me demandait invariablement ce qu'elle s'était mis sur la figure.

Shany savait que pour ma mère le maquillage n'était pas une simple habitude, mais un véritable rite. Elle avait consacré une bonne partie de son existence à essayer d'amener les femmes qu'elle aimait le plus, surtout Shany et moi, à se farder davantage. Elle voyait dans le fait de se maquiller — avec discernement, bien sûr — une marque de bonté envers soi-même, d'amour et de respect pour son propre visage. D'où la théorie de Shany : aussi longtemps que sa sœur continuerait à se maquiller, ce serait toujours la même personne. Et, par conséquent, il resterait de l'espoir. En moi-même, je me demandais bien quel espoir : que le rouge à joues puisse guérir le cancer ?

Quand une aide-soignante arriva pour remplir la feuille d'entrée, je lui dis que j'allais répondre aux questions à la place de ma mère. Les précédentes visites à l'hôpital m'avaient appris quelques ficelles, dont l'une était de répondre « Deux » à toutes les questions posées. « Chemises de nuit ? — Deux. — Bas ? — Deux. » L'aide-soignante redressa la tête et pour la première fois me regarda dans les yeux. Quelque chose devait ne pas lui paraître clair. D'après mon expérience, c'était la seule circonstance où les aides-soignantes vous regardaient dans les yeux.

« Deux bas, ou deux paires ? — Deux paires. »

Malgré ce petit contretemps, son questionnaire exigea deux fois moins de temps que si elle avait interrogé la patiente elle-même. Ma mère aurait longuement réfléchi chaque fois, comme pour un examen universitaire.

Elle était dans son lit, allongée sur le dos, les yeux clos. Comme d'habitude, l'air conditionné avait transformé la pièce en glacière. Ma mère tremblait un peu. Je remontai sa couverture jusqu'au menton et demandai :

— Que dirais-tu d'une couverture supplémentaire ?

Elle fit oui de la tête. Justement, une nouvelle aide-soignante était entrée pour remplir le broc.

— Vous auriez une autre couverture ? dis-je d'un ton que je pensais aimable.

Elle ne répondit pas.

— Auriez-vous une autre couverture ? répétai-je.

— J'ai entendu, dit-elle sans même se retourner. Quand j'aurai le temps, je vous en apporterai une.

Elle sortit. D'accord, petite Noire, tu te dis que je suis une Blanche, une princesse, et tu me détestes. Très bien, mais ne fais pas ça à ma mère, hein ? J'allai prendre la couverture de l'autre lit.

Nous vîmes ensuite arriver l'interne, les yeux battus, avec un nouveau questionnaire.

— Quand avez-vous commencé à vous sentir malade, madame Rollin ?... Oui ? Et puis, qu'est-ce qui s'est passé ?

Je n'ai jamais compris pourquoi ils lui faisaient réciter chaque fois toute l'histoire de sa maladie. Elle était sûrement consignée quelque part ! Seulement, ils ne l'avaient pas sous les yeux ; il était plus facile d'interroger les patients.

Cet interne-là était maigre, pâle et chevelu, avec des façons onctueuses de rabbin et un filet de voix si mince que je l'entendais à peine. Ma mère disait « Pardon ? » après chacune des questions qu'il lui posait, et il répétait, mais tout aussi bas, en accentuant seulement un peu plus la première syllabe ou le premier mot. Elle regardait fixement son visage pour essayer de lire sur ses lèvres, puis elle se concentrait intensément et répondait avec force détails, exactement comme avec la jeune femme qui remplissait la feuille d'entrée.

Je fus surprise de l'entendre poser à son tour une question.

— Docteur, dit-elle de cette voix brisée que lui donnaient la fatigue, la nausée, ou les deux à la fois, depuis quelque temps je commence à avoir mal au cœur avant même d'arriver à l'hôpital, parfois dès la veille. Hier soir, par exemple. (Elle souriait, presque comme pour s'excuser.) D'où est-ce que ça vient ? Est-ce que je pourrais prendre quelque chose ?

L'interne l'écoutait en hochant la tête.

— C'est sans doute un état émotionnel, murmura-t-il. Vous anticipez sur ce qui va se passer et vous vous sentez mal avant même que ça ne commence. C'est tout à fait normal.

Maman sourit encore et hocha la tête à son tour. Cette explication semblait la satisfaire, comme si le mot « normal » avait suffi à la rassurer. Comme si, jusque-là, elle avait eu le sentiment qu'il fallait être folle ou perverse pour avoir mal au cœur avant l'heure prévue. « Merci, docteur », dit-elle en fermant les yeux. Nous avions tous oublié sa seconde question : Que pouvait-on faire pour éviter cela ? Ou peut-être ne l'avions-nous pas vraiment oubliée, peut-être avions-nous simplement admis le fait que la science médicale, si elle sait combattre la poliomyélite ou la blennorragie, si elle sait éviter les grossesses, reste impuissante à empêcher ou même atténuer les nausées liées à la chimiothérapie.

La marijuana donnait de bons résultats chez certains sujets, mais on ne pouvait pas en introduire dans l'hôpital. Selon les médecins, d'ailleurs, ma mère n'en tirerait aucun soulagement, compte tenu du genre de médicaments qu'elle prenait. De plus, elle n'avait jamais fumé la moindre cigarette. Comment aurait-elle pu fumer de la marijuana ?

Je regardai son visage. Elle avait pris quelques couleurs. Apparemment, ses nausées avaient cessé. Mais nous savions tous que le vrai problème n'était pas celui du vendredi, mais du samedi, quand la chimiothérapie commencerait.

Tout en étant consciente que je perdais mon temps en demandant au médecin quels médicaments on lui administrerait le lendemain, je le suivis jusqu'à la porte et lui posai la question. C'était quelque chose que je faisais beaucoup depuis un certain temps : poser des questions qui soit n'obtenaient pas de réponses, soit n'en recevaient que de mauvaises.

Il me répondit comme je m'y attendais :

— Eh bien, nous allons lui donner de la Compazine.

— Je sais. Mais la Compazine n'a pas l'air d'être très efficace.

— Ah oui ? (L'interne secoua la tête.) Le Cisplatyl est un peu brutal. Nous pourrions peut-être forcer la dose de Compazine. Je vais en parler au médecin-chef.

— Merci, dis-je.

Il restait planté là, comme si sa réponse ne lui paraissait pas plus convaincante qu'à moi. Cela me toucha et j'ajoutai :

— Merci d'être si gentil avec ma mère.

Il parut surpris. « Oh, ce n'est rien ! » Il rougit, puis s'éloigna dans le corridor. Je me dis qu'il avait besoin d'une bonne nuit de sommeil. Sa mère aurait été désolée de le voir comme ça, et elle aurait eu raison. Et je souris en me rendant compte que si ma propre mère avait été dans son état normal, elle aurait dit exactement la même chose.

Le Dr Burns passa à six heures. Il faisait toujours sa tournée en fin d'après-midi, accompagné d'au moins un interne et parfois de deux ou trois, qui le suivaient dans les couloirs et les chambres comme des lycéens en visite organisée. Je dois reconnaître que le Dr Burns, avec son corps massif, son cou de taureau et son flegme, avait belle allure. Ses cheveux étaient blancs, mais aussi fournis que ceux d'un écolier anglais, et lui retombaient sur l'œil d'une façon que j'aurais trouvée charmante, s'il m'avait été possible de rattacher de quelque façon cet adjectif à la personne du Dr Burns. Ce soir-là, au pied du lit de ma mère, il n'était suivi que d'un interne, un Indien qui, d'un air pénétré, inclinait la tête et croisait les mains comme s'il avait assisté à une cérémonie religieuse.

— Alors, Ida, comment ça va ? demanda le Dr Burns.

— Oh ! très bien, docteur Burns, répondit-elle, en bonne petite fille qui savait ce que son papa attendait d'elle. Puis elle s'enhardit : En fait, je ne me suis pas sentie très bien...

— Alors nous allons vous remettre d'aplomb, s'exclama le chirurgien tout en tirant le rideau qui entourait le lit afin d'examiner sa patiente.

Je quittai la pièce et allai m'adosser contre un mur. Je voudrais ne pas détester le Dr Burns, me disais-je. J'ai sûrement tort de le détester. Ma mère l'adore. Elle pense même que lui aussi l'adore. Elle se considère comme son enfant préférée. Et c'est peut-être vrai, si l'on songe à la vénération qu'elle lui témoigne, à la façon qu'elle a de sourire et de roucouler en sa présence. Elle n'arrête pas de me raconter, ainsi qu'à Shany qui le déteste aussi, combien tout le monde l'adore, parce que c'est « un grand homme ».

Un grand homme, d'accord. Trop grand. Trop grand, en tout cas, pour s'intéresser à des choses aussi assommantes que des nausées. Apparemment, le cancer de ma mère l'intéresse ; mais qu'elle se sente bien ou mal, peu lui importe. De plus, il ne répond jamais à une question de façon compréhensible. Elle-même le reconnaît, mais elle l'inscrit au compte de sa « grandeur ». Après les consultations, je lui demandais :

— Qu'est-ce qu'il a dit, maman ?

Elle répondait, avec une ébauche de sourire :

— Eh bien, tu connais le Dr Burns. Il m'a dit de rentrer à la maison et de regarder le match.

— Comment ?

— Oui, le match de base-ball, ou de football, je ne sais plus. A la télévision.

— Mais ta douleur au côté, qu'est-ce qu'il en a dit ?

— Écoute, il n'a pas été très clair...

Je me frottai les yeux avec le pouce et l'index pour chasser une de ces migraines, brèves mais violentes, que je ressentais parfois juste derrière les globes oculaires. Je me dis que finalement le Dr Burns était un chirurgien et que les chirurgiens étaient comme ça. Des techniciens. Nous avions, en outre, toutes les raisons de penser que le Dr Burns était un technicien particulièrement efficace. C'était peut-être suffisant. N'était-il pas excessif de demander à un bon technicien d'être aussi un être humain ? Il n'était pas méchant, seulement un peu distant. Sans doute devait-il l'être pour se protéger lui-même. Cela paraissait assez compréhensible. J'aurais voulu qu'une autorité reconnue descende du ciel pour le confirmer.

Je longeai le couloir jusqu'à la salle d'attente et m'effondrai dans un des fauteuils de plastique. *Visitez le Portugal*, ordonnait une affiche sur le mur en face de moi. Je me dis, une fois encore, que c'était peut-être moi qui l'indisposais d'une façon ou d'une autre. Chaque fois que je lui parlais — ce que j'essayais toujours d'éviter —, il me donnait le sentiment d'être stupide et de me mêler de ce qui ne me regardait pas. Mais n'était-ce pas ma faute ? N'y avait-il pas quelque chose chez moi qui le faisait réagir de cette manière ? Peut-être aussi exagérais-je sa froideur. Peut-être n'était-ce pas vraiment de la froideur. Je n'arrivais même pas à désigner exactement ce qui me mettait si mal à l'aise. Était-ce sa façon, quand je lui parlais, d'observer le sol ou le plafond au lieu de me regarder ?

Je repensai tout à coup à une scène qui s'était déroulée juste après l'hystérectomie de ma mère. On l'avait ramenée dans sa chambre sur un brancard. Elle gémissait et se tordait de douleur. Je ne m'attendais pas à la voir en pleine forme après cette opération, mais je savais aussi que certains médicaments étaient censés lui venir en aide. Je m'aperçus alors qu'en salle de réveil on avait cessé de lui administrer des analgésiques, parce que sa tension était tombée. Mais, en en parlant avec le médecin-chef, j'eus l'impression que le danger n'avait pas été bien grand et que sa politique, celle de l'hôpital et sans doute celle de tous les hôpitaux, était de faire passer la sécurité avant tout. Car la douleur ne tue pas, même si elle peut donner envie de mourir à celui qui la subit. Or, quand un patient souffre le martyre, cela ne cause pas au personnel hospitalier les ennuis que pourrait entraîner un décès. De sorte que la douleur, si insupportable soit-elle pour un patient, reste tout à fait tolérable pour ceux dont le rôle est de s'occuper de lui.

J'eus aussi l'impression que, selon ce système de valeurs, j'aurais dû me montrer immensément reconnaissante. C'était ce que semblait dire l'infirmière privée que j'avais fait venir le jour de l'opération. Elle me déclara que, si l'on mesurait la souffrance sur une échelle de un à dix, celle de ma mère ne dépassait sans doute pas trois. « On sait quand ils ont vraiment mal, parce qu'ils serrent les poings », me dit-elle en mimant le geste. Puis elle tourna la tête vers ma mère, dont le visage était convulsé mais qui ne serrait pas les poings, bien que ses mains fussent fermées. « Vous voyez, ajouta-t-elle avec un sourire entendu, ce n'est pas le cas de cette patiente. »

Son exposé n'avait pas dû me réconforter autant qu'elle aurait voulu, car je me souviens seulement de m'être précipitée dans le couloir pour trouver le Dr Burns et obtenir qu'il fasse quelque chose. Il était dans la salle des infirmières. Quand je lui dis ce que je voulais — sur un ton rien moins que calme, je l'avoue —, il ne me répondit pas mais se tourna vers l'infirmière et lui ordonna, en jargon hospitalier, d'administrer à ma mère une autre piqûre de je ne sais quoi. Elle s'exécuta sur-le-champ. A ce moment-là, le Dr Burns avait donc prescrit un remède et qu'importait après tout qu'il se fût ou non montré chaleureux à mon égard. Ma mère, elle, le trouvait chaleureux. Ou plutôt, elle voulait le trouver tel et elle y parvenait.

Je me levai en m'appuyant sur les bras du fauteuil et retournai lentement dans sa chambre. Le Dr Burns et l'interne étaient partis, laissant heureusement la place à mon infirmière favorite, une Irlandaise qui se déplaçait comme d'habitude à la façon d'un éléphant dans un magasin de porcelaine. J'aimais bien cette Irlandaise. Mais il m'avait fallu quelque temps pour m'habituer à elle. Car sa manière de pénétrer dans la pièce, par exemple, était angoissante. Elle entrait avec une telle vivacité qu'elle semblait constamment sur le point de passer par-dessus le lit et de traverser le mur. Et sa voix ! Elle aurait réveillé un comateux.

— Un autre oreiller, madame Rollin ? (Et d'ajouter à mon intention :) Et vous, mon petit, comment ça va ? tout en continuant d'arpenter la pièce et d'inspecter les recoins et les tiroirs comme un policier recherchant des documents compromettants.

— J'aimerais beaucoup avoir un autre oreiller, dit ma mère en souriant. Comment avez-vous deviné ?

— Ça fait partie du boulot, madame, ça fait partie du boulot. Je reviens tout de suite !

Et elle reparut à l'instant, apportant non pas un oreiller mais deux.

— Est-ce qu'elle n'est pas adorable ? murmura ma mère après que l'Irlandaise fut sortie à grands pas. Elle vit avec sa sœur. Je ne pense pas qu'elle ait jamais été mariée. Sa sœur était religieuse, avant. Elle...

Je me penchai vers maman pour rajuster sa calotte blanche et l'embrassai sur le front.

— Toi aussi, tu es adorable, lui dis-je, et elle sourit.

Je savais que ce serait sans doute son dernier sourire avant que nous ne quittions ces lieux.

Chapitre 5

Le lendemain, samedi, j'arrivai à l'hôpital vers onze heures du matin. Près du lit, la poche accrochée à la colonne du pied à perfusion était déjà à moitié vide, et ma mère somnolait. C'est bien, me dis-je. Si seulement elle avait pu dormir d'un bout à l'autre de la cure ! En veillant à ne pas faire de bruit, je posai le journal et le yaourt que j'avais apportés et me glissai dans le fauteuil installé au pied du lit.

— Bonjour, ma chérie.

— Je t'ai réveillée !

— Non, non, ce n'est pas toi. Je n'ai pas arrêté de m'endormir et de me réveiller pendant toute la matinée.

Elle bredouillait un peu. C'était sans doute à cause de la Thorazine. A cette heure-ci, on avait dû lui en donner. J'avais toujours cru que la Thorazine était un tranquillisant utilisé dans les hôpitaux psychiatriques, pour calmer les malades mentaux. Ce n'est pas faux, mais elle a d'autres usages. En particulier, elle permet d'émousser les sensations des cancéreux avant le choc de la chimiothérapie. De fait, la Thorazine plongeait ma mère dans un état de somnolence, dans une sorte de stupeur ; mais elle ne servait manifestement à rien contre ses nausées. C'était en principe le rôle de la Compazine, qui cependant ne semblait guère plus efficace.

L'Irlandaise était de congé ce jour-là. Sa remplaçante, l'air affairé, vint prendre la température et la tension de ma mère. J'aimais bien cette jeune fille pleine d'allant, qui avait un tempérament de consolatrice mais ne se croyait pas obligée d'afficher un sourire figé. « Bonjour ! » dit-elle. Et ma mère et moi de répondre « Bonjour ! » à l'unisson, comme si nous avions été gaies, nous aussi.

A cet instant, j'entendis un bruit de l'autre côté de la chambre et m'aperçus qu'on avait tiré le rideau autour du second lit. Il devait y avoir quelqu'un dedans. J'agitai le pouce dans cette direction et, en chuchotant comme un souffleur de théâtre, demandai à ma mère qui c'était. Elle haussa les épaules. « Je ne sais pas, une femme qu'on a amenée hier soir. Elle est restée éveillée toute la nuit. »

Je savais ce que cela voulait dire : que ma mère n'avait pas dormi non plus. Je soupirai. Mais peut-être était-il préférable qu'elle soit fatiguée, peut-être les choses se passeraient-elles mieux cette fois-ci, après tout ?

Cette manière de se rassurer porte un nom. C'est la méthode Coué, dont la réputation n'est plus à faire : elle ne marche jamais.

— Pourquoi n'essaies-tu pas de te rendormir ? demandai-je.

Maman hocha la tête et ferma les yeux. Je songeai que je devrais peut-être manger mon yaourt tout de suite : avant qu'elle ne commence à vomir. Mais je n'en avais pas envie. Je restai là, assise, regardant ses paupières qui tremblaient. Peut-être faisait-elle un rêve, un beau rêve ? Encore la méthode Coué...

Ce jour-là, j'avais tout de même remporté une victoire : j'avais réussi à dissuader son frère Louis de venir la voir. A quoi bon lui montrer ce spectacle ? avais-je dit à Shany, qui m'avait approuvée. C'était déjà bien assez, avec sa nature compatissante, qu'il soit au courant. Louis était moins solide que ma mère et que Shany. Et j'étais sûre qu'il en avait toujours été ainsi, bien qu'il fût plus âgé qu'elles : à quatre-vingts ans, c'était le plus vieux des trois enfants encore en vie de Rebecca et Salomon Silverman, arrivés en Amérique au début du siècle, comme des centaines de milliers d'autres Juifs d'Europe orientale, dans l'espoir d'une vie meilleure, qu'ils y avaient en effet trouvée.

Rebecca Silverman avait mis au monde quatre enfants, entre 1901 et 1912. Deux en Pologne, à Bialystok — une de ces villes frontalières qui subissent de plus en plus l'influence de la Russie —, et deux à New York. L'aînée, Sarah, était une grosse fille qui ne cessait de pouffer et de minauder. Toute sa vie, elle avait gardé des dents de bébé. A la vérité, elle n'était jamais devenue adulte, bien qu'elle se fût mariée, cela va sans dire, et qu'à sa mort, provoquée à l'âge de cinquante ans par une crise cardiaque, elle eût laissé derrière elle cinq enfants et deux petits-enfants. Ensuite venait Louis, un garçon dont la gentillesse et la douceur s'étaient confirmées au fil des années jusqu'à en devenir, de l'avis de ses sœurs, un défaut. « Il n'a jamais appris à se battre, disaient-elles en soupirant, c'est pour ça qu'il n'a pas eu le sort qu'il méritait. »

Ida naquit en 1908, sur le sol américain. Cela lui valut à tout jamais la considération et le respect de ses parents, pour qui tout ce qui était américain relevait du chef-d'œuvre. Ida était aussi sérieuse et intelligente que son frère, mais bien moins timide que lui — en fait, elle n'était pas timide du tout. Sa mère avait toujours pensé que des enfants nés en Amérique sauraient se débrouiller dans la société américaine et, en chœur avec son mari, se félicitait en yiddish : « Pour Ida, il n'y a pas de souci à se faire. »

La naissance de la benjamine, Shany, survint pendant l'hiver de 1912. Shany était la plus jolie, la plus gracieuse, la plus spontanée. Bien douée elle aussi, elle faisait cependant peu de cas des qualités qu'elle avait reçues en partage ; rien ne l'intéressait en dehors de son cousin germain, également prénommé Louis, qui était de huit ans son aîné. Celui-ci lui offrit une bague de fiançailles quand elle n'avait que treize ans et elle l'épousa à l'âge de dix-sept ans. Grand-mère versa quelques larmes, qui furent vite séchées. Après tout, Louis était un brave garçon, et de plus le fils de son frère.

Les Silverman vivaient dans le Bronx, au quatrième étage du n° 514 de la 139e Rue Est. Leur appartement consistait en quelques pièces exiguës à peine éclairées par les appareils à gaz suspendus au plafond. Quand la lumière faiblissait, c'était signe qu'il fallait mettre vingt-cinq cents dans le compteur, une grande boîte accrochée à bonne hauteur sur un mur de la cuisine. Parfois, grand-père soulevait dans ses bras la petite Shany et la laissait introduire la pièce. « C'est une banque », disait-il, et elle le crut pendant des années.

L'appartement n'offrait pas beaucoup de confort. Pas de chauffage, à part la cuisinière à charbon. Peu de lumière, car deux chambres seulement avaient des fenêtres. Pas de téléphone, bien entendu. Mes grands-parents possédaient en revanche une glacière, qui causait des inondations quand grand-mère oubliait de vider le bac d'écoulement.

Il y avait deux chambres à coucher. Grand-père et grand-mère occupaient la première, les trois filles dormaient dans le grand lit de la seconde. Quant à Louis, il se contentait d'un lit de camp dans le salon et dut attendre d'être marié pour pouvoir bénéficier d'un vrai lit.

Louis, poussé par son excellent naturel, était le premier debout chaque matin à six heures et s'occupait de charger la cuisinière à charbon pour éviter cette peine à grand-père. Il travaillait pendant la journée et suivait des cours du soir, de sorte qu'il était aussi le dernier à se coucher. Il rentrait tard, pénétrait dans l'appartement à pas de loup, ouvrait avec précaution la porte de la chambre à coucher de ses parents, passait la main dans les cheveux de sa mère pour s'assurer qu'elle n'y avait pas oublié quelque épingle qui aurait pu la blesser, puis ressortait sur la pointe des pieds et allait se glisser dans son lit de camp.

Grand-père se levait à sept heures et consacrait toute la matinée à la prière et à l'étude. Il s'asseyait pour cela à la grande table qui occupait presque toute la salle à manger. L'après-midi, il recevait ses élèves, de petits garçons américains dont les chaussettes retombaient sur les souliers, pour leur enseigner l'hébreu et les préparer à leur *bar mitzvah.* Le soir, après un dîner composé de *flanken* (bœuf bouilli), de pommes de terre à l'eau et de compote de pommes — jamais de salade, grand-père disait que c'était bon pour les lapins —, il s'octroyait sa seule distraction de la journée : la lecture du quotidien juif *Daily Forward.* Grand-mère ne savait pas lire, aussi lui disait-il à haute voix les meilleurs passages ; c'étaient en général des lettres en yiddish, d'un lyrisme exalté, écrites par des femmes qui étaient venues d'Europe rejoindre leurs maris mais les avaient retrouvés « changés ». Par exemple, dans les bras d'une Juive *réformée* de Brooklyn.

C'était une famille pauvre mais qui ne s'en rendait pas compte, parce que tout le monde autour d'elle l'était. Bien sûr, il y avait des gens plus misérables encore, et grand-mère sentait son cœur saigner quand elle songeait à eux, surtout s'ils vivaient tout à côté, comme Mme Binowsky. Cette veuve occupait l'appartement mitoyen et ne survivait que par quelques travaux de confection. Quand Mme Binowsky n'arrivait pas à payer son loyer, grand-mère lui commandait une robe pour une de ses filles. Le seul ennui était que Mme Binowsky avait de fort mauvais yeux, de sorte que les demoiselles Silverman étaient habillées de manière atroce. Mais elles avaient beaucoup de robes.

Elles ne s'en plaignaient pas, du moins pas à leur mère, s'étant faites depuis longtemps à l'idée qu'elle était une femme trop sensible, capable de s'émouvoir pour un rien, en particulier si on lui parlait de chagrin, de désespoir, de crainte, de panique. Les quémandeurs fondaient sur la porte des Silverman comme des oiseaux sur une mangeoire. Et aucun ne repartait sans avoir rien reçu. C'était une règle de cette maison, et pas seulement parce que grand-mère en avait décidé ainsi. La religion commandait également de toujours donner quelque chose, si démuni que l'on fût.

Grand-mère avait un faible pour les orphelins. Si elle entendait dire qu'un orphelin avait besoin d'argent, elle lui en donnait sans même qu'on le lui demande. C'est qu'elle-même avait été orpheline : sa mère était morte en la mettant au monde et, deux ans plus tard, son père l'avait suivie dans la tombe.

— Mais si tu n'avais pas de parents, qui s'occupait de toi, maman ? lui demandaient souvent ses enfants.

— Tous ceux qui craignaient Dieu, répondait-elle.

Ni grand-père ni grand-mère ne parlaient anglais. Ils n'en avaient pas besoin. Leur univers se bornait à leur appartement, à leur bloc d'immeubles, à l'épicerie du coin, à la synagogue, aux autres membres de la famille, aux colporteurs qui frappaient chez eux, bref à des gens qui s'exprimaient tous en yiddish. Pourtant, ils aimaient la sonorité des mots anglais. Grand-mère, en tout cas, frissonnait de plaisir en entendant ses enfants parler cette langue. C'était comme si elle avait écouté un concert. Elle ne comprenait rien à cette musique, mais quelle importance ? Elle savait que ses enfants étaient bons musiciens.

Grand-mère apprit tout de même quelques mots — *oui, non, comme ci comme ça*, et surtout *surprise !* son expression de prédilection, qu'elle prononçait avec une intonation exclamative. Personne ne se souvenait quand ni pourquoi elle avait commencé à aimer ce mot, mais elle jouait avec lui comme un gamin avec un gros ballon en caoutchouc et le plaçait chaque fois qu'elle en avait l'occasion. Cela portait sur les nerfs de tout le monde, mais pas trop. « Mais non, maman, la corrigeaient ses enfants (en yiddish), tu ne veux pas dire *surprise !* mais très bien (ou *et voilà*, ou encore autre chose). » Grand-mère secouait la tête et éclatait de rire. Elle préférait *surprise !*

Quand Ida déclara à ses parents qu'elle voulait aller à l'Université, grand-père demanda : « Pour quoi faire ? » Personne ne sut quoi lui répondre, mais Ida alla quand même à l'Université, parce que grand-mère le souhaitait. C'est même peu dire qu'elle le souhaitait : quand Ida reçut sa lettre d'admission à l'École Maxwell de formation des maîtres, de Brooklyn — il y avait un quota pour les Juifs et sa candidature aurait fort bien pu être rejetée —, grand-mère se dressa sur la pointe des pieds (elle mesurait moins d'un mètre cinquante), saisit la tête de sa fille entre ses mains comme si ç'avait été un melon et lui posa sur le front un gros baiser retentissant. Si elle avait pu le faire sans déshonorer son mari, elle aurait fêté l'événement en défilant toute seule, drapeau américain au vent sur la 139e Rue.

Ida n'était pas moins ravie que sa mère. Depuis toujours, elle avait voulu devenir enseignante. Dire qu'elle aimait les enfants serait bien faible au regard de ce qu'elle éprouvait dès qu'elle rencontrait un représentant de l'espèce humaine âgé de moins de dix ans. Cette passion s'appliquait tout particulièrement aux enfants de sa propre famille. Par bonheur, sa sœur Sarah et la progéniture de celle-ci s'étaient installées dans l'immeuble voisin. Parmi les enfants de Sarah, Ida avait surtout un faible pour l'aîné, Pincus ; quand celui-ci était encore un bébé, sa mère et sa tante se le passaient de fenêtre à fenêtre comme un panier de nourriture. Pincus tourna plutôt au sale mioche en grandissant, mais pour Ida il était toujours son petit prince. Elle l'emmenait partout avec elle, et jusqu'à l'habituelle séance de photographie organisée au terme des études secondaires. Arrivé dans le studio, Pincus décida qu'il voulait être photographié lui aussi de sorte qu'Ida fut la seule élève de sa classe à se faire prendre en photo au côté d'un enfant de cinq ans en costume marin.

Comme on pouvait s'y attendre, les cours préférés d'Ida étaient ceux de pédagogie. Elle aimait bien aussi la psychologie et l'anglais, matières où elle excellait.

Pendant les trois ans qu'elle passa à l'Ecole Maxwell, elle rencontra un seul problème, mais il était de taille et aurait pu l'empêcher d'obtenir son diplôme. L'examen final comportait une épreuve de gymnastique, avec exécution dans les règles d'au moins une culbute au sol. Chaque étudiant devait s'acquitter de cet exercice. Mais Ida Silverman avait beau essayer, elle n'y arrivait pas.

La difficulté qu'elle éprouvait résidait en partie dans le fait qu'elle n'était guère accoutumée à l'activité physique, surtout si celle-ci exigeait de se tenir, fût-ce une fraction de seconde, la tête en bas et les pieds en l'air. La gymnastique n'avait pas droit de cité chez Salomon et Rebecca Silverman. Grand-père, surtout, estimait que les gens qui se servaient de leur corps avaient une seule et unique raison de le faire : il leur manquait l'esprit. En d'autres termes, le sport était bon pour les *goyim*.

Par ailleurs, les filles Silverman n'avaient pas exactement une constitution de sportives. Elles étaient, en vérité, grosses et pataudes. Et il n'est pas facile de réaliser une culbute quand on est grosse et pataude : on reste la nuque collée à terre, ou bien on tombe sur le côté. C'est bien ce qui arrivait à cette pauvre Ida, pourtant si sérieuse. Et plus elle essayait, plus elle désespérait d'y parvenir un jour.

Heureusement, elle n'était pas la seule dans ce cas. Il y avait une autre fille trop grosse, nommée Sue, qui n'obtenait pas de meilleurs résultats. Aussi, elles s'entraînaient ensemble, le plus souvent chez Ida. Grand-mère les aidait à tirer le matelas du lit de sa fille jusqu'au salon, où elles l'étendaient sur le sol pour travailler. Grand-mère essayait de faire que ces séances eussent lieu pendant les moments où grand-père se trouvait à la synagogue. Mais une fois ou deux, étant rentré plus tôt que prévu, il lui fallut assister pétrifié à ce spectacle : sa fille et son amie, en costumes de gymnastique, le visage congestionné et le derrière en l'air, en train de rouler sur un matelas étendu dans le salon.

Il ne prononça pas un mot, se contentant de secouer la tête et de passer le plus vite possible dans la salle à manger pour y continuer ses prières.

Ida, puis Sue découvrirent enfin comment il fallait s'y prendre et furent reçues à l'examen. C'était en 1929. Elles se mirent immédiatement en quête de postes d'institutrices. Mais il n'y en avait pas. Il n'y eut d'ailleurs bientôt plus aucun poste d'aucune sorte. Cependant, Ida, si elle était peu douée pour l'acrobatie, avait d'autres qualités : elle comprenait vite la réalité des choses et avait la langue bien pendue. En septembre, quelques mois seulement après avoir obtenu son diplôme, elle trouva un poste au département du personnel du Beth Israel Hospital, à Manhattan.

Grand-mère considéra que c'était merveilleux. Mais elle pensait que tout ce que faisaient ses enfants était merveilleux. Et qu'une personne puisse, comme ça, en deux temps trois mouvements, décrocher un travail, que cette personne soit sa fille et que ce soit précisément un travail dans un bon hôpital juif — tout cela lui paraissait vraiment féerique. Quel pays, se disait grand-mère, quel extraordinaire pays !

Les vomissements commencèrent à deux heures et demie, comme prévu. Pendant une heure, elle vomit toutes les quinze, puis toutes les dix minutes, et trois heures après, seulement toutes les vingt minutes. Cela continua ainsi jusqu'au soir. Quand elle ne vomissait pas, elle somnolait, ou bien elle restait simplement allongée, les yeux clos. Au bout de deux heures, elle n'avait plus la force de soulever la tête pour s'essuyer la bouche.

A intervalles réguliers, l'infirmière que j'appelais « la consolatrice » venait tirer les couvertures de ma mère, la retournait sur le ventre et lui faisait dans le bas du dos une injection sous-cutanée de Compazine. Elle m'affirma que j'avais tort de penser que la Compazine ne servait à rien. « Vous voulez dire que, sans la Compazine, ce serait pis ? » lui dis-je avec un demi-sourire. Elle acquiesça et repartit à toute vitesse dans le corridor, me laissant affronter cette idée toute seule.

— Oh ! s'il vous plaît ! gémit ma mère.

Je bondis de mon fauteuil. Elle gémit encore : « Oh ! s'il vous plaît ! » Ses yeux étaient fermés et elle remuait la tête d'un côté et de l'autre comme si quelqu'un l'avait serrée à la gorge.

Je me penchai vers elle.

— Maman, de quoi as-tu besoin ? Qu'est-ce que je peux faire ?

Elle écarquilla soudain les yeux et les braqua sur moi comme des projecteurs.

— Je me sens si mal ! dit-elle en haletant. (Elle avait pris ma main comme si elle était sur le point de tomber.) Je me sens si mal !

Je lui embrassai le front et sentis sa transpiration sur mes lèvres.

— Ça va s'arrêter, dis-je, ça va s'arrêter.

Mon Dieu, pensais-je, faites que ce soit vrai. S'il vous plaît, faites que quelqu'un arrête ça. Elle referma les yeux.

— Je vais chercher quelque chose pour te rafraîchir le visage.

Je courus à la salle de bain, laissai couler l'eau pour qu'elle soit bien froide, plaçai sous le robinet une serviette de toilette, la tordis aussi fort que je pus, retournai vite dans la chambre, pliai le tissu et le lui appliquai sur le front en essayant de me dire que tout cela avait un sens, alors que je savais que ça n'en avait aucun. Les yeux toujours clos, elle leva la main pour ajuster le linge humide. Elle resta un instant sans bouger puis recommença à agiter la tête, faisant tomber la serviette. Je voulus la remettre sur son front, mais elle la repoussa et désigna la cuvette en plastique. Je l'attrapai, la lui plaçai sous le menton, et elle vomit. Puis, comme je ne lui avais pas relevé la tête à temps, elle eut encore un haut-le-cœur et se remit à vomir. Des vomissures vertes. J'avais déjà vu cela : c'était de la bile.

N'est-ce pas là une torture intéressante ? Imaginez-vous assise au chevet de votre mère. A côté d'elle, en haut d'une colonne métallique, est accroché un flacon en plastique, rempli de liquide. Chaque fois que vous levez les yeux, le niveau du liquide a baissé dans le flacon. Vous savez pourquoi : parce que ce liquide filtre goutte à goutte dans les veines de votre mère. Vous savez aussi que c'est une bonne chose, que ce liquide est envoyé vers les cellules cancéreuses avec mission de les détruire. Ce liquide est donc un ami, un ami très important. Cela, c'est ce qu'affirme votre cerveau. Seulement, cet « ami » torture votre mère : c'est ce que vous disent vos yeux. Entre votre cerveau et vos yeux, deux constatations opposées se précipitent l'une vers l'autre comme deux automobiles lancées à pleine vitesse. Vous voudriez presque les voir s'emboutir, dans l'espoir que la collision vous réveille, dans l'espoir de vous retrouver la tête enfoncée dans votre oreiller, les cheveux collés au front par la sueur, et de pouvoir vous retourner dans votre lit, infiniment soulagée de vous rendre compte que ce n'était là qu'un mauvais rêve.

L'aide-soignante revient, sa pause terminée. Elle s'appelle Pearl. C'est une Noire de petite taille, ronde comme un chou à la crème, avec un sourire timide, à la fois doux et triste, un sourire de jeune fille bien qu'elle paraisse avoir trente-cinq ans ou peut-être plus. Pearl a une fille, déjà adolescente, dont elle m'a confié que c'était « une gentille enfant », comme s'il n'y avait rien de plus à dire ; un mari absent (sans commentaire) ; et ce travail sinistre qu'elle affirme aimer, « tant que les gens sont gentils ».

Avec ma mère, Pearl est formidable. Calme. Efficace. Affectueuse. On dirait qu'elle a dans le corps un système d'alarme qui se déclenche quelques secondes avant que maman ait envie de vomir. C'est bien utile, car cela lui permet d'accourir, de relever la tête de la malade, de lui mettre la cuvette en plastique sous le menton et des linges dans la main, tout cela en même temps. Pendant qu'elle accomplit ces tâches, Pearl s'adresse à elle en chuchotant. Je n'entends pas ce qu'elle lui dit, mais je perçois l'intonation, tendre, ferme, d'une immense douceur. Mes yeux s'emplissent tout à coup de larmes, et je sais que cette émotion ne vient pas seulement du supplice qu'endure ma mère, mais aussi d'un élan d'amour envers cette femme payée pour s'occuper de nous et que, pourtant, rien n'oblige à bercer cette tête blanche et chauve en lui parlant à voix basse comme à un bébé.

Il est huit heures quand maman recommence à vomir. Je ne sais pourquoi je regarde l'heure chaque fois, comme pour trouver une règle à ce phénomène, en mesurer le déroulement et en prévoir la fin.

Elle garde les paupières closes, bien qu'elle n'ait pas l'air de dormir. Je me lève de mon fauteuil et marche jusqu'à la fenêtre en passant devant l'autre lit, celui dont le rideau est maintenant tiré. Bien que je sache l'après-midi terminé, je sursaute en m'apercevant que dehors il fait nuit. J'appuie mon front contre la vitre, contemple le ciel étoilé. C'est une superbe, une admirable soirée d'été.

Chapitre 6

Comme les dimanches matin précédents, Edouard et moi gagnâmes l'hôpital en toute hâte, parce que je craignais toujours que les médecins n'y soient allés trop fort et qu'elle n'en soit morte. Le bon sens me disait bien sûr que rien de tel n'avait pu se produire ; mais je n'avais plus toute ma tête à moi.

Nous ne la trouvâmes pas morte mais, comme d'habitude, anéantie : le dos voûté, le corps affaissé comme s'il avait perdu son ossature, les lèvres et les joues enflées par la Thorazine au point que les sons qu'elle proférait ressemblaient à peine à des mots. Elle était bien trop faible pour marcher mais ne s'en était pas moins calée dans un fauteuil, déjà habillée et chaussée pour sortir. C'était avec son chapeau, posé un peu de travers, qu'elle avait couvert son crâne chauve. Et elle s'était maquillée — oui, oui, tante Shany ! Elle tenait la cuvette en plastique sur ses genoux comme si ç'avait été son sac à main. Je lui demandai comme chaque fois si elle ne voulait pas rester encore un petit peu à l'hôpital, en attendant de se sentir mieux, et elle répondit comme chaque fois, en tordant la bouche pour permettre aux paroles de sortir : « S'il te plaît, ma chérie, ramène-moi à la maison. » Ce que nous fîmes, bien entendu.

On nous laissa sortir le fauteuil roulant de l'hôpital jusqu'à un taxi. Edouard l'aida à s'installer sur la banquette arrière, puis alla s'asseoir à côté du chauffeur pour veiller à ce que la voiture évite les nids-de-poule. Je pris place près de maman et lui passai un bras autour des épaules. L'infirmière d'étage nous avait donné une pile de cuvettes en plastique, mais c'était inutile. Si fortes que fussent ses nausées, ma mère ne vomissait jamais en taxi. Cela ne lui était pas arrivé une seule fois et elle en était fière.

Nous restâmes silencieux pendant le trajet de retour. C'était toujours ainsi. Ma mère se tenait aussi droite qu'elle pouvait, agrippée des deux mains à la banquette comme si elle avait dû la maintenir en place. Ses yeux étaient ouverts, mais je crois qu'elle ne voyait rien. À peine arrivée à l'appartement, elle alla vomir à nouveau. Elle faisait cela avec beaucoup de détachement et de sens pratique, assise sur un tabouret qu'elle laissait en permanence dans la salle de bains pour pouvoir le pousser devant les W.-C. quand elle en avait besoin. Elle s'enferma dans cette pièce et ordonna à Edouard de retourner au salon. Je pus rester dans le couloir, mais elle ne me permit d'entrer qu'après en avoir terminé. Quand elle repoussa enfin la porte, je l'aidai à se lever et à marcher lentement jusqu'à sa chambre, où je la déshabillai, lui passai sa chemise de nuit et l'installai sous les couvertures. Elle se lova sur le côté, comme une petite fille sur un siège de voiture, et sombra immédiatement dans un sommeil de plomb.

Je sortis de la pièce sur la pointe des pieds (précaution bien inutile, car elle était profondément endormie et le resterait au moins quelques heures, jusqu'à la dissipation des premiers effets des drogues) et allai retrouver Edouard au salon. Il était assis sur le canapé, parmi des feuilles éparses du *Sunday Times.*

— Elle dort ?

Je fis un signe de tête affirmatif, écartai le supplément littéraire du quotidien et m'effondrai à l'autre bout du canapé.

Edouard me dévisageait.

— Et toi, comment ça va ? demanda-t-il.

— Très bien. Et toi ?

— Très bien. Voilà une conversation passionnante.

Je ris.

— Tu es vraiment un drôle de numéro !

Il se glissa jusqu'à moi et m'embrassa sur la joue.

— Et toi, tu es vraiment bon public !

Je soupirai.

— Et le monde est vraiment dégueulasse.

— Mais non. Il est seulement dégueulasse de temps en temps.

Je renversai la tête en arrière sur le dossier du canapé et étirai les jambes. Le moment semblait tout indiqué pour lire le journal, mais je n'en avais pas envie. Je voulais rester totalement immobile, sans même détourner le regard du mur en face de moi. Une photographie encadrée s'imposa à mon attention. C'était le jour de mon mariage avec Edouard. Nos deux mères et nous avions une expression de joie débridée (surtout ma mère et moi, pour dire la vérité). Je scrutai les quatre visages l'un après l'autre, de gauche à droite. Ma mère, les yeux écarquillés, la bouche entrouverte, semblait à deux doigts de jaillir hors de l'image. Moi, j'étais toute décoiffée à force d'embrassades et je laissais voir plus de dents qu'il ne me semblait en posséder. Edouard aussi souriait de toutes ses dents. Ma belle-mère, Marian, portait une jolie robe violette et s'était mis du rouge aux joues. « Heureuse comme une reine », aurait-elle sans doute dit d'elle-même en voyant cette photo.

Marian. Je m'étais efforcée de ne pas penser à elle depuis le début de la maladie de ma mère. Mais c'était devenu de plus en plus difficile. Je fermai les yeux, puis les rouvris. Elle était toujours là, et le salon de ma mère avait fait place au sien, dans l'Illinois. Debout au milieu de la pièce, près de son divan victorien, elle annonçait la récidive de son cancer d'une manière qui lui ressemblait tout à fait : sereinement, la tête haute, sans faire d'histoires. Ma belle-mère était une petite femme mince, peu portée à la sensiblerie. Elle avait des cheveux blancs toujours bien coiffés, portait des lunettes à monture claire et se tenait comme une institutrice, les mains jointes et les talons serrés. Ses longs pieds étroits étaient chaussés de souliers anglais à boucles ou à lacets. Le gilet de tricot qui lui couvrait les épaules ne glissait jamais.

Mon mari et ses frères ne savent pas mentir, l'art de la dissimulation leur est étranger. Je n'avais pas connu leur père, mais la fréquentation de Marian m'avait convaincue qu'elle était au moins pour moitié à l'origine de cette propension familiale à la sincérité. Son ton courtois et ses manières irréprochables ne l'empêchaient pas de faire connaître clairement sa façon de penser. « Je n'ai jamais compris quel sens il pouvait y avoir à... », disait-elle souvent à quelqu'un qui le comprenait trop bien. La placidité avec laquelle elle donnait son sentiment avait de quoi faire frémir. Mais sa fermeté ne tournait jamais à la mesquinerie. Elle avait trop d'intelligence et aussi d'assurance pour refuser d'écouter le point de vue d'autrui.

Quand Edouard m'avait présentée à sa mère, celle-ci ne m'avait pas accordé tout de suite sa confiance. Elle craignait que je ne fusse une de ces New-Yorkaises superficielles comme on en voit à la télévision, capable d'allonger le bras pour tapoter mon fume-cigarette audessus de la main de son fils comme si ç'avait été un cendrier. Quand elle eut compris que je n'étais rien de tout cela, elle me considéra d'un autre œil et des relations d'affection prudentes, mais solides s'établirent entre nous. J'avais toujours ressenti son amour pour moi comme un honneur, parce que je savais qu'il n'avait rien de systématique.

C'était à la fin d'un week-end de *Thanksgiving*. Avant d'épouser Edouard, je n'avais jamais vraiment cru que des vacances comme celles-là pouvaient exister. Ni des familles comme celle-là. Et pourtant ! Le père et la mère d'Edouard, l'un comme l'autre de fortes personnalités, n'avaient pas divorcé. Ils avaient trois fils superbes et pleins d'énergie, Bob, Jim et Edouard. Et même, à l'époque où les garçons étaient encore en culottes courtes, un chien répondant au nom de Spot.

Nous étions tous dans le salon, nos manteaux sur le dos, prêts à partir pour l'aéroport – il y avait aussi Bob, avec sa femme Gwen et leurs enfants –, quand Marian, d'une voix si basse qu'on l'entendait à peine, nous apprit ce qu'il en était. « Je ne voulais surtout pas gâcher les moments délicieux que nous avons passés ensemble, déclara-t-elle avec une grande douceur, mais je pense devoir vous dire que le médecin a découvert une tumeur inopérable... »

Après cela, elle avait suivi une cure de chimiothérapie. Les choses ne s'étaient pas du tout passées de la même manière que pour ma mère. C'était en simple consultation qu'on donnait à Marian ses médicaments, et ceux-ci la fatiguaient mais ne lui causaient pas de nausées. Une fois le traitement terminé, elle connut une période de rémission qui dura à peu près un an. Puis le naufrage commença. Quand nous lui rendîmes visite à la Noël de 1980, elle était en proie à une toux chronique qui lui ôtait toutes ses forces, et elle avait maigri de façon alarmante. Elle continuait à se promener chaque jour dans le parc mais, en la regardant de la fenêtre de son appartement, on comprenait quel combat cela représentait pour elle. « Regarde-la, me disait Edouard d'une voix où se mêlaient la tristesse et la fierté, regarde comme elle lutte pour traverser ce parc. »

Deux mois plus tard, en février, nous la trouvâmes encore affaiblie. Sa toux s'était aggravée et elle avait mal. Peu après notre arrivée, elle nous présenta une infirmière et une bénévole de Hospice (programme de soins à domicile pour les malades en phase terminale) qui l'assistaient, nous dit-elle, « parce que les choses devenaient plus difficiles ». Elle avait dressé, sur un cahier jaune, une liste d'objets lui appartenant — essentiellement des porcelaines et de l'argenterie — et me la montra pour que je l'aide à décider comment les répartir entre ses héritiers. En voyant la mine que je faisais, elle chercha à me réconforter en disant qu'elle avait bien profité de la vie et se sentait prête à la quitter. Je la crus.

Malheureusement, la mort ne se montra pas complaisante. Le cancer de Marian s'attaquait maintenant aux os. Ses douleurs s'aggravaient et, au printemps, on dut l'hospitaliser. Elle avait tellement perdu de poids et de forces qu'elle n'arrivait plus à se tenir debout. « Je ne voulais pas que tu me voies comme ça », dit-elle à Edouard quand il alla lui rendre visite avant un voyage professionnel en Allemagne. Tous deux pensaient alors, espéraient même ne plus jamais se revoir. Selon le médecin, elle pouvait s'éteindre « à n'importe quel moment ». C'était une question d'heures, ou de jours. Pourtant, quand Edouard revint à New York un mois plus tard et appela l'Illinois depuis l'aéroport, l'état de sa mère avait simplement empiré. Il lui rendit visite et, cette fois-là, en rentrant à la maison, il pleura.

La morphine permettait à Marian de ne presque jamais souffrir, mais créait par ailleurs une constipation chronique. Alors qu'elle maigrissait, son ventre ballonnait comme celui d'un enfant sous-alimenté. De plus, il fallait la retourner toutes les demi-heures pour éviter la formation d'escarres. Juste avant le départ d'Edouard, Marian avait décidé de cesser de manger, dans l'espoir de mourir de faim. Elle appelait la mort de toute son âme, me dit Edouard, les larmes aux yeux.

Mais elle ne mourait toujours pas.

Ma mère me posait des questions sur Marian, en secouant la tête après chaque réponse affligeante. « Pauvre femme, disait-elle, pauvre femme ! » Puis elle se lamentait de ne pouvoir lui être d'aucune aide. A un certain moment, elle décida d'aller en Illinois. Nous parvînmes à l'en empêcher, mais ce ne fut pas sans mal. Ma mère et ma belle-mère ne s'étaient rencontrées que deux fois : à notre mariage, puis lors de la dernière visite de Marian à New York. Contre toute attente, leurs rapports avaient été excellents. Elles s'étaient donné rendez-vous chez nous la veille du jour où elles avaient prévu de déjeuner ensemble, et je me souviens d'avoir pensé qu'il était difficile d'imaginer deux personnes du même sexe et à peu près du même âge aussi dissemblables ; ma mère se montrait plus expansive que jamais et les efforts qu'elle faisait pour susciter l'affection lui rougissaient les joues ; en face d'elle, Marian, encore plus effacée à New York qu'en Illinois, lâchait quatre mots à mi-voix pour quatre cents que prononçait ma mère sur un ton exalté. Mais, après cette rencontre, maman entreprit de louer sa nouvelle amie. « Est-ce que la mère de quelqu'un comme Edouard aurait pu être différente ? » De son côté, une fois de retour chez elle, Marian lui écrivit : « Je ne m'exprime pas aussi facilement que vous, Ida, mais je veux que vous sachiez que je ressens les mêmes choses... » Elles ne cessèrent de se téléphoner régulièrement, jusqu'au jour où la maladie de Marian eut rendu impossibles ces conversations.

Quand Marian rentra de l'hôpital, elle fut soignée par l'équipe à domicile de Hospice, ainsi que par d'autres infirmières privées qui se relayaient jour et nuit, sous la direction de ma belle-sœur Gwen qui ne s'occupait plus que de cela. Comme les souffrances de Marian menaçaient à nouveau de devenir insupportables, on augmenta ses doses de morphine. Elle dormait énormément mais, quand elle s'éveillait, elle avait parfaitement conscience que sa vie était devenue quelque chose d'horrible, d'inerte.

— Je ne comprends pas pourquoi je dois endurer tout cela, disait-elle à son pasteur quand il lui téléphonait.

— Moi non plus, répondait-il.

Gwen finit par se sentir à bout de forces et, en août, elle et Bob confièrent Marian à une maison de repos. A ce moment-là, ses os étaient devenus si fragiles qu'elle s'était cassé une côte en toussant. Son corps tout entier n'était plus que souffrance, disait Gwen qui ne pouvait même plus lui prendre la main sans lui faire mal. Et un nouveau problème avait surgi. Il fallait de plus en plus de morphine pour tenir la douleur en échec ; or, Marian était devenue si squelettique qu'on ne savait plus où faire les piqûres. Quand Edouard alla lui rendre visite une dernière fois, elle n'émergeait plus des brumes de la drogue que pour supplier la mort de venir enfin.

Le décès survint en septembre. Il n'était plus question de se lamenter, mais notre tristesse n'en fut pas moins grande.

Il était maintenant onze heures et demie. Nous allions bientôt entendre Shany frapper à la porte et tenir avec elle au salon, en chuchotant, notre habituelle conférence (« Elle dort. Ça s'est mieux passé — ou moins bien, ou pareil — que la dernière fois. Non, elle n'a pas pris de médicaments depuis qu'elle a quitté l'hôpital »). Ensuite, Edouard et moi ramasserions les feuilles du journal et laisserions Shany prendre la relève jusqu'à six heures environ, heure à laquelle je viendrais à mon tour la relayer. Non que Shany le souhaitât : « Fais-moi plaisir, me disait-elle d'une voix que je n'aurais pu imaginer plus proche de celle de ma mère, ne reviens pas. Je peux passer une nuit blanche. Tu as l'air fatiguée, Va-t'en. » Et maman, quand elle était réveillée, tenait le même discours, tant à Shany qu'à moi : « Faites-moi plaisir. Vous avez l'air fatiguées, toutes les deux. Je n'ai pas besoin de baby-sitter. Allez-vous-en. »

Elle ajoutait à l'intention de Shany : « Tu n'as pas vu la mine que tu as ? » C'était sur ce ton qu'elle parlait à sa sœur, et ce devait être encore pis en mon absence. Ma mère aimait Shany comme si ç'avait été sa fille et aurait fait n'importe quoi pour elle. Mais elle ne cessait de la rabrouer, ce dont Shany ne s'offusquait pas du tout. C'est plutôt dans le cas où ma mère se serait soudain montrée pleine de douceur à son égard que Shany se serait inquiétée. Et elle s'inquiétait déjà bien assez comme ça.

Après chaque cure de chimiothérapie, le dimanche était considéré comme une bonne journée si elle ne passait pas la nuit à vomir. C'était rare. Bien entendu, le dimanche influait sur le lundi. Elle parvenait parfois, le matin, à avaler une tranche de pain grillé. Sinon, elle se contentait de liquide et attendait le mardi pour prendre du pain grillé. Le mercredi, selon ce qu'avaient été les trois jours précédents, elle réussissait parfois à ingurgiter de petites quantités de nourriture « normale » : fromage, œufs, fruits cuits. Et le jeudi à faire un vrai dîner, avec Alvin.

— Je ne pourrai pas manger beaucoup, lui annonçait-elle au téléphone le jeudi matin.

— Est-ce une menace ou une promesse ? demandait-il, ce qui lui arrachait un sourire.

Le sacro-saint rendez-vous du jeudi, s'il se passait bien, marquait officiellement la fin de la cure de chimiothérapie. Shany m'appelait toujours le vendredi matin. « Ç'a été ? » Elle ne posait pas directement la question à ma mère, parce que celle-ci l'aurait rembarrée. Alvin restait un sujet trop délicat pour qu'elle en parle avec Shany, qui vivait seule depuis la mort de son mari. Shany ne se serait certainement pas permis de porter un jugement sur les écarts sentimentaux de sa sœur ou les miens. Mais maman n'entendait pas pour autant lui en fournir l'occasion. Toujours est-il que le vendredi matin, si le rendez-vous s'était déroulé de façon satisfaisante, nous savions que nous pouvions respirer.

Jusqu'à la fois suivante.

— Ce serait mieux si je ne savais pas ce qui m'attend, dit ma mère à plus d'une reprise cette annéelà.

C'était un euphémisme. Moi-même, je me réveillais

en sueur pendant les nuits précédant chaque cure. Qu'est-ce que cela devait être pour elle...

Je l'ignore. Je l'ignorerai toujours. Elle ne m'en parlait pas et, si ç'avait été possible, elle ne m'aurait parlé de rien du tout.

— Regarde ce que je fais supporter à mes enfants, disait-elle souvent. S'il y a quelque chose que je n'ai jamais souhaité, c'est bien cela.

Nous répondions tout ce qu'il convient de répondre dans ces cas-là : « Maman, ce n'est pas ta faute si tu es malade. Maman, pense à toutes les fois où j'ai été malade et où tu m'as aidée. Maman, ne dis pas de bêtises ; Edouard n'a pas de cours aujourd'hui, de toute façon... » Mais ça ne marchait pas, et je savais pourquoi. Elle se sentait flouée. Sa maladie l'avait trahie et, pis encore, l'avait amenée à nous trahir. Le rôle des mères est d'apporter leur aide, non pas d'en recevoir, d'en avoir besoin. Elle ne pouvait pardonner ni à la maladie, ni à elle-même.

Pour ma part, je n'avais aucune envie d'être une martyre. Ce rôle aurait pu m'intéresser vingt ou trente ans plus tôt, quand ma mère, qui à cette époque se posait elle-même beaucoup en martyre, m'enfermait dans un système de culpabilité à son égard. J'aurais bien aimé alors me libérer de ce piège et l'y enfermer à son tour. Mais cela faisait bien des années et je ne me rappelais même plus ce que j'avais ressenti alors ; je ne voulais surtout pas qu'elle souffre, en plus de tout le reste, d'un sentiment de culpabilité envers moi. Je savais aussi ne pas pouvoir l'aider au-delà d'un certain point. J'étais impuissante à enrayer son cancer ou à dresser des digues contre les vagues de la nausée.

Cette impuissance finit par m'apparaître assez clairement et j'essayai de prendre un peu de champ, surtout vis-à-vis de l'hôpital. Je me donnai pour consigne de passer le relais à Shany, à Pearl (l'aide-soignante), à ma cousine Elaine, à n'importe qui. Mais, semblable à l'ivrogne qui jure de se mettre au régime sec et bien entendu n'en fait rien, je ne réussis pas à me tenir à l'écart. Ce n'était nullement par goût du martyre, mais par intérêt personnel. Cela me bouleversait moins, surtout dans les pires moments, d'assister à son supplice que de l'imaginer de loin.

Quelle chance, me disais-je parfois, que mon père n'ait pas vécu tout cela. Je me souvenais de l'avoir vu languissant quand j'étais tombée malade. A l'hôpital, pendant que maman s'affairait autour des fleurs, il se blottissait contre un mur. « Assieds-toi, Leon », lui ordonnait ma mère. Mais il ne voulait pas même ôter son chapeau et son manteau. Comme s'il s'était égaré dans une chambre qui n'était pas la bonne. Cela me brisait le cœur. Il y avait quelque chose chez mon père — son charme, son innocence, sa confiance en l'avenir — qui faisait de lui un éternel enfant, et les enfants ne devraient pas assister au spectacle de la maladie ; cela les transforme, avant l'heure, en adultes.

Ma mère et mon père s'étaient rencontrés à une fête chez des voisins, par une étouffante soirée de l'été 1930. Elle avait vingt-deux ans, lui vingt-sept. Elle l'entendit avant de l'apercevoir. Quand elle arriva dans l'appartement, chaperonnée par son frère Louis, quelqu'un chantait en russe sur l'escalier de secours, où la majorité de l'assistance semblait s'être installée. On ne distinguait pas bien ses traits, mais il avait une belle voix de ténor. Il jouait d'un instrument ressemblant à une guitare mais qui était plus petit et moins courant : une balalaïka.

Le chanteur leva la tête et elle entrevit son visage le temps d'un éclair. C'était un beau brun — un étranger, pensa-t-elle —, qui souriait en plissant les yeux avec un charme irrésistible. En le contemplant, ma mère se figea : Ida, la solide, l'habile, la pratique Ida, avait reçu une flèche en plein cœur.

Mon père disait toujours que, pour sa part, ce soir-là,

il avait été frappé par ses grands yeux noirs. Peut-être. Mais pas davantage, à mon avis, que par la vue de ses pieds sur le sol. On tombe amoureux, me dit un jour un ami psychanalyste, quand l'inconscient découvre de quoi il a besoin et se met en quête. Mon père était un immigrant, débarqué aux États-Unis après avoir passé la frontière russe avec un faux passeport et gagné Paris, où il avait mangé de la vache enragée jusqu'à l'arrivée d'un membre de sa famille qui lui avait remis de quoi poursuivre son voyage. Il savait chanter, apprenait facilement à jouer de nouveaux instruments et à parler de nouvelles langues, aimait la joyeuse compagnie et les bonnes plaisanteries (sans dédaigner les mauvaises) et était à peu près dépourvu de toute ambition, hormis celle de vivre là où ni l'armée du tsar ni les bolcheviks ne pourraient le retrouver, avec juste l'argent nécessaire pour manger et pour faire la fête de temps en temps.

C'était une sorte de farfadet, mais qui ne manquait pas de bon sens. Il savait, par exemple, que la meilleure partenaire pour lui devrait avoir un caractère complémentaire du sien. En d'autres termes, être ferme comme un roc. Comme ma mère. Il devina qu'elle était femme à se procurer elle-même tout ce qu'il ne pourrait lui offrir. Tout comme ma mère sentit en lui, sa belle mine mise à part, quelqu'un qui ne l'empêcherait pas de chercher ce qu'elle désirait obtenir. C'est-à-dire toujours plus.

L'un comme l'autre avaient cependant sous-estimé certains facteurs. Elle n'imaginait pas avec quelle irritation, chaque fois qu'elle dirait « Si nous... » (investissions ici, vendions cela, faisions telle visite, nous occupions de telle chose), elle l'entendrait rétorquer : « A quoi bon ? » Et il ne soupçonnait pas qu'il en viendrait à la suivre dans toutes ses entreprises, alors que lui-même n'avait en fait aucun but, et à préférer cette frénésie de progression à un éventuel mécontentement de son épouse.

Quand ils se marièrent, mon père travaillait dans la

quincaillerie de son frère aîné, Harold. Il ne fallut pas longtemps à ma mère pour jauger celui-ci et considérer, à juste titre, qu'il était loin de verser à mon père un salaire décent. Elle était sans illusion et s'attendait depuis le début à ce que leur condition financière soit précaire, se demandant seulement jusqu'à quel point. Mais elle attendit que le mariage ait eu lieu pour l'interroger sur l'état de son compte bancaire. Mon père rit. Il n'avait pas de compte bancaire. Mais où alors, demanda-t-elle, gardait-il son argent ? Quel argent ? Il rit à nouveau et retourna les poches de son pantalon pour bien marquer le comique de la chose. Ma mère considéra la doublure élimée, puis les quelques cents qui s'en étaient échappés et essaya, en vain, de ne pas fondre en larmes.

— Tu veux dire que tu n'as rien du tout ? demanda-t-elle.

— Je t'ai, toi.

Mon père ne travailla pas longtemps pour oncle Harold. Ma mère y veilla. Elle-même quitta le Beth Israel Hospital et trouva un travail mieux payé dans une société de construction mécanique, Joseph Brooks & Co. Joe Brooks était un grand et solide Irlandais doté d'un caractère épouvantable et d'un cœur en or, qui adorait ma mère. Il la considérait comme une Juive futée et l'appelait Silverman (sans dire Mademoiselle ou Madame, simplement : « Hé, Silverman ! »). Il la payait bien et elle, sur ses conseils, investissait ses économies dans un petit immeuble de bureaux du Bronx. Un jour, sans que mon père y prît garde (mais, à vrai dire, il ne prenait jamais garde à rien), elle l'installa dans cet immeuble et le poussa à entreprendre la dernière chose qu'il pouvait souhaiter : ouvrir son propre commerce. C'était une quincaillerie en gros, comme celle de son frère ; elle se développa par la suite et vendit également des articles en caoutchouc et des spécialités de plomberie.

Le plus drôle est que mon père y prit goût. Il devint même quelque peu tyrannique, mais en éprouvait un tel plaisir — il adorait en particulier crier après tout le monde — qu'aucun de ses employés ne s'en formalisait. Il leur arrivait de crier à leur tour. C'était un endroit bruyant.

Ma mère commanda une belle enseigne de devanture, portant *L. Rollin and Company* en énormes lettres de cuivre. Mon père en était très fier. De temps en temps, il sortait de la boutique et regardait l'enseigne en souriant. Puis il rentrait et criait encore un peu plus fort.

Il arrêta de se demander à quoi bon vouloir gagner de l'argent, le jour où il comprit que la réponse tenait en deux mots : sa fille. Au départ, ce devaient être tous leurs enfants, mais il s'avéra que mes parents ne pouvaient en avoir d'autres. De sorte que tout tournait autour de moi. Ce qui avait, comme on dit, ses bons et ses mauvais côtés.

Dès le début, maman désira pour moi ce que sa mère avait désiré pour elle, ce que la plupart des mères désirent pour leurs enfants : le meilleur. La seule différence entre ma mère et la plupart des autres tenait aux extrémités où elle pouvait se porter pour y parvenir. Ainsi lui arriva-t-il de se présenter à la porte d'Algernon Black, à Riverdale. En tant que dirigeant de l'Ethical Culture Society, celui-ci avait son mot à dire (au moins ma mère le pensait-elle) quant à mon admission à la Fieldston Ethical Culture School, qui selon ses investigations était la meilleure de toutes les écoles. Elle avait commencé par me mettre sur le gril pendant trois mois pour préparer l'examen d'entrée et maintenant, elle entreprenait d'influer sur le Dr Black et sur son épouse.

A l'automne suivant, j'entrai à Fieldston.

Le meilleur, tel que le concevait maman, réservait une certaine part aux articles du commerce, mais sans exagération. Quand j'étais enfant, je portais de jolis vêtements, mais rien de fantaisiste — pas de manteaux en lapin, pas de robes *à la française.* J'avais beaucoup de poupées, mais toutes très ordinaires. Elles étaient vêtues comme moi d'habits de tous les jours, et aucun liquide ne sortait de leurs yeux ou de leur ventre.

L'essentiel, selon ma mère, était l'éducation. Mais elle y incluait la culture, c'est-à-dire des leçons. Pas seulement de piano, mais aussi de danse, de théâtre et d'élocution, d'arts plastiques. Ce n'étaient pas n'importe quelles leçons. Chacun des établissements où j'étais inscrite bénéficiait de la recommandation de la Child Study Association, qui n'existe plus aujourd'hui mais constituait la principale référence de ma mère pour décider vers quelle nouvelle activité elle allait me pousser. Pour plus de sécurité, elle soumettait aussi chaque professeur à de véritables tests.

La plupart de ces leçons avaient lieu le samedi, à Manhattan. Nous nous y rendions en métro. Dans les années quarante, le métro était encore un endroit sûr, même pour les enfants. Ma mère me tenait par la main et nous allions ainsi ensemble de leçon en leçon, depuis celle de danse, dans un immeuble en belle pierre de grès dans la 67e Rue Ouest, jusqu'à celle des arts plastiques, dans un atelier de Greenwich Village.

Parfois, à la fin de la journée, au lieu de rentrer directement à la maison, nous prenions une ligne qui nous déposait à proximité du bureau de mon père, sur la 149e Rue Est. Il venait nous chercher à la station et nous emmenait chez un glacier nommé Addy Vallin's. (Malgré la haute teneur en sucre des sorbets, ma mère tolérait cette transgression diététique.) Il y avait des banquettes chez Addy Vallin's, mais nous préférions nous asseoir au comptoir sur les tabourets d'un rouge éclatant, mes parents de part et d'autre de moi. Ma mère choisissait toujours une glace au café nappée de chocolat, mon père préférait le chocolat nappé de chocolat, et moi la framboise. Chacun goûtait alors les glaces des deux autres avec des soupirs de délice et se promettait de commander ça la fois suivante. Mais la fois suivante, chacun s'en tenait à ses préférences.

J'adorais ces samedis. Je n'enviais pas du tout les autres gamins de la rue, qui restaient chez eux à jouer et à faire du vélo. Ces cours ne m'apparaissaient pas comme des contraintes. Les « jetés battus » m'amusaient, même si le lendemain j'avais mal aux mollets. J'attendais avec impatience que le printemps arrive pour que nous puissions prendre nos chevalets et aller dans le parc de Washington Square dessiner au pastel les arbres et les oiseaux ; et je fus ravie de jouer Amy l'année où nous travaillâmes *Little Women* à notre cours d'art dramatique.

Il aurait pu en aller différemment, si ma mère avait adopté une autre attitude vis-à-vis de ces leçons, en particulier si elle s'était montrée critique ou avait pris mes résultats trop au sérieux. Mais elle considérait qu'il s'agissait là de plaisirs édifiants, d'incursions dans le monde de la culture profitables en elles-mêmes. Elle me faisait par ailleurs beaucoup de compliments. Mes affreuses peintures n'étaient pas exposées sur le réfrigérateur mais au salon (et, malgré mes protestations, elles figurèrent dans les salons de tous les appartements où elle vécut ensuite). Je mis longtemps à découvrir combien elles étaient mauvaises, mais à ce moment-là j'avais acquis suffisamment d'assurance, car on ne les avait jamais regardées en haussant les épaules.

Il faut dire que ma mère ne distribuait pas ses louanges avec parcimonie et je n'en étais d'ailleurs pas l'unique bénéficiaire. Telle une bonne fée qui couvre tous les enfants de poussière d'or, elle les prodiguait tout autour d'elle. A chaque représentation, récital ou exposition, elle n'applaudissait pas que moi mais aussi tous les autres — surtout, m'expliquait-elle, ceux qui en avaient le plus besoin : ces pauvres petits enfants de riches, dont souvent les parents n'étaient pas présents ou arrivaient en retard. Ma mère entendait compenser leur négligence.

Sa carrière d'enseignante n'était pas allée bien loin. Elle avait eu quelques classes entre le Beth Israel Hospital et Brooks, et plus tard travaillé un peu comme remplaçante, surtout à Harlem. Mais elle n'avait pas persévéré, trop occupée à gagner de l'argent et surtout à s'occuper de sa fille unique. Néanmoins, tout au long de sa vie, elle continua de se soucier des autres enfants — en particulier de ceux dont personne d'autre ne se souciait.

Durant mes premières années, nous vivions dans une petite maison de Yonkers. Cette banlieue new-yorkaise n'avait rien de chic, mais aux yeux de ma mère c'était presque Oyster Bay. Yonkers, elle n'en doutait pas, était avec ses grands arbres et ses petites maisons l'endroit idéal pour élever un enfant. Avec l'aide de son mentor Joe Brooks, elle avait trouvé un logement de prix abordable dans une rue agréable, surtout peuplée de travailleurs irlandais. Dix coquets pavillons s'alignaient de chaque côté de Clark Street. Le nôtre, qui portait le numéro 44, ressemblait aux maisons que dessinent les enfants : un carré de briques avec des volets blancs et une petite pelouse sur le devant, où ma mère avait installé un moulage de plâtre représentant une mère cane et trois canetons.

Dommage qu'il n'y ait pas eu d'autres canards dans la maison. Ma mère avait beau prendre en charge toutes sortes de brebis égarées, son instinct maternel restait insatisfait. Il était dès lors inévitable que j'en reçoive plus que ma part. Les conceptions de ma mère à cet égard n'étaient pas moins fermes et précises qu'en matière alimentaire. Et sa fille constituait le plat unique de son grandiose menu maternel.

La fenêtre de ma chambre donnait sur la rue. Parfois, la nuit, je regardais la maison des O'Sullivan, juste en face. Le store de la chambre d'enfants était tiré, mais je n'avais pas besoin de voir à l'intérieur pour savoir qu'ils étaient trois à occuper cette pièce et deux autres la chambre de derrière. Je n'ignorais pas non plus qu'ils avaient dû bien s'amuser. Je les enviais, moins pour le fait d'être plusieurs frères et sœurs que parce que leur mère ne s'occupait pas excessivement d'eux, du moins en comparaison avec la mienne.

Nous étions tous tenus d'être sages, bien entendu, mais moi tout particulièrement. Cela ne voulait pas tellement dire bien élevée ; en fait, je ne me souviens pas que ma mère ait jamais insisté sur les bonnes manières, qu'il est assez facile de définir et d'observer. La sagesse, selon sa conception, se composait de tout un ensemble de comportements déroutants et parfois contradictoires. Par exemple, je devais avoir l'air à la fois convenable et attirante. Ma mère me faisait la leçon sur chaque détail de mon apparence, mais par ailleurs me frisait les cheveux au fer. Elle m'adressait des reproches à tort et à travers et me louangeait de même. Elle m'encourageait à penser par moi-même et à me montrer indépendante — mais pas vis-à-vis d'elle. Elle m'inscrivait dans des écoles assimilées, mais entendait que j'aie pleinement conscience de mon — de son — identité juive. Elle m'enseignait l'honnêteté, mais quand je rendais baisers et embrassades à mes tantes, à mes oncles, à mes cousins au troisième degré, elle voulait que j'aie l'air sincère même si je le faisais sans la moindre envie.

Il y avait certains avantages à être sa fille. Tout d'abord, je pouvais inviter les enfants de la rue quand je le voulais, surtout l'été. Ma mère mettait alors sa blouse à fleurs d'institutrice et organisait des jeux dans la cour. Quand il faisait très chaud, elle nous aspergeait avec le tuyau d'arrosage ; nous poussions des cris aigus mais trouvions cela très amusant. Ces enfants pensaient que j'avais bien de la chance et, d'une certaine façon, je savais que c'était vrai.

Personne dans la famille ne comprenait pourquoi nous vivions dans un quartier catholique. Et personne ne posait la question, sachant que ma mère détestait les interrogatoires. Mais, de temps à autre, quelqu'un s'armait de courage. C'était en général Henri, le mari de Sarah, qui marquait sa désapprobation par un silence éloquent. Dont ma mère ne tenait aucun compte.

Ma mère continua à monter en grade chez Joe Brooks, que j'appelais grand-père. Il avait obtenu un contrat important — la construction de tous les distributeurs automatiques de New York, pour le compte de Horn & Hardart — et fit de ma mère sa première assistante. Brooks était pour ainsi dire un Juif pieux à l'envers. Il pensait que les Juifs étaient plus malins que tout le monde et se félicitait régulièrement d'avoir embauché ma mère. « Silverman ! criait-il. Comment se fait-il que vous soyez si intelligents, vous autres ? »

Grand-père Brooks et son épouse, une petite femme adorable, vivaient eux aussi à Yonkers avec leurs enfants, mais à quelques kilomètres de là, dans un quartier juif sensiblement plus riche. Lorsqu'une villa se libéra à deux portes de chez lui, il poussa ma mère à l'acheter — et, je pense, lui avança quelque argent à cette fin. Elle le fit. Cette maison avait plus de caractère que la petite boîte où nous vivions à Clark Street — des plafonds plus hauts, des fenêtres en saillie, des moulures — et devint la nouvelle obsession de ma mère. Elle entreprit de la décorer comme si ç'avait été Versailles. Toutes sortes de termes nouveaux entrèrent dans son vocabulaire : échantillonnage, agencement, stores vénitiens. Moi-même, alors âgée de douze ans, m'associai à son projet, donnant mon avis sur des couleurs dont je n'avais jamais entendu le nom, comme sienne ou indigo, et applaudissant à chacune de ses acquisitions.

Mais un jour arriva une lettre qui annonçait la construction du New York Thruway et l'expropriation de quatre maisons, dont celle de grand-père Brooks et la nôtre. Ma mère, davantage portée au pragmatisme qu'à la contestation, décida de ne pas s'opposer à City Hall. Et elle trouva une solution. Elle acheta à la ville, pour un dollar symbolique, la maison de Brooks (carrée et plus facile à transporter que la nôtre) et la fit installer non loin de là, sur un nouvel emplacement plus agréable. Compte tenu de l'argent qu'elle avait reçu en dédommagement pour notre propre pavillon, c'était une bonne affaire. Brooks, en apprenant cela, secoua la tête en se lançant dans une nouvelle litanie à l'éloge des Juifs — et acheta une nouvelle maison à quelques rues de là.

Tout le voisinage et même la presse locale étaient présents pour voir la maison rouler dans les rues, et les enfants couraient derrière comme si ç'avait été un éléphant de cirque. Les gens sortaient et applaudissaient. Ce fut une journée merveilleuse pour tout le monde, sauf pour mon père qui ne manqua certainement pas de se dire que, cette fois, ma mère allait trop loin.

Son travail chez grand-père Brooks ne lui procurait pas seulement de l'argent mais une immense satisfaction. Lorsqu'elle se disait qu'elle était la seule femme dans cette entreprise de gens importants, qui fumaient de gros cigares, elle rosissait de contentement. Et Brooks lui donnait l'impression d'être quelqu'un de capable ; elle aimait ça. Son travail aurait pu l'éloigner de moi. Ce ne fut pas le cas. Je ne crois pas que cela tenait à ma personnalité. C'était plutôt comme si elle avait eu dans le corps quelque mécanique maternelle fonctionnant de façon continue, comme les moteurs des réfrigérateurs.

Son style de maternage changea au fil des années. Selon les périodes, elle se montrait plus ou moins critique à mon égard, voire pas du tout. Pendant les dix dernières années de sa vie, elle m'étouffa presque de son approbation. Mais ce qui ne changea jamais, c'est l'intensité de ce maternage.

Elle s'inquiétait moins qu'on n'aurait pu s'y attendre. Peut-être parce que l'inquiétude suppose un certain détachement et même une certaine impuissance. Il arrivait rarement à ma mère de se sentir impuissante. C'était trop insupportable pour elle et elle trouvait toujours un moyen d'agir pour ne pas en arriver là. Par exemple, quand j'étais bébé, au lieu de s'inquiéter des microbes qui risquaient de pulluler dans les lieux publics, elle se contentait de ne pas me sortir. De même, les amis ou les membres de la famille, toujours susceptibles d'être porteurs de germes, étaient autorisés à s'extasier devant moi, mais seulement à distance.

Si elle se montrait moins anxieuse que d'autres mères, cela tenait aussi en partie à son innocence. Quand je commençai à avoir des rendez-vous avec des garçons, ma mère ne s'inquiéta pas de possibles rapports sexuels, parce qu'elle n'imaginait même pas que je pusse en avoir. (Il est exact qu'au début des années cinquante les rapports sexuels précoces étaient peu fréquents, mais un peu plus toutefois que ne le croyait ma mère.) Dans son esprit, je ne risquais pas plus de coucher avec un garçon que d'attaquer une banque avec un fusil à canon scié.

Sa tranquillité ne devait donc rien à la stratégie. Mais tout se passait comme si tel avait été le cas : cette attitude eut pour effet de m'empêcher de dormir une seule fois dans un autre lit que le mien pendant mes années d'université (que je fis à Sarah Lawrence, Bronxville, New York, *college* qui était loin d'être parmi les plus conservateurs), alors que la plupart de mes amies avaient déjà tenté l'aventure. Il faut tout de même préciser qu'elles n'avaient pas leur mère à trois rues du *college* où elles étudiaient. La mienne s'était montrée très compréhensive quand j'avais souhaité être pensionnaire. Mais elle s'attendait à une égale compréhension de ma part — comme de la part de mon père — quant à son propre désir de s'installer à Bronxville. Je vivais certes à l'école, mais en réalité ma mère y vivait aussi.

Si je conservai ainsi ma virginité, je n'en commençai pas moins au *college* une rébellion qui devait durer longtemps et était sans doute inévitable. Je commençai à petite échelle : non pas en couchant avec des garçons, mais en choisissant des amies bizarres. Par exemple, pour *Thanksgiving*, je n'amenais pas à la maison quelque gentille petite Juive de Baltimore. J'invitais Yoko Ono.

A la vérité, Yoko était à cette époque une vraie fleur des champs et ma mère la trouva charmante. Mais ce n'était là qu'un avant-goût. Lorna, qui devint ensuite ma meilleure amie, n'avait absolument rien de charmant, même à mes propres yeux. Tant le son de sa voix, entre le cri rauque et le geignement, que l'odeur plutôt rance qui émanait d'elle faisaient qu'on l'évitait de loin. Sauf moi. Son aspect n'inspirait pas davantage l'affection. Elle avait un tic du visage, se teignait les cheveux en orange, et un de ses deux ongles portait du vernis vert. Elle n'assistait presque jamais aux cours, cachait des hommes dans sa chambre et écoutait du rock'n'roll toute la nuit. Elle finit par se faire expulser. Quand on vint préparer sa chambre pour une nouvelle fille, on trouva derrière la bibliothèque une souris morte couchée sur le dos, dans une flaque de confiture de fraise.

— Ne crois pas que j'ignore pourquoi tu es amie avec Lorna, disait ma mère.

— Ah bon, pourquoi ?

— Pour nous indisposer. Peut-il y avoir une autre raison ?

— Vous n'avez jamais imaginé, je suppose, que je pouvais vraiment aimer Lorna ?

Silence. Soupir.

— Nous y pensons tout le temps.

Après Lorna vinrent d'autres amis, des beatniks ou pseudo-beatniks — je ne savais pas vraiment faire la distinction et je m'en fichais, pourvu qu'ils fussent sales et désagréables. Le jour où j'obtins mon diplôme, je m'installai à Greenwich Village, trouvai un rôle dans une pièce *off-Broadway*, et ne tardai pas à avoir une aventure avec un acteur. Il n'était pas aussi crasseux que j'aurais voulu, étant inscrit à Yale, mais du moins c'était un goy et il buvait.

Ma mère ne cessa pas de m'aimer pour autant. Elle se contentait de souffrir, de sorte que, bien sûr, je la détestais. Elle s'en rendait compte et en souffrait plus encore. Et moi de même, par sentiment de culpabilité. Je finis par faire comme toutes les filles juives de New York qui détestent/aiment leurs mères : j'entrai en psychanalyse. A ce moment-là, j'avais atteint un nouveau stade dans la rébellion. Je ne présentais plus à ma mère mes amis incongrus. Je ne lui présentais plus personne, je l'excluais de ma vie. Elle était le constant rappel de mon enfance et je ne voulais plus rien avoir à faire avec elle. Je souhaitais un divorce. Elle pensa m'avoir perdue. Ce n'était bien sûr pas le cas, comme je le découvris sur le divan de l'analyste. Ma mère avait autant d'autorité sur moi que pendant mon enfance, mais son poste de commande était maintenant dans ma tête, où je l'avais installée inconsciemment.

Mes amours *off-Broadway* ne durèrent que l'équivalent de cinq minutes (il n'était pas seulement goy et ivrogne, mais de plus homosexuel), de sorte que je m'installai avec deux copines de *college* à West End Avenue, dans un appartement lugubre et haut de plafonds que nous meublâmes en nous servant dans les greniers de nos mères. Cela dura, mettons, dix minutes. L'encre du bail avait à peine séché que je rassemblai ma garde-robe (uniquement des vêtements noirs) et mes boucles d'oreilles (en forme de grands anneaux) pour emménager dans un meublé de la 22e Rue Est avec un peintre mince et blond qui, lui, avait vraiment l'air d'un homosexuel, mais seulement parce qu'il mourait de faim.

Cela fit grande impression sur mes camarades (c'était en 1958 et le concubinage n'était pas encore entré dans les mœurs), jusqu'au jour où elles s'aperçurent que j'essayais de cacher mon nouveau mode de vie à mes parents. Chaque fois que ma mère téléphonait, elles devaient inventer rapidement un mensonge pour expliquer mon absence. C'était une corvée pour elles et un tourment pour moi, parce que je ne cessais de craindre qu'elles ne se montrent pas convaincantes et que ma mère ne comprenne de quoi il retournait. « Et alors ? me demandait mon analyste, essayant en vain de chasser ma terreur. Va-t-elle vous battre ? Vous tuer ? Qu'est-ce qu'elle peut vous faire ? »

En réalité, ma mère ne m'appelait pas souvent. Me parler au téléphone ne pouvait lui apporter ce qu'elle cherchait, qui n'était nullement de savoir où j'étais. Elle devait s'en douter et traiter ce fait désagréable à sa manière habituelle : en détournant le regard pour fixer la ligne d'horizon, comme le passager d'un bateau essayant d'éviter le mal de mer. Non, ce qu'elle voulait, c'était que je l'aime, et, même si c'était moi qui appelais, elle restait frustrée. Elle ne savait pas pourquoi elle n'obtenait pas cet amour. Moi non plus. Aucune de nous deux ne comprenait ce qui paraîtrait par la suite si évident : quand on est libéré sur parole, on n'éprouve pas d'amour pour l'officier de police chargé de votre dossier.

La seule solution aurait été une sorte de désengagement mutuel. Mais nous ne savions ni l'une ni l'autre comment le pratiquer.

En chirurgie, on suture parfois les plaies avec des fils qui n'ont pas besoin d'être retirés mais se dissolvent d'eux-mêmes. Il dut nous arriver quelque chose de semblable, à ma mère et à moi, car je ne me souviens pas d'une séparation entre nous, seulement de la découverte que la séparation avait eu lieu. Un jour, je m'aperçus que je l'aimais. Ce sentiment me parut des plus agréables et je lui téléphonai pour une raison que je n'aurais jamais imaginée : parce que j'en avais envie. Souvent, elle était surprise que je l'appelle. « Oh, Betts ! s'exclama-t-elle en essayant de ne pas trop montrer

combien elle était contente. Je pensais que tu serais prise toute la journée ! Tu n'as pas de problème, hein ?
— Non, non, je voulais juste dire bonjour à ma mère favorite. » En m'entendant prononcer ces mots, je me demandai : qui a dit ça ? Et, si j'en juge par le silence abasourdi qui suivit, ma mère dut se poser la même question.

Je me rappelle aussi m'être réveillée, en juin 1975, dans une chambre d'hôpital, après l'ablation d'un sein. J'aperçus ma mère à travers la brume des médicaments et sus non seulement que je l'aimais, mais que j'avais besoin d'elle. Je me rendis compte que ce besoin me réchauffait le cœur, et que c'était parce que j'avais réussi à me séparer d'elle.

Dans tout cela, je dois le dire, elle avait joué un rôle important. Elle avait fait de grands efforts pour relâcher son emprise ; d'abord inconsciemment, puis de façon délibérée quand elle avait compris que sans cela elle risquait davantage encore de me perdre.

Je n'avais prévenu ni elle ni mon père de l'opération. Je ne voyais pas de raison de les inquiéter, car cette boule que j'avais au sein aurait pu être bénigne. On ne les appela donc qu'une fois l'opération effectuée et le verdict rendu. Et quand j'émergeai du brouillard des drogues, je vis debout à côté de mon lit une mère qui était celle de mon enfance — avec sa blouse d'institutrice et ses yeux brillants, avec son air de dire : « Retroussons nos manches et réglons cette affaire. » Sans larmes, sans affliction, sans jérémiades.

Parmi les images que je garde en mémoire comme des photographies restera celle de ma mère dans cette chambre d'hôpital, en train d'arranger quelques tulipes jaunes sur le rebord de fenêtre. Au moment où il me semble avoir appuyé sur le déclic, la lumière du jour illuminait son front et ses cheveux, et je me souviens d'avoir pensé qu'elle était vraiment jolie et que je l'aimais ; une sérénité inconnue m'avait alors envahie comme une brise de printemps, et nos années de querelles m'avaient paru lointaines, comme s'il s'était agi de deux autres personnes. Elle avait laissé les tulipes, s'était approchée de moi et m'avait embrassée sur le front.

Chapitre 7

Personne n'escomptait que ce huitième et dernier dimanche où nous la ramenâmes chez elle, par une sombre et glaciale matinée de janvier, prît un air de fête. Pourtant, il me semble que nous espérions un peu plus de joie. « C'est fini, c'est fini », ne cessai-je de murmurer à l'oreille de ma mère sur le trajet de retour, en pressant dans la mienne sa main froide et molle. Mais il suffisait de la voir, le visage bouffi, la bouche sèche, l'œil vitreux, les bras et les jambes flasques (elle avait perdu quinze kilos), pour comprendre que la fin du traitement n'était pas un motif suffisant de réjouissance. J'appris en cette occasion que tout bonheur exige un événement positif ; il ne suffit pas que prenne fin une situation négative. Cesser d'aller mal n'est pas la même chose qu'aller bien.

Il peut néanmoins arriver qu'on aille modérément bien, en attendant la suite. Un pronostic réservé permet au moins de ne plus compter en semaines, mais en mois, et de conjurer l'ombre monstrueuse du cancer. Ma mère commença à reprendre du poids — quel plaisir c'était de la voir manger des glaces en prenant un air coupable ! — et la vie retrouvait un côté sympathique.

Non que tout fût redevenu comme avant. Quand la paix succède à la guerre, c'est une paix assez particulière. Différente. Quelque chose avait changé, définitivement. Tel est l'effet du cancer. Avant d'en être atteint, on sait bien qu'on mourra un jour de quelque chose. Mais on n'y pense qu'à travers un brouillard, à la façon dont un ivrogne se rappelle où se situe la porte du café.

Une fois que le cancer est là, on sait vraiment où se trouve la sortie. Et aucune dose d'alcool, aucun effort pour oublier ne peuvent effacer cette connaissance. Tous les cancéreux nourrissent le même fantasme de prédilection : mourir d'autre chose. Or, même quand le cancer a été enrayé, le puissant raticide que constitue la chimiothérapie n'empêche pas les rats — les cellules cancéreuses — d'avoir tendance à revenir. A se multiplier. Et, le cas échéant, à tuer.

Moi-même, je le savais et je vivais avec — je le sais et je vis avec. Cela signifie qu'on a toujours un peu peur, ou au moins par moments. Par exemple, chaque fois qu'on a mal à la gorge, on songe que c'est peut-être le cancer qui revient. On se morigène, on se dit que c'est idiot, qu'il arrive à tout le monde d'avoir mal à la gorge. Puis la douleur disparaît, ce n'était vraiment qu'un mal de gorge. On se rassure. Jusqu'à la fois suivante.

C'est un problème de confiance, ou plutôt de découverte de la défiance. Jusque-là, votre corps a toujours été un ami. Mais il vous a trahi une fois, et vous ne pouvez plus entretenir le même rapport avec lui.

Voilà ce que c'est que de vivre avec le cancer, même quand le pronostic est favorable. Par rapport à ma mère, je n'avais vraiment pas à m'inquiéter. Mon cancer était un « bon » cancer. On ne m'avait pas même fait de chimiothérapie. Une métastase d'un cancer du sein peut vous tuer aussi bien que toute autre métastase, mais si la maladie a été détectée à temps et que vous ayez subi une ablation du sein, ou de la tumeur, vous pouvez espérer que cela n'abrégera pas votre durée de vie. Ce n'est pas non plus certain... Que faire alors ? Essayer de ne pas y penser. Essayer d'oublier que vous le savez.

— C'est quoi, une rémission ? me demanda ma mère un jour que nous déjeunions ensemble, tout en consultant le menu.

— Qu'est-ce que tu veux dire ?

— Fay (c'était une amie à elle, en passe de devenir

une ex-amie) dit que c'est une rémission. Je déteste cette expression. Pour la fièvre, on dit intermission, c'est presque pareil. J'ai l'impression qu'elle se prend pour quelqu'un quand elle utilise des mots qu'elle ne comprend pas. Je prendrai de la salade au poulet.

Elle savait fort bien ce que rémission signifiait et elle avait peur. Non pas tant de mourir que de mourir de son cancer. Quitter ce monde était une chose, autre chose de devoir subir la douleur féroce et la torture.

Malgré tout, ma mère était restée la même. Dès qu'elle fut remise de sa dernière cure, elle recommença à afficher son bonheur de vivre, comme si elle venait de sortir de prison et de retrouver ses rosiers en fleur. Comme on pouvait s'y attendre, elle se remit d'abord à entonner ses classiques couplets à notre sujet. « S'il vous plaît, ne dites pas mon gendre. Est-ce qu'un gendre sacrifierait ses week-ends comme l'a fait mon Edouard ? Trouvez-moi même un fils capable de ça ! Et qui donc a une fille comparable à ma Betty ? Quelle fille aurait... » Et ainsi de suite jusqu'au refrain. Apparut également une nouvelle formule, dont elle se servait à propos des choses les plus diverses : « Je n'aurais jamais pensé pouvoir à nouveau... » (la suite pouvait être, selon les circonstances : acheter un cadeau d'anniversaire, me sentir si bien, déjeuner avec ma fille, entrer dans une cabine d'essayage de Bloomingdale, m'inquiéter à propos de quelqu'un d'autre, être moi-même).

Au mois de mars, elle avait retrouvé ses forces, son poids normal et ses cheveux. On la vit à nouveau prodiguer sa sympathie et ses conseils aux membres de la famille, à ses amis, aux inconnus rencontrés dans les autobus. Elle redevint la grande sœur autoritaire de Shany, la tante préférée d'Elaine, la meilleure amie de Rose, la favorite d'Alvin. Ses cheveux repoussés étaient aussi noirs qu'avant sa maladie, et elle en tirait le même orgueil. « Regarde donc, disait-elle en s'examinant dans la glace, avec la même contrariété feinte que jadis, on va encore croire que je les teins. »

Quand des amis me questionnaient sur ma mère, je répondais de façon machinale, comme s'ils m'avaient simplement dit bonjour : « Bien, elle n'a jamais été mieux. » Puis je m'aperçus que c'était vrai. Oui, c'était vrai. Mon dieu, quelle joie, pour moi et pour tout le monde ! La plus heureuse était bien entendu ma mère, à qui il arrivait maintenant d'entendre parler de telle ou telle personne souffrant aussi de cancer mais qui ne semblait pas pouvoir s'en sortir.

— Ce n'est pas juste, disait-elle parfois, et je crois qu'elle le pensait. Ces jeunes qui s'en vont et une vieille dame comme moi qui s'accroche encore !

Elle retrouvait ainsi d'un seul coup son bon vieux sentiment de culpabilité, mais cela ne gâchait en rien son plaisir de vivre.

Si la maladie est une chose affreuse, c'est entre autres parce qu'elle interrompt le cours de l'existence. Mais, en 1982, la parenthèse semblait fermée. Ma mère avait recommencé à vivre et nous fîmes de même : voyages, dîners, discussions avec des amis... Ni Edouard ni moi n'avions abandonné notre activité professionnelle pour nous occuper de ma mère, mais il est incontestable que j'avais accordé moins de temps à mon travail. Par bonheur, mon métier n'était pas de ceux qui exigent qu'on s'y consacre entièrement.

En 1982, je travaillais comme envoyée spéciale (c'est-à-dire occasionnelle) pour *Nightline*, le programme d'informations diffusé en fin de soirée par la chaîne de télévision ABC et dont chaque édition était entièrement consacrée à un sujet différent. On choisissait en général la grande affaire de la journée, mais il arrivait qu'il ne se soit rien passé de particulier. C'était alors que j'intervenais. Mon domaine était celui de « la souffrance privée ». J'étais la seule à employer cette expression mais elle correspondait bien à ce que j'observais. Quand la chaîne avait besoin d'un sujet sur la maladie, le viol, l'abus de pouvoir, la misère, elle me faisait signe et je filais, avec un producteur et une équipe de tournage, réaliser un document de quatre ou cinq minutes qui servirait d'introduction à la discussion de la soirée.

C'était un travail passionnant. J'aimais le thème de la souffrance. Aucune histoire ne me paraissait plus fascinante, ne me tenait plus à cœur. J'avais presque toujours affaire à des gens ordinaires qui, contrairement aux politiciens, me regardaient dans les yeux et me disaient la vérité quand je les interviewais. De plus, comme ces affaires présentent rarement un caractère d'urgence, je pouvais prendre le temps nécessaire pour les filmer, et même pour y réfléchir, ce qui est un vrai luxe dans le journalisme télévisé.

J'étais tombée là-dessus par hasard. Pendant des années, j'avais rédigé pour des magazines, surtout *Look*, des papiers banals sur les Beatles ou Johnny Carson. Il m'était arrivé de faire des articles sur le divorce ou sur la drogue (sujets à la mode dans les années soixante) mais, pour l'essentiel, je m'en tenais aux futilités. Cela venait d'un manque de confiance en moi (ma mère avait beau eu m'endoctriner à ce propos dès mon enfance, je ne m'estimais pas assez intelligente pour écrire quoi que ce fût de sérieux). Et du fait que j'étais une femme : à cette époque les femmes n'avaient pas voix au chapitre. On ne m'avait donc jamais rien confié d'important. Entre-temps, j'avais acquis du savoir-faire pour ce qui était d'écrire des futilités et j'avais même publié trois livres dans ce genre — sur les serments de mariage, sur les mères bizarres, sur le renoncement à l'alcool.

Dans les années soixante-dix, je quittai la presse écrite pour la télévision, devins correspondante de NBC News et dis adieu aux sujets futiles. Non que NBC m'eût envoyée au Viêt-nam ou même à Washington. J'avais bien spécifié qu'aucun de ces endroits ne m'attirait. Je ne m'intéressais ni au danger ni à la politique et, comme tous les autres journalistes se passionnaient pour ces domaines, on me laissa tranquille. Je fus affectée aux informations sur le Nord-Est des États-Unis. Je couvris de plus en plus de sujets de société — comme le viol, la difficulté d'adopter des enfants, l'homosexualité sur les campus —, et je découvris quelque chose que les hommes (et certaines femmes) de la salle de rédaction ignoraient : les sujets de société pouvaient être aussi « sérieux » que les reportages d'actualité — et parfois plus, parce qu'ils gardaient leur valeur quand le feu s'était éteint.

Quelques années plus tard, j'eus mon cancer du sein et j'écrivis un livre à ce propos. Désormais, bon gré mal gré, la souffrance était devenue mon lot.

Pendant l'année qui précéda la maladie de ma mère, je m'aperçus que j'en avais assez de cette situation — ou du moins que j'en avais fait suffisamment et que j'avais besoin de souffler. C'est alors que j'entrepris la rédaction d'un livre autobiographique, plus ou moins drôle, sur le journalisme. Je le terminai un peu avant la fin de la chimiothérapie de ma mère et fus engagée dans l'équipe de *Nightline*, ce qui ne m'occupait qu'une semaine ou deux par mois.

Maintenant, j'avais à nouveau envie de travailler à la télévision ; je recommençais à m'intéresser aux problèmes des autres, ce qui ne m'était pas arrivé depuis un bon moment. Aussi je fus ravie le soir où mon répondeur m'apprit que *Nightline* avait appelé pour me confier un sujet.

Puis je m'aperçus qu'il s'agissait de Hospice, cette organisation destinée aux malades en phase terminale à laquelle ma belle-mère avait eu recours (c'étaient des gens merveilleux et, faut-il le dire, qui n'étaient aucunement responsables de ce qui lui était arrivé). Le but spécifique de cette institution est de procurer une aide matérielle aux mourants, si possible chez eux. Sans essayer de prolonger leur vie par des moyens qui entraînent habituellement douleur et souffrance — par exemple la chimiothérapie.

J'admire Hospice et j'avais déjà réalisé pour NBC des documents sur cet organisme. Mais c'était bien le dernier reportage que j'avais envie de faire à ce moment-là. D'autant que le producteur m'avait demandé d'interviewer une femme qui allait mourir de son cancer.

Je m'exécutai pourtant. Il le fallait. J'en avais l'impression. A moins qu'il n'y ait eu encore autre chose. Et, finalement, il s'avéra que ce n'était pas aussi sinistre que je le craignais. Non, ce n'était pas du tout sinistre.

Cette femme s'appelait Tootsie. Elle était âgée de soixante-quinze ans et, avant de prendre sa retraite, travaillait comme opératrice de téléphone à Chicago. Son cancer du poumon avait entraîné une métastase cérébrale. Nous allâmes lui rendre visite à Atlanta, chez son neveu qui, avec sa femme et les gens de Hospice, s'occupait de la malade. J'en avais déduit que ce devait être un couple de saints, mais quand ils me dirent qu'ils ne considéraient pas Tootsie comme un fardeau et étaient même heureux de l'avoir avec eux, je me demandai si ce n'était pas plutôt des cinglés.

Il me suffit de voir Tootsie pour comprendre que je me trompais. Nous la trouvâmes dans sa chambre, vêtue d'un chandail en angora pourpre et d'un pantalon, buvant une bière et fumant une cigarette. Elle était chétive et édentée mais se tenait bien droite dans son fauteuil. Son cerveau ne fonctionnait que par à-coups ; ses réponses à mes questions étaient brèves, mais compréhensibles. Quand je l'interrogeai sur sa réaction face à un docteur qui voulait poursuivre la chimiothérapie bien que cela n'eût plus aucun sens, elle me regarda dans les yeux et me dit qu'elle s'était exclamée : « Au diable tout ça ! »

Tootsie était vraiment un personnage. Elle mourut un mois plus tard, sans souffrir.

Cette année-là, Edouard bénéficia d'une bourse de la fondation Guggenheim. Le *New York Times*, qui en fit état, aurait pu s'en dispenser : ma mère l'avait déjà annoncé au monde entier. Le montant de cette allocation permit à Edouard d'interrompre son enseignement pendant un an pour travailler au livre qu'il préparait sur Evariste Galois, le célèbre algébriste du XIXe siècle. Ce fut l'occasion, pour lui comme pour moi, de changer un peu d'air, et en mars nous entreprîmes un voyage, en partie professionnel, dans le Sud-Ouest.

Edouard donna des conférences à l'université de l'Arizona et à celle du Nouveau-Mexique. J'y assistai sans rien comprendre, mais en prenant plaisir au spectacle. Mon mari fendait l'air de ses bras, psalmodiait ses formules bien-aimées, s'attaquait avec sa craie au tableau noir qu'il couvrait d'assemblages de nombres et de symboles apparemment fascinants pour ces topologistes du Sud-Ouest, qui avaient le cheveu fourni et les pieds nus dans leurs sandales.

Nous nous rendîmes ensuite à Denver, où ce fut à mon tour de plancher. Je prononçai une conférence devant un groupe de femmes sur ce que c'était que travailler dans la branche « douce » du journalisme. Nous rentrâmes ensuite à New York, juste à temps pour nous préparer à assister au rendez-vous hebdomadaire de ma mère avec Alvin. Nous les retrouvâmes chez Shun Lee, sur la 55e Rue. J'avais du mal à le croire, mais le fait est qu'Alvin avait fait goûter de la cuisine chinoise à ma mère.

— Certains de ces plats de légumes sont très nourrissants, dit-elle de sa voix de diététicienne avertie.

Edouard et moi passâmes à peu près tout l'été à travailler, mis à part certains week-ends où nous allâmes voir des amis à la campagne. A la fin d'août, nous prîmes la voiture pour nous rendre à Cape Cod. Pendant toute une semaine, à Chatham, une jolie ville brumeuse où nous ne connaissions personne, nous ne fîmes que lézarder sur la plage, lire sous les arbres, jouer au Scrabble, écrire ou faire des mathématiques.

Malgré toutes les horreurs qui continuaient de se perpétrer tant au niveau mondial que national, notre propre vie, dans ses étroites limites, semblait extraordinairement douce cet été-là. Le travail avançait bien. Edouard acheva son livre sur Galois. Le mien allait bientôt paraître et la télévision m'avait confié une nouvelle enquête intéressante : il s'agissait de dresser le portrait d'un tueur pathologique.

L'aspect sentimental de notre existence était, lui aussi, au beau fixe. Notre mariage durait depuis près de cinq ans et jamais je n'aurais imaginé vivre une union aussi heureuse, parce que je suis raisonnable et ne m'attends pas à décrocher la lune. Pourtant, chaque matin, au petit déjeuner, j'avais l'impression d'avoir gagné le gros lot et me demandais, à l'instar de ma mère, comment j'avais pu avoir tant de chance. Quant à ma mère, justement, elle se portait bien, vraiment bien, depuis plus de huit mois. Et moi aussi, chose que j'avais cessé de considérer comme allant de soi depuis 1975, depuis ma propre alerte cancéreuse.

En septembre, nous fêtâmes deux événements bien agréables : le soixante-quinzième anniversaire de ma mère (nous parvînmes à éviter qu'Alvin n'entende parler de son âge véritable) ; et la publication de mon livre, à l'occasion de laquelle nos amis Lilman donnèrent une réception dans leur appartement de la Cinquième Avenue. Ma mère fit son entrée au bras d'Alvin, arborant la même robe de soie couleur saumon, avec une collerette, qu'elle portait à notre mariage. Je ne la vis pas beaucoup pendant la soirée — l'assistance était si nombreuse ! — mais Edouard me raconta ensuite comment elle avait animé la salle, acceptant tous les hors-d'œuvre qu'on lui offrait et se présentant à tous ceux qui le souhaitaient, et même aux autres, comme la grand-mère du livre.

En y pensant bien, je pourrais sans doute retrouver un souvenir désagréable de cette année 1982 ; mais aucun ne me vient à l'esprit. Et ce qui arriva en juin 1983 ne semblait pas non plus si grave, au début. Ma mère fut prise de douleurs d'estomac. Ça arrive à tout le monde, n'est-ce pas ? Son généraliste, le Dr Foster, prescrivit du Pepto-Bismol.

Une semaine plus tard, les douleurs étaient toujours là.

— Ça ne s'est pas aggravé, dit ma mère.

— C'est bien, répondis-je.

Et ni l'une ni l'autre n'avons dit à quoi nous pensions.

Une autre semaine s'écoula sans amélioration. C'est alors que j'en vins au fait, l'air de rien.

— Pourquoi est-ce que... tu devrais peut-être voir ça avec le Dr Burns. C'est probablement une indigestion, mais ne serait-ce pas une bonne chose de le lui entendre dire ?

Ma mère en tomba d'accord et prit un rendez-vous avec le Dr Burns. Pour dans trois semaines, me dit-elle.

— Trois semaines ? Pourquoi trois semaines ?

— Son carnet est plein jusque-là.

— As-tu dit à l'infirmière que tu souffrais ?

— Oui.

— L'a-t-elle bien répété au Dr Burns ?

— Elle me l'a assuré.

— Quand as-tu parlé au Dr Foster pour la dernière fois ?

— Il y a quelques jours.

— Qu'a-t-il suggéré ?

— D'augmenter le Pepto-Bismol.

On aurait cru que c'était quelqu'un d'autre qui parlait, en entendant ces réponses laconiques... Je me demandai si elle était plus malade qu'elle ne disait, si elle me cachait quelque chose ou si elle avait peur, tout simplement. Puis je me dis : bien sûr qu'elle a peur, elle n'est pas idiote. Elle pense que ça y est, que peut-être ça y est. Et je pense la même chose.

Chapitre 8

5 juillet 1983. Je me tiens, les genoux serrés, sur une chaise au dossier inconfortable. Ma mère est entrée dans le cabinet du Dr Burns. La salle d'attente est bondée. En face de moi, deux femmes assises sur une causeuse se tournent le dos, comme si cela pouvait mettre plus d'espace entre elles. L'une est enceinte, porte un ruban rayé dans les cheveux et feuillette un magazine dont la couverture représente un gâteau. L'autre, dont l'âge serait difficile à évaluer, sans doute entre cinquante et soixante ans, regarde dans le vide. Elle pince les lèvres, ne porte pas la moindre trace de maquillage, et un foulard de coton lui enserre la tête. Je sais ce que cela veut dire.

Moi aussi, j'ai essayé de lire. Je me suis surtout efforcée de ne pas tourner les yeux vers la porte que ma mère a franchie. Tout à coup, j'entends l'infirmière appeler mon nom. « Le Dr Burns voudrait vous voir », ajoute-t-elle. Je bondis et la suis dans le vestibule. Maman quitte justement le cabinet de consultation. En me croisant, elle bredouille que nous devrons passer au bureau des rendez-vous. Je scrute en vain son visage pour essayer de comprendre ce qu'elle veut dire. L'infirmière me fait entrer dans le cabinet du Dr Burns. Il se tient appuyé sur un coin de son bureau, les bras croisés, et observe le sol.

— Eh bien, c'est une rechute, me dit-il sans lever les yeux. Dans la même région.

Je sens mon esprit se vider et n'entends pas la phrase

qu'ıl prononce ensuite. Puis je sursaute au mot de « chimiothérapie ».

— Elle va suivre trois cures. Ensuite on verra. Mais il en faudra sans doute quelques autres.

Je réponds dans un murmure :

— Oh non, oh non ! Pas ça encore !

Le Dr Burns ne dit rien, mais s'écarte de son bureau comme pour signifier que notre conversation est terminée, qu'il espère que je l'ai compris et vais lui permettre de quitter la pièce.

Mais la situation n'est que trop claire à mes yeux et c'est comme si ma tête s'embrasait. Je sais qu'une rechute d'un cancer de l'ovaire, à l'âge qu'a ma mère, ne lui laisse plus guère de temps. Je sais que la chimiothérapie peut retarder l'échéance, mais que même cela est loin d'être certain. Je sais à quoi ressembleront les jours qui lui restent à vivre, si elle suit ce traitement. Et je sais qu'il y a des gens capables de dire « Au diable tout ça ! » Je me souviens de Tootsie.

Je lutte pour rassembler mes esprits et permettre aux mots que je veux prononcer de sortir de ma bouche. J'y parviens enfin :

— Docteur Burns, est-il bien utile de lui infliger ces cures ? Êtes-vous sûr que cela... servira à quelque chose ? Vraiment sûr ? Vous savez ce que la chimiothérapie a été pour elle. Vaut-il la peine de la faire repasser par cette épreuve ? Je veux dire... s'il y a rechute... cela laisse-t-il encore un espoir ? Êtes-vous certain, bien certain qu'il soit possible de gagner du temps ?

Il prononce quelques mots, mais déjà je l'interromps :

— Je sais que c'est à elle de prendre la décision, pas à vous ou à moi. Mais elle vous écoutera. Ne pourriez-vous... A quoi bon recommencer tout ça ?

— Nous ne pouvons pas baisser les bras, dit-il, et il se rapproche de la porte.

— Et pourquoi ?

Je pose cette question doucement. J'ai conscience de

susciter son irritation et je ne le souhaite pas. Je ne veux pas encourir l'animosité de cet homme, qui tient la vie de ma mère entre ses mains. Mais il faut que je connaisse la réponse.

Le faut-il vraiment ? Je m'aperçois qu'en fait mes interrogations ne vont pas bien loin. Je n'entre pas dans le vif du sujet, j'évite la question de fond : combien de temps lui reste-t-il à vivre en l'absence de chimiothérapie ? Et avec une chimiothérapie ? Je repense à Tootsie, à la bière qu'elle buvait, et je trouve tout de même la force de marmonner une question sur le genre de vie que pourrait mener ma mère.

Le Dr Burns semble avoir terminé son inspection du plancher. Il me répond :

— En général, ils se sentent un peu mieux après la chimiothérapie.

Cette façon de dire « ils » me fait tressaillir, mais je m'accroche tout de même au « un peu mieux ». L'expression m'a touchée, et le Dr Burns le sait. J'examine attentivement son expression pour essayer de savoir s'il cherche à me tromper. Mais rien ne transparaît sur son visage.

— En quoi la chimiothérapie peut-elle l'aider à se sentir mieux ?

— Ces drogues sont faites pour réduire les tumeurs. Or, votre mère souffre d'une tumeur.

— Mais rien ne garantit qu'elles réduiront sa tumeur...

Il semble considérer, à juste titre, que cette phrase n'est ni vraiment une question ni vraiment une affirmation, et choisit de se taire. Je m'aventure plus loin :

— Et une opération ?

Il secoue la tête.

— Impossible. La tumeur se trouve dans la région abdominale. Elle ne... se limite pas à une zone d'où il serait possible de l'extirper.

Mon regard plonge vers le sol, comme le sien, et je

baisse même la tête. Tout est dit et j'ai perdu, nous le savons l'un et l'autre.

— Vous avez dit trois cures ?

Il pose la main sur le bouton de la porte.

— Au moins trois...

Il tourne la poignée.

— Probablement six. Après les trois premières, nous pourrons pratiquer un examen au scanner puis prendre une décision. En général, il leur en faut six.

« Il leur en faut... » Maintenant il a ouvert la porte.

— Encore une question, docteur Burns. Est-elle au courant ? Est-elle... d'accord ?

— Il semblerait.

Il est sorti de la pièce.

Je lui dis merci, parce que maman m'a appris à dire merci, et je sors à mon tour.

Ma mère est assise devant le bureau de la réception, bien droite sur sa chaise, son sac sur les genoux. Elle s'adresse d'une voix douce et polie à la secrétaire qui vient de lui donner un rendez-vous à l'hôpital pour la première cure. Puis elle se lève, et je l'aide à enfiler son manteau. Jusqu'ici, nous avons évité de nous regarder dans les yeux. Dans l'ascenseur, je fais un gros effort pour qu'elle ne sente pas combien j'ai la gorge nouée.

Je hèle un taxi et nous y montons. Elle regarde par la fenêtre et soupire :

— Eh bien, l'année aura été bonne.

C'est trop pour moi et je fonds en larmes. Pas elle.

— Je m'attendais à autre chose, ajoute-t-elle après un instant. A une condamnation à mort, pas à la torture. C'est une surprise.

« Surprise », le mot favori de sa mère... Elle l'a prononcé avec un léger rire.

Je monte avec elle dans l'appartement. Elle s'allonge sur le lit, tandis que je m'assieds sur une chaise à l'autre bout de la pièce. Elle secoue la tête :

— Je ne pensais pas devoir repasser par tout ça. Non, je ne m'y attendais pas.

— Maman, tu n'es pas obligée ! Personne ne peut te forcer à refaire une chimiothérapie, tu peux refuser !

Ces mots sont sortis tout seuls de ma bouche ; il est trop tard pour les rattraper.

Elle pose sur moi un regard étrange, presque glacé.

— Comment pourrais-je ? C'est la seule chance qui me reste.

Je ne dis rien mais je me demande : chance de quoi ? Le Dr Burns ne peut rien affirmer. S'il n'y en avait plus que pour quelques mois ? Comment seront-ils, ces mois-là ? Je sais désormais qu'il s'agit d'une tumeur inopérable et qui ne disparaîtra pas d'elle-même. Mais je me tais. Si ma mère préfère subir la torture plutôt que de perdre espoir, qu'il en soit ainsi !

Elle s'est levée et se dirige vers l'armoire. Sur une étagère, au-dessus de ses vêtements, elle saisit un objet. Une boîte. Elle l'ouvre et, avec beaucoup de soin, en sort sa perruque. Elle semble contente.

— J'ai bien fait de la garder, dit-elle en la reposant doucement dans la boîte, comme elle aurait fait d'un oiseau estropié.

Chapitre 9

Le soir même, de retour à la maison, j'exposai la situation à Edouard.

— Elle n'a même pas hésité devant cette nouvelle chimiothérapie. Je ne comprends pas comment elle peut supporter cette idée.

— Elle doit estimer que c'est sa seule chance.

— C'est exactement ce qu'elle m'a dit. Mais elle a tout de même soixante-quinze ans. C'est une rechute et c'est inopérable. Quel espoir lui reste-t-il donc, avec ou sans traitement ?

— As-tu posé la question au Dr Burns ?

— Pas vraiment.

— Et pourquoi ?

— Je ne sais pas. Sans doute parce que je n'avais pas envie d'entendre sa réponse. Et ce n'est pas à moi de le demander, c'est à elle seule. Quand elle sera prête, et ce n'est visiblement pas le cas. Sinon, elle l'aurait fait. D'ailleurs, Burns est peut-être incapable de répondre de façon précise. Il a une idée d'ensemble, mais c'est aussi mon cas, c'est aussi le tien, et ce devrait être celui de maman. Écoute, Edouard, elle va mourir, sans doute très bientôt, et...

Je m'aperçus soudain que je m'étais mise à crier et baissai le ton :

— Ce qu'il a dit, c'est que la chimio pourrait lui permettre de se sentir mieux, en réduisant la tumeur. Mais ce n'est pas certain, je le sais très bien.

Nous étions assis chacun à un bout du salon. Les

lumières étaient éteintes et l'obscurité envahissait la pièce. Je me levai et marchai jusqu'à la fenêtre.

— Elle n'est pas folle, elle sait bien qu'elle n'a pas beaucoup de temps devant elle. On pourrait s'attendre à ce qu'elle essaie d'en profiter le mieux possible !

Edouard secoua la tête :

— Tu raisonnes comme si elle était prête à dire « pouce », et ce n'est pas le cas. Pas encore.

Je revins m'asseoir sur le canapé et répondis, en regardant fixement le tapis :

— Tu as raison. Si elle accepte ce traitement, c'est parce qu'elle espère qu'il lui permettra peut-être de vivre un peu plus longtemps. Et elle ne cherche même pas à savoir combien au juste.

Je relevai lentement les yeux vers mon mari :

— En un sens, je la comprends, mais tout de même ! Recommencer une chimio, après tout ce qu'elle a enduré ? Moi, je ne le ferais pas. Et toi ?

— Moi non plus, je ne crois pas. Mais je n'en jurerais pas. A mon avis, il est impossible de dire ce qu'on ferait dans ce genre de situation tant qu'on n'y est pas confronté soi-même.

La routine avait quelque peu changé. Lors du premier traitement, elle entrait à l'hôpital le vendredi, recevait les médicaments le samedi et rentrait le dimanche. Maintenant, le projet était de commencer la chimiothérapie dès le vendredi, en début de soirée, et de la renvoyer chez elle le samedi. J'eus beau me dire que le plus rapide serait le mieux, je n'osais imaginer à quoi ressembleraient ces nuits-là, entre le vendredi et le samedi, ni dans quel état elle se trouverait le lendemain matin, pour le trajet de retour.

Les drogues prévues au programme avaient également changé. Plus d'Adriamycine, seulement de la Cisplatine. Aurait-elle moins mal au cœur ? Personne ne semblait pouvoir nous renseigner. Ma mère avait renoncé à consulter le Dr Foster (après qu'il lui eut prescrit pour la troisième fois du Pepto-Bismol), au profit d'un autre généraliste, qui jouissait d'une bonne réputation. Le Dr Goldman était un homme jeune et plutôt plaisant, malgré un abord mélancolique. Il me dit qu'il ignorait si les choses se passeraient mieux sans l'Adriamycine. Quant au Dr Burns, lorsque je lui posai la question, il me regarda d'un œil vitreux, avec l'air de dire que cela n'était pas du tout de son ressort, comme chaque fois que je lui parlais des vomissements de ma mère. De ces deux réactions, je tirai la conclusion qu'elle serait sans doute aussi malade que la première fois.

Vendredi 22 juillet. Il fait un temps superbe et cela semble incroyable. Ma mère souffre. Elle décrit sa douleur comme un grands poids dans le ventre, qui l'affaiblit terriblement. Elle ne marche qu'avec difficulté, mais affirme qu'elle se sentira « certainement mieux après le traitement ».

Je me tiens derrière elle (a-t-elle rapetissé ? Elle me paraît minuscule) et, lentement, je pousse la porte à tambour de l'hôpital. Le bureau des admissions a été transféré au fond d'un couloir du rez-de-chaussée. Pour le reste, tout se passe comme avant, jusqu'au — est-ce possible ? — « Déjà venues ici ? » de la bénévole allemande, toute petite, avec son éternel strabisme. Je me sens effondrée en l'apercevant.

Une fois ma mère installée dans sa chambre, je monte au bureau des infirmières et signe un formulaire pour qu'une aide-soignante s'occupe de la malade pendant la nuit. Je demande que ce soit Pearl, on me répond qu'elle ne travaille plus que de jour et que c'est impossible. Mais ils ont quelqu'un d'autre qui fera merveille.

En redescendant à l'étage où se trouve la chambre de ma mère, je reconnais certaines des infirmières. C'est absurde : cela me fait plaisir. Et je me demande, comme s'il y avait le moindre rapport, si les criminels ont la même impression quand on les arrête pour récidive et qu'on les remet en prison. L'Irlandaise n'a pas changé :

— Comment allez-vous, ma chère ? demande-t-elle à ma mère.

— J'ai eu une année agréable.

Peu à peu, dans la chambre, le bruit et l'activité augmentent. C'est l'orchestre hospitalier qui s'accorde : pression artérielle, température, oreiller et couverture supplémentaires, eau glacée, questionnaire de l'aide-soignante (« Combien de chemises de nuit ? — Deux. — Combien de bas ? — Deux »), questionnaire de l'interne (« Quand avez-vous ressenti des douleurs pour la première fois ? »). On tourne la manivelle pour monter la tête de lit, puis pour la redescendre. On commande la perfusion. Malgré ce remue-ménage, la compagne de chambre de ma mère continue à ronfler. Son visage rond et rougeaud, aux lèvres molles, est sans âge.

Le Dr Burns fait son apparition, entouré d'autres blouses blanches. Ils se tiennent en rang comme les canards sur notre pelouse de Clark Street. Pendant qu'ils cancanent, les dernières lueurs du soleil filtrent à travers les stores vénitiens. A six heures précises, on amène le pied à perfusion. L'effrayante symphonie va commencer.

Pas tout de suite, cependant. L'interne, qui a d'énormes poches sous les yeux, n'arrive pas à trouver la veine. Il transperce la peau comme un menuisier forant un morceau de bois. Quand il plante son aiguille, ma mère tressaille, serre les paupières, tourne la tête. Je vois des gouttes perler aux tempes de l'interne chaque fois qu'il se penche vers la main de ma mère.

— Oh, non !

Ce cri m'arrache de mon fauteuil. Je me retiens de hurler moi-même, m'approche de l'interne mais en veillant à maintenir la distance respectueuse censée subsister entre un médecin et les parents de son patient, et m'adresse à lui en prenant bien garde de ne pas me montrer blessante :

— Écoutez, vous n'êtes pas le premier à ne pas trouver ses veines facilement. Mais je ne peux pas vous laisser continuer comme ça. Il y a quelques personnes ici qui semblent avoir, disons, un certain tour de main. Pourriez-vous, s'il vous plaît, faire venir quelqu'un d'autre ?

Il m'écoute sans me regarder, tout en grommelant : « J'y suis presque. » Il courbe le dos, comme un ouvrier penché sur une pièce qui lui résiste. Cette pièce, c'est la main de ma mère, si blanche d'habitude, mais qui est devenue toute bleue. Brusquement, il se redresse, balbutie un mot d'excuse en passant devant moi, contourne le lit et s'empare de l'autre main de ma mère. Elle lève vers lui des yeux implorants, pour qu'il cesse de lui faire mal. En mon for intérieur, je lui accorde encore deux tentatives. Deux. Il réussit à la troisième. Ma mère pousse un soupir de soulagement et lui dit : « Merci », pendant qu'il remballe précipitamment son matériel. Trente secondes n'ont pas passé qu'il a déjà quitté la pièce.

Je m'aperçois — non sans quelque sentiment de culpabilité — que cette programmation sur deux jours rend les choses plus supportables. Peut-être pas pour tout le monde, mais pour moi sans aucun doute. Même si je souhaitais être présente pendant les moments les plus durs, même si j'en éprouvais un désir irrésistible, ce ne serait pas possible. La fin des visites est à vingt heures. Et, la perfusion commençant à dix-huit heures, les vomissements ne se produiront pas avant minuit.

C'est seulement beaucoup plus tard — à deux heures du matin, puis à trois, puis à quatre heures et demie — que je redécouvre ce que m'avait enseigné le traitement précédent et que j'avais oublié entre-temps. Ne pas être présent physiquement, cela n'a de sens que si l'on est aussi absent moralement, et il faudrait pour cela savoir en quelque sorte jongler avec ses sentiments. Je fais néanmoins tout mon possible pour trouver le sommeil. J'essaie systématiquement tous les trucs connus. Relaxer chacun de ses muscles l'un après l'autre, répéter le même mot indéfiniment. En dernier recours, j'entreprends de réciter l'alphabet à l'envers, très lentement.

— Qu'est-ce que tu as ? me demande Edouard. Il est trois heures du matin !

— Je m'inquiète à propos de l'aide-soignante.

— Quelle aide-soignante ?

— Celle qui doit s'occuper d'elle pendant la nuit.

— Et alors ?

— Je ne sais pas. Peut-être n'est-elle pas très compétente.

— Je parie au contraire qu'elle sait exactement ce qu'elle doit faire.

— Tu as peut-être raison.

— Et maintenant, dors !

Sur quoi je m'endors en effet, avec le sentiment de n'avoir que cinq minutes devant moi avant de devoir me réveiller pour aller la chercher à l'hôpital.

Chapitre 10

C'était comme un match-revanche et il avait mal débuté. Le samedi matin, nous trouvâmes ma mère appuyée contre le dossier de sa chaise, les yeux mi-clos, le visage bouffi à cause de la Thorazine, à peine capable de tenir sur ses genoux la cuvette en plastique.

Elle était habillée, maquillée, prête à partir sur-le-champ.

— L'aide-soignante t'a aidée à t'habiller ?

Elle acquiesça.

— Comment l'as-tu trouvée ?

— Dévote.

Nous en avions connu une autre, l'année précédente, qui était du même genre : elle essayait de convertir les malades pendant qu'ils vomissaient. Ma mère avait fini par lui demander de se taire. Je lui demandai si elle avait eu la même réaction cette fois-ci. Elle secoua la tête et marmonna :

— Je me sentais trop mal.

Quand Shany arriva, sur le coup de midi, maman dormait, couchée sur le côté, de ce sommeil lourd que les drogues avaient au moins le mérite de lui procurer quand elle revenait de l'hôpital. Le lendemain matin, après avoir passé la nuit à son côté, Shany m'informa que ma mère avait pu avaler et garder dans l'estomac non seulement une demi-tasse de thé, mais encore trois cuillerées de flocons d'avoine. C'était un événement : lors du premier traitement, il lui fallait au moins deux jours après chaque cure pour parvenir à ingurgiter autre chose que du liquide. « C'est magnifique ! »

m'exclamai-je, et j'appelai Edouard à son bureau pour lui faire part de la nouvelle.

Mais notre joie ne dura pas. Le mercredi, elle dut annuler son rendez-vous du jeudi avec Alvin. Contrairement à ce qui s'était toujours passé jusque-là, elle était en proie au même genre de douleurs, peut-être même pires, qu'au moment où nous l'avions amenée à l'hôpital. Elle les décrivait comme un poids effrayant sur la région pelvienne, s'étendant à tous les organes abdominaux et l'empêchant de se lever et de marcher. Aussi restait-elle allongée dans son lit, les genoux repliés, en gémissant.

— Je ne comprends pas, disait-elle. Le Dr Burns avait affirmé que cette cure me ferait du bien.

— Maman, je suis certaine qu'il n'a jamais dit qu'une seule cure suffirait.

Mais j'étais déjà persuadée que la suivante n'aurait pas plus d'effet.

En rentrant chez moi, j'appelai son nouveau généraliste, le Dr Goldman, pour lui demander ce qu'il pensait de cette chimiothérapie. Je pouvais parler librement avec lui. C'est le cas avec certains médecins, pas avec d'autres — par exemple le Dr Burns. Je savais que le Dr Goldman était plein de respect pour celui-ci, aussi ne fus-je pas étonnée de l'entendre répondre que si le Dr Burns avait conseillé une chimiothérapie, cet avis était sans doute fondé ; ce n'était sûrement pas une lubie de sa part ; en effet, il était très possible — sinon probable — que les cures permettraient de réduire la tumeur et d'atténuer la souffrance. Bien entendu, il était trop tôt pour avoir la moindre certitude à cet égard. Par ailleurs, aucun produit n'avait été inventé, hélas, depuis le premier traitement qu'avait suivi ma mère, pour empêcher les vomissements.

Pendant ma conversation avec Goldman, il me vint une idée. Une idée si évidente que je me trouvai stupide de ne pas l'avoir eue plus tôt. Ce dont nous avions besoin, c'était d'un autre point de vue : celui d'un spécialiste des tumeurs, d'un oncologiste.

Après une rapide enquête, nous décidâmes de nous adresser au Dr Fine, spécialisé dans les cancers de l'ovaire, et qui travaillait dans une institution célèbre : le Memorial Sloan-Kettering. Malheureusement, il fallait un mois pour obtenir un rendez-vous, c'est-à-dire plus de temps qu'il n'était prévu avant la prochaine cure. Sans parler d'un autre problème : ma mère ne voulait pas aller consulter au Memorial, par crainte de vexer le Dr Burns.

— Maman, c'est une affaire trop importante pour qu'on prenne en compte les sentiments personnels du Dr Burns !

Ce n'était pas la meilleure tactique. J'obtins plus de succès en ajoutant :

— Il n'y a aucune raison pour que le Dr Burns l'apprenne !

Ce n'était pas encore tout à fait suffisant :

— Mais ce nouveau médecin, il faudra bien qu'il voie le dossier ?

— Bien sûr. Et alors ?

— Eh bien, le Dr Burns sera au courant.

— Pas forcément.

Et ainsi de suite... Finalement, Shany et moi réussîmes à la persuader, grâce aussi au soutien non négligeable d'Edouard et de ma cousine Elaine. Entretemps, j'avais aussi insisté auprès de la secrétaire de l'oncologiste et réussi à obtenir un rendez-vous à une date plus rapprochée.

Ma mère souffrait toujours beaucoup, mais elle avait trouvé deux moyens d'atténuer la douleur : ne pas manger, ne pas marcher. Car dès qu'elle mangeait ou marchait, selon sa propre expression, elle « le payait ».

Ce double renoncement produisait deux effets opposés. D'un côté, elle semblait réconfortée, psychologiquement, par le fait d'avoir découvert les facteurs qui aggravaient sa souffrance et donc les moyens de la diminuer. C'était la preuve qu'elle avait encore un peu son existence en main. Mais, par ailleurs, cela ressemblait à une cruelle plaisanterie : ce n'est pas rien que de s'abstenir et de manger et de marcher. Personne ne peut survivre sans s'alimenter ; quant à la marche, c'est une activité indispensable, et tout particulièrement pour elle. Ainsi survint un événement que personne dans la famille n'avait encore eu l'occasion d'observer : ma mère sombra dans une dépression. De la façon la plus évidente : il suffisait de l'entendre parler, d'une voix grave et enrouée. Et, si elle s'efforçait souvent de sourire, elle n'y parvenait que rarement, et toujours avec un air triste, comme fantomatique.

Entre les cures, elle paraissait plus malade que pendant le premier traitement. Ses bras et ses jambes étaient encore charnus, mais tout le reste de son corps s'était racorni. Dans les rares occasions où elle se sentait assez en forme pour décider de mettre une robe, il fallait la resserrer avec une ceinture. Quand elle marchait, sa souffrance était telle qu'elle se recroquevillait sur elle-même. Ses joues s'étaient creusées. Ses yeux, naguère si sombres et si beaux, paraissaient maintenant écarquillés, et son regard trop fixe. Tous ces changements, dont certains que je me forçais à ne pas percevoir, me remplissaient d'un sentiment d'impuissance proche de la suffocation. Le temps aidant, les médicaments lui permirent de moins ressentir la différence entre douleur et état normal, mais nous savions l'une comme l'autre que la douleur n'en était pas moins présente, que selon toute probabilité rien ne pourrait plus jamais la conjurer. La souffrance avait pris possession une fois pour toutes de son corps et, hormis peut-être quelques brefs répits, ne le quitterait plus.

Maman se résigna à l'idée d'aller consulter l'oncologiste du Memorial. Je l'entendis même, à partir d'un certain moment, en parler avec une nuance d'espoir, allant jusqu'à souhaiter qu'il recommande une opération chirurgicale. Elle n'en tenait pas moins à rester aux yeux du Dr Burns une petite fille sage et s'inquiétait en songeant qu'il pourrait découvrir ce rendez-vous pris avec un autre médecin.

6 août. Pour l'anniversaire d'Edouard, elle s'obligea à jouer une sorte de représentation, en se bourrant de Demerol, de codéine, de Mylanta et de je ne sais quoi d'autre. Elle passa la journée allongée, sans rien manger, et le soir venu s'enduisit le visage de Charles of the Ritz. A vingt heures sonnantes, au bras d'Alvin, bombant le torse, elle pénétra dans le Russian Tea Room.

La soirée fut empreinte d'une discrète tristesse. Chacun de nous s'efforçait, non sans quelque exagération, de se comporter comme s'il ne se passait rien d'extraordinaire : on aurait dit une troupe de théâtre jouant Shakespeare à Londres en 1940, en feignant d'ignorer les bombes qui explosaient alentour. Alvin prodiguait de bons mots, et ma mère souriait bien qu'elle ne les eût pas compris. Elle s'extasia sur le bortsch, dont elle laissa pourtant la moitié, et ne prit aucun autre plat : « Vous ne trouvez pas qu'il a une couleur magnifique ? Et c'est très bon pour la santé, vous savez ! Mes enfants, vous devriez manger plus de soupe. » Je bus un verre de vin et parlai plus que nécessaire. Edouard, pour sa part, joua comme d'habitude le rôle de celui qui écoute.

A mesure que le dîner progressait, ma mère devenait plus silencieuse. Visiblement, elle recommençait à avoir mal. C'était comme si un officier de la Gestapo était soudain venu s'asseoir à notre table. Personne n'y fit allusion, mais nous négligeâmes le dessert et Alvin emmena ma mère jusqu'à un taxi, en prétendant que c'était lui qui devait rentrer de bonne heure.

— J'ai un rendez-vous très tôt demain matin, affirma-t-il galamment.

Une fois échangés les baisers d'adieu, Edouard et moi traversâmes silencieusement la 57e Rue.

— Alvin est merveilleux, non ? dis-je enfin.

— Oui, répondit Edouard, Alvin est merveilleux.

11 août. Le Dr Fine nous déconcerta. C'était un homme d'une vivacité peu commune : amples mouvements, fougue et bons sentiments. Malgré sa corpulence, il sautillait à travers la pièce comme un moineau.

— C'est moi qui ai les radios, ou c'est vous ? C'est moi ? Je ne les vois pas. Vous en êtes sûrs ? Peut-être sont-elles chez ma secrétaire. Dolores ? Avons-nous les radios de Mme Rollin ? Oui ? Ah ! très bien...

Il me donnait le tournis, mais en même temps je me sentais soulagée. L'essentiel était d'avoir obtenu un rendez-vous avec un médecin aussi réputé. Certes, je l'imaginais un peu plus redoutable, un peu moins sautillant. Mais le Dr Fine était presque charmant.

Ma mère ne considérait pas les choses de la même manière. Plus elle voyait le médecin s'agiter, et plus elle-même s'affaissait. Il finit par trouver les radios et, en grommelant un peu, entreprit de les examiner sur le négatoscope posé sur son bureau. Il avait installé ma mère sur un petit tabouret blanc, au milieu de la pièce. Elle s'y tenait bien sagement, son chapeau de paille bleu marine sur la tête (ses cheveux s'étaient remis à tomber), son sac à main sur les genoux. Les épaules courbées, la tête baissée, elle paraissait toute petite. Je savais qu'elle n'avait rien mangé de la journée, presque rien non plus la veille, et qu'elle avait eu des nausées toute la matinée.

— Ça va ? lui demandai-je.

Elle hocha la tête, mais sans rien dire. Je sentis comme un élancement dans le crâne en comprenant la raison de ce silence : il lui aurait paru inconvenant d'avouer qu'elle avait mal au cœur.

On n'entendait dans la pièce aucun autre bruit que le bourdonnement des tubes fluorescents et le frôlement des planches radio sur le négatoscope. Enfin, le

Dr Fine appuya sur l'interrupteur pour éteindre l'engin et se tourna vers nous.

— Très bien, madame Rollin, dit-il avec bienveillance, si vous voulez bien venir par ici...

Et il l'emmena dans une salle d'examen.

Quand ils furent revenus, il la réinstalla sur le même tabouret et s'assit devant elle, sur une chaise. Les coudes posés sur les genoux, il lui posa quelques questions sur son premier traitement. Puis il se renversa en arrière pour nous faire la déclaration à laquelle, l'une comme l'autre, nous nous attendions le moins :

— Chère madame, je suis vraiment navré de devoir vous dire cela, mais la chimiothérapie qui vous a été administrée n'est rien de plus qu'une goutte d'eau dans l'océan. Ici, nous vous aurions appliqué dès le début un traitement nettement plus sévère et, si vous voulez mon avis, c'est encore ce qu'il conviendrait de faire.

Doux Jésus...

— ... Nous n'avons aucun moyen de savoir si d'autres organes ne sont pas également touchés, c'est pourquoi il faudrait recourir à un certain nombre de drogues différentes, pas seulement à la Cisplatine. Je suggérerais que vous veniez nous voir, pour des cures qui se feraient en simple consultation, une fois tous les huit ou quinze jours. Nous vous administrerions des doses inférieures à celles que vous avez reçues jusqu'ici, mais à une fréquence plus grande.

Ma mère, la bouche un peu béante, paraissait sur le point de s'évanouir.

— Voyez-vous, ajouta-t-il en se tournant vers moi avec un bref sourire, ici nous traitons nos patients de façon très énergique. Nous les menons parfois jusqu'au bord de la mort mais ensuite — il fit un mouvement de la main droite comme pour ramasser quelque chose — nous les sauvons.

Il sourit de nouveau, puis se tourna vers ma mère.

— Souhaitez-vous me poser des questions ?

Ma mère me regarda avec l'air de dire : « Parle à ma place... » Ce que je fis.

— Devrions-nous...

J'avais commencé d'une voix chancelante, parce que je n'avais pas vraiment envie d'aller au bout de la question ; je savais qu'en aucun cas la réponse ne pourrait nous apporter de soulagement ; on ne devait plus s'attendre qu'à toute une gamme de réponses affligeantes.

— Faut-il considérer qu'une intervention chirurgicale n'est plus à envisager ?

— C'est exact, répondit abruptement le Dr Fine.

Il se tourna une fois encore vers maman et poursuivit, d'une voix redevenue plus douce, comme un professeur qui explique patiemment quelque chose à un étudiant un peu borné :

— Avez-vous des questions à poser, madame Rollin ? Que pensez-vous de tout cela ?

Ma mère le dévisagea, puis tourna son regard vers moi, et à nouveau vers le Dr Fine.

— Je préférerais ne pas vous répondre en présence de ma fille.

— Votre fille est adulte, répondit le médecin.

— Bien sûr, maman, confirmai-je.

Ma mère regarda alors le Dr Fine dans les yeux et lui dit, d'une voix sourde mais pleine d'assurance :

— Maintenant, s'il y a une chose au monde que je désire, c'est de pouvoir prendre je ne sais quelle pilule qui... me permettrait d'en finir avec tout ça.

Le Dr Fine hocha la tête. Il avait déjà dû entendre pareilles déclarations. Moi aussi, d'ailleurs — quoique exprimées plus brièvement. Je savais que ma mère ne pouvait réagir autrement à la situation. Qui donc l'aurait pu ? Je n'en fus ni surprise, ni alarmée, parce que j'étais sûre qu'elle ne le pensait pas vraiment. Je ne m'en lamentai pas moins, silencieusement, en songeant au désespoir qui devait être le sien pour qu'elle en vienne à parler ainsi.

Le Dr Fine se leva.
— Je sais quelle épreuve vous venez de subir...
Maintenant qu'il était debout, maman paraissait encore plus petite.
— Eh bien, merci, dis-je. J'espère... il faudra que nous réfléchissions à tout ça.
— Si vous choisissez de commencer un traitement chez nous, dit-il pour conclure, appelez ma secrétaire, elle vous fixera un premier rendez-vous.
J'aidai ma mère à se lever. Elle remercia le docteur, puis se dirigea vers la porte. Je m'attardai un instant derrière elle, indécise, n'arrivant pas à formuler la question qui pourtant s'imposait. De toute évidence, si ma mère ne l'avait pas énoncée, c'était parce qu'elle préférait ne pas en connaître la réponse. Mais je n'avais plus guère de temps pour réfléchir, et ma mère était maintenant assez loin pour ne pas entendre. Je me jetai à l'eau :
— Si elle poursuit les cures qu'on lui fait subir chez le Dr Burns, à combien estimeriez-vous... ses chances ?
J'étais certaine qu'il ne répondrait pas. Ils ne répondent jamais à ce genre de questions. Mais il dit :
— Trente pour cent de chances de rémission, à mon avis ; bien sûr, impossible de dire pour combien de temps. Mais j'avance ce chiffre en supposant qu'on continue à ne lui donner que de la Cisplatine. Avec de l'Adriamycine en plus, peut-être — il eut une hésitation — soixante pour cent...
J'avalai ma salive avant d'énoncer ma seconde question, persuadée qu'il refuserait cette fois de donner son véritable sentiment :
— Estimez-vous que le Dr Burns ait la compétence requise pour lui administrer ces cures ?
Sa réponse fut immédiate :
— Le Dr Burns est un homme très estimable et un excellent chirurgien.
Avec un sourire, il poursuivit :
— Mais c'est un chirurgien. Il n'y connaît rien en

chimie. Nous passons notre temps à répéter à ces gens-là : « Vous savez opérer, c'est votre métier. Nous, nous sommes chimistes et nous connaissons les drogues. Pourquoi ne pas s'en tenir chacun à sa spécialité ? » Mais ils ne nous écoutent pas.

Il souriait toujours, cependant que je me disais : Burns, espèce de salopard prétentieux, pourquoi ai-je laissé si longtemps le sort de ma mère entre vos mains ? Pourquoi n'ai-je pas...

Ma tirade intérieure contre Burns se brisa net quand j'aperçus ma mère sur un banc proche de la sortie. Elle était toute voûtée, comme toujours maintenant quand elle se tenait assise, et comme elle faisait face à la fenêtre je ne la voyais que de dos. Mais quelle affliction on lisait dans la courbe de ce dos ! Comme on la sentait dépassée par les événements ! Amenuisée, réduite à rien...

— Votre mère est quelqu'un d'adorable, dit le Dr Fine. Je serais heureux de la prendre en charge.

— Je vous remercie, répondis-je. Et surtout de vous être montré... si franc.

Je rejoignis rapidement ma mère, l'aidai à nouveau à se lever et poussai la grande porte vitrée. Nous fûmes surprises par l'éclat du soleil et la touffeur de l'atmosphère — comme au sortir d'une séance de cinéma l'après-midi. Dans le taxi que nous prîmes pour rentrer, ma mère n'ouvrit pas la bouche. Elle attendit pour cela d'être dans l'ascenseur :

— Il s'est payé du bon temps, dit-elle enfin, les lèvres pincées.

— Que veux-tu dire ?

— Je trouve qu'il a été cruel.

Oh là là... Je répondis prudemment :

— Je sais ce que tu penses, maman. Il paraissait terriblement sûr de lui. Mais je pense qu'il cherchait à...

— Je t'en prie !

Elle avait un air fâché. Je soupirai, sachant depuis toujours ce que signifiait ce « Je t'en prie » : que c'était une affaire classée. Il ne serait plus jamais question du Dr Fine, ni du Memorial. Une fois dans l'appartement, elle se dirigea tout droit vers sa chambre.

— Il faut que je m'allonge. Cette pièce était si étouffante que j'ai cru que j'allais m'évanouir.

— Mais pourquoi n'as-tu rien dit ?

Assise sur son lit, elle se déchaussait lentement.

— A quoi bon ? Crois-tu qu'il se souciait de ce que, moi, je ressentais ? Et peux-tu imaginer le Dr Burns se comportant de cette façon ?

Je la regardai bien en face, mais ne répondis rien. Ensuite, je l'aidai à se déshabiller et à se mettre au lit Puis je rentrai chez moi.

Chapitre 11

— Elle l'a détesté, dis-je à Edouard, tout simplement détesté. Il est hors de question pour elle de changer de médecin. Je n'ai pas même osé y faire allusion.

Nous étions chez nous, en train de dîner. Je reposai ma fourchette. Je m'étais arrangée pour que les légumes soient trop crus et la viande trop cuite.

— Le problème, c'est que si je remets les haricots sur le feu, le reste va refroidir.

— Ne t'en fais donc pas, ces haricots sont très bons. Pourquoi a-t-elle détesté le Dr Fine ?

— Je ne sais pas. Peut-être parce qu'il lui a parlé de façon loyale. Si seulement il n'avait pas eu en permanence cet air guilleret ! Ces cancérologues sont des gens bizarres, tu sais. J'imagine qu'ils n'ont pas le choix et que je deviendrais bizarre, moi aussi, si je faisais ce métier. Tu imagines ? Devoir... Tu veux un peu plus de beurre sur tes haricots ?

— Ces haricots sont excellents. Est-ce qu'elle a entendu ce qu'il a dit à propos de l'Adriamycine ?

— Je ne crois pas. Je suis même sûre que non. Mais, de toute façon, elle n'avait pas envie d'entendre, alors... J'ai pensé lui expliquer les choses moi-même : « Maman, voilà en quels termes ça se pose. Le docteur dit que s'il s'occupe de toi, tu as soixante pour cent de chances de survivre — quoiqu'il ne puisse pas dire combien de temps. Si tu restes avec le Dr Burns, qui ne te donne que de la Cisplatine, tes chances sont de trente pour cent. C'est à toi de décider. » Mais je n'ai pas réussi à lui parler. J'aurais dû le faire pour être en accord avec ce que j'ai écrit dans mon livre. Tu te souviens, la franchise totale, tout ça. Mais mon impression, c'est qu'elle refuse cette franchise totale, qu'elle n'en veut pas. Elle ne désire pas qu'on lui mente, mais pas non plus qu'on lui dise toute la vérité, avec ce qu'elle a de cruel. Et, en fait, est-ce que tu crois que j'ai réagi autrement à l'époque ? Eh bien non ! Après avoir appris que j'avais un cancer, je ne tenais pas du tout à savoir où j'en étais vraiment. Je ne pouvais supporter d'entendre la vérité que petit à petit. Mon problème, c'était cette ablation du sein, et je ne souhaitais pas qu'on me dise tout de suite si je risquais ou non de mourir. D'ailleurs, une fois qu'on sait ça, qu'est-ce qu'on sait au juste ? Les statistiques ne sont que des chiffres abstraits. Trente pour cent d'un côté, soixante pour cent de l'autre : prendre une décision sur de pareilles bases, ce n'est plus de la science, c'est de la loterie !

J'ingurgitai une cuillerée de haricots et interrompis mon monologue, laissant s'installer un silence suffisant pour qu'on entendît les rumeurs qui montaient dc la rue, s'infiltrant comme de la fumée par les fenêtres : une radio réglée trop fort, un klaxon de voiture, le juron d'une voix anonyme dans le garage d'un face, tous ces bruits que les habitants de New York s'habituent à ne plus entendre. Je me dis que ce dîner était vraiment lamentable.

— Vers la fin du rendez-vous, il lui a demandé si elle avait des questions à poser ou quelque chose à dire. Elle a répondu qu'elle voudrait pouvoir avaler un comprimé et en finir une fois pour toutes.

Je reposai ma fourchette.

— C'était affreux d'entendre ça. Affreux.

— Alors, elle va rester chez Burns ?

— Je crois. Elle s'est attachée à lui, d'une certaine façon. C'est incroyable. Il ne lui dit rien. Il ne lui donne pas les médicaments qu'il faudrait. Mais elle s'accroche à lui, comme les enfants maltraités tiennent à leurs parents alors qu'ils les battent. Burns, c'est son papa.

Dieu sait que j'en aurais à dire à son sujet, mais j'ai l'impression qu'il vaut mieux que je le garde pour moi.

— Je pense que tu as raison, répondit Edouard en sauçant son assiette comme si nous avions été en camping. Si elle tient tellement au Dr Burns, ça n'aurait aucun sens d'aller là-contre. En plus, je te trouve un peu rapide quand tu dis qu'il ne lui donne pas les bons médicaments. Peut-être a-t-il des raisons que tu ignores pour ne pas lui administrer d'Adriamycine. D'ailleurs, je ne crois pas qu'elle pourrait supporter une cure tous les huit ou quinze jours.

— Moi non plus. A cette fréquence-là, il ne lui donnerait pas des doses aussi fortes. Mais, psychologiquement, ce serait terrible. Elle serait plongée en permanence dans la chimiothérapie. Et tout ça pour quoi ?

— C'est toute la question, dit Edouard en rapportant son plateau à la cuisine.

— Tu es un bon mari, lui lançai-je.

— Ah bon ? En quel sens ?

— Je peux cuisiner n'importe quoi, tu le manges toujours.

Le lendemain matin, je téléphonai au Dr Goldman pour lui raconter notre visite au Memorial.

— Peut-être que Fine a tort à propos de l'Adriamycine et, même s'il a raison, peut-être que ça ne vaut pas la peine de se battre pour ça. Je crois vraiment qu'elle n'en peut plus et qu'elle ne souhaite plus qu'une chose : que la douleur s'atténue. Mais si vraiment elle doit encore passer par ces cures, peut-être serait-il aussi bien qu'on lui donne tout de même de l'Adriamycine ? Pourriez-vous poser la question au Dr Burns ? A mon avis, il vaudrait mieux que cela vienne de vous...

En toute honnêteté, j'aurais dû avouer que j'étais trop lâche pour appeler Burns moi-même.

— Bien sûr, répondit-il.

Nous raccrochâmes. Je renversai la tête en arrière et,

tout en contemplant le plafond, songeai une fois de plus que mon père avait vraiment eu de la chance de succomber instantanément à une crise cardiaque.

20 août. Chimiothérapie. Ça se passe mal. Les vomissements commencent dès avant l'entrée à l'hôpital et sont pires encore à la sortie. Pas d'Adriamycine. Le Dr Goldman est passé le vendredi soir et m'a expliqué que cette décision tenait aux risques cardiaques inhérents à ce médicament. J'ai failli demander : et alors ? Mais je n'arrive plus à me concentrer sur ces conversations. Je suis trop brisée par la répétition de cet affreux spectacle — les haut-le-cœur, la bile, cet angle bizarre entre son corps et sa tête posée sur l'oreiller, comme si elle était un pantin désarticulé, ses gémissements. C'est même pire qu'une répétition, parce que l'horreur a commencé très tôt, avant même les premiers effets de la chimiothérapie.

Puis le samedi. Toujours les vomissements, la bouche enflée, les yeux hagards. Vision de ma mère toute flasque, toute défaite, sur son fauteuil roulant, avec à peine assez de force pour tenir entre ses mains la cuvette en plastique.

Le dimanche ne fut pas meilleur. Ni le lundi. Ni le mardi. C'est seulement le jeudi que son état sembla s'améliorer. Elle réussit à prendre un peu de flocons d'avoine sans les rejeter, ainsi que deux biscuits. Mais maintenir le rendez-vous avec Alvin était hors de question : elle était trop faible, elle souffrait trop. Toujours ce poids implacable, cette douleur odieuse.

Elle ouvrit tout grands vers moi ses yeux. L'effet des drogues ne s'y lisait plus et ils avaient cessé de papilloter.

— Je croyais que la chimiothérapie allait chasser la douleur.

Comme un enfant qui dit : « Maman, j'ai mal. » Je me demandai comment des parents pouvaient supporter ce genre de situation. Et moi donc ? Non, je ne pouvais pas le supporter.

— Je ne voudrais pas que ça se passe comme pour Marian, murmura-t-elle, couchée sur le flanc. J'ai vu l'effet que cela faisait à Edouard. Je ne veux pas infliger la même chose à mes enfants.

Je savais bien qu'elle pensait à Marian. Forcément. Edouard et moi n'avions pas non plus cessé de songer à elle. Et ma mère n'avait pas tort quand elle redoutait de connaître la même fin qu'elle. Je le craignais moi aussi ; pour elle, et pour nous.

Quelques jours plus tôt, à l'hôpital, pendant la dernière cure, alors que ses vomissements et ses douleurs allaient reprendre une fois de plus, j'avais rassemblé tout mon courage pour interroger le Dr Burns. Je l'avais rejoint dans le couloir ; il sortait de la chambre de ma mère après lui avoir simplement demandé : « Bonjour, comment ça va ? » Il était entouré du médecin-chef indien, du médecin-chef chinois et de l'interne du genre rabbin, qui me dévisagèrent tous de la même façon. On aurait dit un défilé de représentants des Nations Unies.

— Dr Burns ? Est-ce que je pourrais vous parler une minute ? Ma mère est en très mauvaise condition. Elle ne mange pour ainsi dire plus, vous savez... en fait son estomac rejette tout ce qu'elle avale —, ses douleurs ne semblent pas diminuer et, pour tout dire, je voudrais seulement m'assurer qu'il y a vraiment quelques chances pour que la chimiothérapie lui permette d'aller mieux. C'est cela qui m'importe maintenant, et à elle aussi, je pense : pas tellement de vivre plus longtemps, au point où elle en est, mais simplement de... de cesser de souffrir.

J'avais haussé le ton plus que je ne l'aurais souhaité et me fis l'impression d'avoir chanté faux tout mon morceau, de la première note jusqu'à la dernière.

— De fait, ils se sentent généralement mieux après quelques cures, répondit-il en regardant fixement le sol comme à son habitude.

— Vous voulez dire que la chimiothérapie réduit parfois la tumeur, je sais. Mais quand ce n'est pas le cas ? Si la tumeur au contraire se développe, se répand et...

— Eh bien, dans ces cas-là, en général ils ne tardent pas à...

— Ne tardent pas, c'est-à-dire ?

— Oh, j'en ai vu partir en une quinzaine de jours...

Comme je le détestais, avec sa façon de dire « ils » pour parler des malades, et de toujours regarder par terre. Mais au moins je savais à quoi m'en tenir. Si la chimiothérapie ne parvenait pas à réduire la tumeur, le cancer se déchaînerait et ma mère succomberait rapidement. Voilà.

Quand je retournai dans sa chambre, elle n'était pas encore sous l'effet de la Thorazine ; elle se sentait mal, mais les vraies nausées, les violents vomissements n'avaient pas encore commencé. Elle me demanda ce qu'avait dit le Dr Burns et, comme elle posait rarement de questions, j'en déduisis qu'elle attendait vraiment une réponse. Aussi je lui rapportai la vérité, en l'atténuant un peu :

— Il a dit que la chimiothérapie allait sans doute marcher mais que... si ce n'était pas le cas... tout ça s'étendrait vite et alors... il n'y en aurait plus pour longtemps.

Elle hocha doucement la tête. Puis elle tourna le regard vers la fenêtre et soupira.

— Oh ! j'espère que c'est vrai, murmura-t-elle. Je me sentirais tellement mieux si je savais que c'était vrai.

Chapitre 12

30 août. Alors que je commençais à me dire qu'elle ne supporterait jamais jusqu'au bout cette deuxième chimiothérapie (encore quatre cures, si Burns continuait comme il l'entendait), elle commença justement à aller un peu mieux. Elle mangeait très peu, mais elle mangeait. Elle souffrait encore, mais des doses d'analgésiques plus fortes suffisaient à enrayer la douleur. Elle devait subir une nouvelle cure dans deux semaines et demie. En attendant, elle semblait tenir bon.

Aussi, après bien des hésitations, Edouard et moi décidâmes de nous accorder un peu de repos et d'aller passer une semaine à la campagne.

Nos vacances ne furent guère sereines. La distance qui nous séparait de ma mère (environ deux cents kilomètres) me plongeait dans une sorte de constant malaise, que ne dissipait pas le ton désinvolte sur lequel elle me parlait au téléphone. Pourtant, à notre retour, je constatai avec surprise qu'elle n'avait pas l'air d'aller plus mal, que peut-être même elle allait mieux. Aussi acceptai-je très sereinement de devoir quitter à nouveau New York la semaine suivante, pour une enquête que m'avait commandée la télévision.

D'ailleurs, elle n'était pas vraiment seule. Shany passait la voir presque chaque jour ; Edouard ne quitterait pas la ville ; son amie Rose habitait au coin de la rue ; et Elaine, sa nièce préférée, ne vivait pas à New York, mais il suffisait de lui téléphoner pour la voir arriver avec un plein panier de ce divin pudding aux pâtes dont elle avait le secret, plus que ma mère n'aurait pu en manger en toute une année. Enfin, dès la reprise de la chimiothérapie, nous avions trouvé par le biais de l'hôpital une aide ménagère qui venait le matin, plusieurs fois par semaine. Mais ma mère souhaitait maintenant se débarrasser d'elle.

— Harriet ne te plaît pas ? lui demandai-je au téléphone.

— Mais si, bien sûr. C'est la femme la plus adorable que j'aie jamais rencontrée. Elle a trois enfants. Et elle a réussi à les inscrire tous les trois à l'université. Le premier...

— Mais alors pourquoi est-ce que tu ne veux plus d'elle ?

— Parce que je n'ai besoin de personne.

— C'est une question d'argent ?

— Je t'en prie ! Ça n'a rien à voir. (Ce qui était évidemment inexact.) Shany passe presque tous les après-midi, tu sais. Je n'ai pas besoin d'elle non plus, mais elle insiste pour venir.

Le même soir, je reçus un coup de téléphone imprévu du fils de Shany, Steven, qui vivait à Washington.

— Je m'inquiète à propos de ma mère, me dit-il.

— De ta mère à toi ? Que veux-tu dire ?

— Nous l'avons vue la semaine dernière et elle a une mine épouvantable. Elle paraît épuisée. Elle consacre trop de temps à ta mère. Il faut que tu trouves quelqu'un pour la remplacer, ça devient trop lourd pour elle.

Je fus interloquée et même un peu fâchée.

— Steven, ta mère a été magnifique, mais je ne pense pas qu'elle ait eu beaucoup de ménage à faire, ni de festins à préparer. Il y a une aide ménagère pour cela ! (Inutile de lui dire que cela ne serait bientôt plus vrai.)

— Je ne crois pas que tu te rendes compte de la situation. Ta mère est vraiment très, très malade. Il faudrait quelqu'un pour s'occuper d'elle à temps plein.

— Mais elle ne veut personne ! Je viens de me disputer avec elle à ce propos ce matin. Elle préférerait même que ta mère ne vienne pas aussi souvent.

— Je connais bien maman. Elle continuera d'y aller tant que tu n'auras pas trouvé quelqu'un d'autre pour s'occuper de sa sœur.

— Steven, je ne peux pas la forcer à...

— Eh bien si, je pense que tu devrais. On en est là.

Bien entendu, il avait raison. Je m'en rendis compte dès que nous eûmes raccroché, d'autant plus que je devais partir en reportage le lendemain. Je regardai la pendule : huit heures et quart. Edouard donnait un cours, il rentrerait tard. Je rappelai ma mère et lui annonçai que j'arrivais. A peine entrée, je lui déclarai, comme je m'étais promis de le faire pendant le trajet :

— Shany a l'air fatiguée. Je crois que nous devrions faire venir Harriet tous les jours, juste pendant quelques semaines, jusqu'à ce que tu aies repris des forces.

Maman était allongée, avec son petit bonnet blanc sur la tête. Si seulement, ne pus-je m'empêcher de penser, la Cisplatine pouvait avoir sur son cancer le même effet que sur ses cheveux !

— Je ne veux pas l'avoir ici tous les jours. D'ailleurs, je te l'ai déjà dit, je ne veux plus qu'elle vienne du tout.

Elle ajouta d'un air gêné :

— L'appartement n'est pas grand. J'aime bien Harriet, mais elle n'arrête pas de parler.

— Et si nous demandions à Pearl ? Je suis sûre qu'il lui arrive parfois de travailler chez des particuliers.

— Pearl ? Mais je n'ai pas besoin d'une infirmière ! A quoi ça rime, tout ça ?

Les choses se présentaient plus mal que je ne pensais. Je ne voulais pas lui parler du coup de téléphone de Steven. Il ne fallait pas qu'elle se sente coupable à propos de Shany, ni que Shany entende parler de cette discussion avec Steven — cela n'aurait pu que la fâcher contre son fils.

— Il me semble simplement que tu as besoin d'un

peu plus d'aide. Je dois partir demain, et je me sentirais plus tranquille s'il y avait quelqu'un ici.

— Il y a Shany.

Je me disais en moi-même : maman, comment peux-tu être à la fois aussi malade et aussi entêtée ? Mais je comprenais en même temps qu'elle essayait de se cramponner à son personnage de femme toujours à la hauteur. Elle n'était pas prête à lâcher prise. Pas encore.

— Qu'est-ce que c'est que ces comprimés ?

J'avais tout à coup remarqué six ou sept flacons sur sa table de nuit, à côté de deux grandes bouteilles de sirop pour les maux d'estomac.

— Ce sont mes remèdes, répondit-elle sur un ton hostile.

— Je ne savais pas que tu prenais tant de médicaments différents.

J'examinai un des flacons.

— Tylenol n° 3. C'est de la codéine, ça, non ? Pour lutter contre la douleur ?

— J'ai mal tout le temps.

Je regardai un autre flacon.

— Reglan. C'est ce qu'on t'a donné à l'hôpital la dernière fois, quand tu vomissais. Est-ce que... tu n'as plus de nausées, dis-moi ?

— Non, pas vraiment, seulement de temps en temps. J'en prends avant de manger. D'après le Dr Goldman, ça facilite la digestion.

— Et ça marche ?

Elle haussa les épaules.

— C'est un interrogatoire en règle ?

— Je veux seulement savoir. Dalmane, par exemple : ça sert à quoi ?

Elle soupira.

— C'est mon médicament préféré. Il m'aide à dormir.

— C'est efficace ?

— Pendant quelques heures.

— Qu'est-ce que tu as mangé aujourd'hui ?
— J'ai mangé.
— Tu as mangé quoi ? Au petit déjeuner ?
Elle soupira encore.
— Un petit pain.
— Entier ?
Elle fit non de la tête.
— La moitié ?
— Presque.
— Et au déjeuner ?
— Je ne me sentais pas très bien aujourd'hui, je n'ai rien pris.
— Pour le dîner ?
— Shany m'a fait un peu de soupe. Mais je n'aurais pas dû en goûter, depuis j'ai eu mal tout le temps.
— Est-ce que le Dr Goldman sait que tu manges si peu ?
— Je le lui ai dit.
— Et alors ?
— Il m'a prescrit ces protéines liquides que j'ai dans le réfrigérateur.
— Tu les prends ?
— Je n'y arrive pas. C'est trop mauvais.
— Tu le lui as dit ?
— Bien sûr que non.
— Qu'est-ce que ça veut dire, « bien sûr que non » ?
— Je ne vais quand même pas lui dire que ce qu'il m'ordonne de manger est immangeable !
— Maman, il ne s'agit pas de faire des politesses au Dr Goldman ! Il préférerait sûrement savoir si tu suis ou non ses conseils, surtout que tu ne manges rien d'autre par ailleurs !
— Mais ils n'ont rien à me proposer que je puisse avaler !
— Tout de même ! Il faut bien que tu te nourrisses.
Elle haussa les épaules.
— Je suis fatiguée, tu devrais rentrer.
« Je suis fatiguée, tu devrais rentrer. » C'était là une

phrase que ma mère ne m'avait jamais dite. « Tu es fatiguée, tu devrais rentrer », ça, oui... C'était une autre personne qui parlait. Une personne malade. Je la regardai, mais elle détourna les yeux.

Je me levai. Puis je me souvins de Steven et dis :

— Je sais que tu es fatiguée. Mais promets-moi de penser à trouver quelqu'un qui vienne ici dans la journée.

— Je ne te promets rien du tout, parce que je n'en ai pas envie.

— Et un jour sur deux ?

— Je t'en prie ! s'exclama-t-elle.

Et elle se dressa dans son lit comme pour signifier : si tu ne pars pas, c'est moi qui m'en vais.

Je me penchai pour l'embrasser.

— D'accord. J'espère que tu dormiras bien.

— Moi aussi, répondit la malade.

Je fus trop lâche pour rappeler Steven et lui avouer mon échec. Mais cela aurait été inutile : deux jours plus tard, ma mère bénéficiait à nouveau de l'aide permanente que Steven jugeait nécessaire, car elle était de retour à l'hôpital.

A l'aéroport, juste avant de prendre l'avion pour mon reportage, j'appelai le Dr Goldman. Selon lui, il ne fallait pas s'inquiéter de voir que ma mère ne s'alimentait pas : dès lors qu'elle absorbait des liquides, il n'y avait pas à craindre une déshydratation.

— Sa tumeur bloque un segment de l'intestin, m'expliqua-t-il, c'est ce qui l'empêche et de manger et d'évacuer. Nous devons essayer de frayer un passage, aussi bien pour les aliments que pour les matières fécales. La chimiothérapie devrait se révéler utile à cet égard, tout comme les divers médicaments que nous lui donnons.

Devrait, devrait — je ne cessai de penser à ce conditionnel jusqu'au moment de l'embarquement.

Mon enquête tourna court : la femme qui nous avait promis, au téléphone, de parler de l'époque où elle battait ses enfants, avait entre-temps changé d'avis. En période normale, j'aurais tout tenté pour la faire revenir sur sa décision ; mais, depuis que ma mère était tombée malade, j'avais moins de cœur à l'ouvrage. Je m'acquittais certes de mon travail de journaliste, mais avec à peu près autant de passion que si j'avais été affectée à la réception. Et je n'avais même pas assez de tonus pour en ressentir la moindre culpabilité.

Je fus de retour à New York quarante-huit heures plus tard. Pour découvrir que ma mère avait également cessé de boire quoi que ce soit. Elle vomissait tout, même de l'eau avalée par petites gorgées. Le 14 septembre, Shany et moi l'emmenâmes à l'hôpital. Elle protesta et se montra désagréable non seulement à l'égard de Shany, comme c'était toujours le cas, mais également vis-à-vis de moi. Dès qu'on lui eut planté une aiguille de perfusion dans la veine, pour lui assurer une alimentation parentérale, elle tourna la tête de côté et s'endormit. Shany et moi nous consultâmes du regard et sortîmes de la pièce sur la pointe des pieds. Comme à l'unisson, nous nous donnâmes mutuellement le même ordre :

— Rentre chez toi, tu as une mine épouvantable.

Cette parfaite symétrie nous fit rire, mais de façon quelque peu tremblotante. Nous tombâmes dans les bras l'une de l'autre. Dans la rue, Shany alluma une cigarette. Nous bavardâmes encore un bref instant, puis partîmes chacune de notre côté.

Le lendemain matin, Edouard et moi nous rendîmes à pied jusqu'à l'hôpital. Il faisait un temps humide, plutôt frais, et la Ve Avenue était presque déserte. Tout au long de notre trajet, je ne cessai de me répéter que ce dimanche n'avait aucun rapport avec ceux que nous avions connus deux ans, et même deux mois plus tôt. Il ne s'agissait pas d'un week-end de chimiothérapie, et je devais surtout garder mon calme. Mais quand nous arrivâmes devant le bâtiment de l'hôpital et poussâmes la porte à tambour, je sentis mon cœur se soulever.

— J'y vais la première, dis-je à Edouard quand nous fûmes parvenus à l'étage.

Avec de sinistres prémonitions, je pénétrai dans la chambre. Il me fallut plusieurs secondes pour prendre conscience du spectacle.

Quatre personnes de forte corpulence entouraient le premier lit de la chambre. Ils riaient, et ma mère riait avec eux.

— Bonjour, ma chérie, me lança-t-elle avec la même voix que je lui avais connue avant sa maladie.

Et elle ajouta à l'intention de cette compagnie :

— Voici ma fille Betts. Et voici — attends un peu — voici Mme Hamburg, M. Hamburg et — oh, pardon, ma chère, je suis toujours aussi brouillée avec les noms...

— Estelle, répondit une grosse fille qui tenait sur ses genoux une corbeille de fruits.

— Marvin, ajouta un garçon bien dodu, debout au pied de l'autre lit.

J'adressai un salut à tout ce monde et, non sans quelque difficulté, réussis à me faufiler jusqu'au lit de ma mère.

— Bonjour, lui dis-je en l'embrassant sur la joue. J'espère qu'Edouard peut entrer aussi ?

— Tu veux dire que tu as osé laisser mon fils dans le couloir ?

— Il ne neige pas dans ce couloir, maman, répondis-je en allant chercher Edouard.

— Voici mon merveilleux gendre, dit ma mère quand il entra. Je ne devrais pas dire mon gendre, en fait, parce que c'est vraiment mon fils.

Edouard inclina la tête pour saluer l'assistance et embrassa ma mère.

— Bonjour, Ida. Mais ce n'est pas croyable,

qu'est-ce qu'ils vous ont donc mis dans cette perfusion ?

— Que voulez-vous dire ?

Comme d'habitude, elle n'avait pas compris la plaisanterie.

— Vous avez l'air d'aller tellement mieux ! Une amélioration, disons, d'à peu près deux cents pour cent.

— Ah oui ! C'est vrai, je crois.

Tournant les yeux vers le lit voisin dont les visiteurs paraissaient s'écarter, elle demanda :

— Vous partez déjà ?

— Nous allons laisser maman faire un petit somme, répondit Marvin. Ravi de vous avoir rencontrée !

Et ils s'éclipsèrent.

Ma mère nous fit signe de nous approcher, puis nous confia, en montrant l'autre lit :

— Hystérectomie. Ce sont des gens adorables. La sœur cadette a des problèmes : elle veut épouser un homme deux fois plus âgé qu'elle. Le fils, lui, il fait sa médecine. C'est un garçon charmant, vraiment charmant...

Mon regard et celui d'Edouard se croisèrent, tandis que ma mère continuait à raconter l'histoire des Hamburg...

— Elle avait commencé à se déshydrater, mais c'est fini, nous expliqua le Dr Goldman quand nous lui demandâmes ce qui avait pu à tel point influer sur son état.

— Mais elle n'a même plus l'air de souffrir ! Je ne m'en plains pas, bien au contraire, seulement je n'y comprends rien. Elle a toujours un cancer, n'est-ce pas ?

— Oui, elle a toujours un cancer. Nous pratiquerons un examen au scanner demain et nous aurons plus de précisions. Vous savez, dans ce genre de maladies, il y a toujours des hauts et des bas. On croit que l'état d'un patient est en train de s'aggraver, et puis tout d'un coup ça s'améliore. Mais je ne peux pas vous cacher la vérité : on assiste aussi à des détériorations tout aussi subites.

Dr Goldman ! J'avais bien entendu les paroles que vous prononciez, mais en vérité j'aurais dû les coucher par écrit et me les répéter chaque jour, comme un catéchisme. S'il est un avis, un seul, que les proches d'une personne atteinte d'un cancer devraient écouter avec attention, c'est sans aucun doute celui-ci : il ne faut jamais s'attendre à ce que la maladie suive des règles logiques, ne jamais croire qu'une amélioration ou au contraire une détérioration de l'état du patient sont irréversibles. Il ne faut jamais rien croire. Pourtant, on ne peut s'en empêcher et, malgré ce qu'avait dit le médecin, je pensais que la santé de ma mère continuerait de se rétablir. Il en alla bien autrement.

Il ne serait pas exact de dire qu'elle s'effondra. Ce fut plutôt comme un effritement. Mais un effritement, pour ainsi dire, révélateur d'un effondrement sous-jacent.

A l'hôpital, on lui donnait des médicaments destinés à lui permettre d'évacuer. Mais si ses intestins fonctionnaient à nouveau, c'était de façon déréglée et incontrôlable. Pour ne rien arranger, la salle de bains était située de l'autre côté de la pièce, de l'autre côté du lit de Mme Hamburg autour duquel se massaient presque en permanence les membres de la famille Hamburg.

Quand j'allai la voir le lendemain, je la trouvai au bord des larmes.

— Je n'arrive pas à me contrôler, murmura-t-elle, tout en surveillant, du coin de l'œil, Mme Hamburg qui était plongée dans un profond sommeil. Souvent, quand j'entre dans la salle de bains, c'est déjà trop tard. Tu te rends compte comme c'est gênant, avec tous ces gens autour ! Je suis obligée de passer derrière eux et, en plus, les toilettes sont parfois déjà occupées — c'est affreux ! Je ne sais vraiment plus que faire !

Il me parut clair que nous n'avions aucunement

besoin que ce problème vienne s'ajouter à tous ceux que nous connaissions déjà, et je me levai en disant :

— Je reviens tout de suite.

Mais elle me fit signe de rester et chuchota :

— Qu'est-ce que tu veux faire ? S'il te plaît, Betty, ne dis rien contre ces gens. Ils sont tout à fait gentils, ce n'est pas leur faute.

— Ne t'inquiète pas, ce n'était pas du tout mon intention. Ce problème-là relève des infirmières. Je voulais seulement aller voir l'Irlandaise et demander ce qu'elles peuvent faire pour toi.

— Non, je t'en prie, ne va pas les embêter ! J'ai déjà assez d'ennuis comme ça. Elles ont été obligées de changer mes draps trois fois, aujourd'hui, et elles l'ont fait avec la plus grande gentillesse. Qu'est-ce que tu veux leur demander de plus ?

— Je n'en sais rien, mais laisse-moi tout de même leur poser la question. Il y a forcément une solution.

Il y en avait une, et tout à fait simple : il suffisait de disposer une chaise percée, avec un bassin, juste à côté du lit de ma mère.

Cependant — j'imagine que les Chinois ont un proverbe pour ça —, il arrive souvent dans les hôpitaux qu'un gouffre sépare une solution simple et sa mise en œuvre. Ce jour-là, l'Irlandaise était de congé. Aussi, je dus soumettre le problème à une autre infirmière. Elle me répondit qu'elle nous apporterait cette chaise dont nous avions besoin, mais qu'il lui faudrait aller la chercher à un autre étage. Tout semblait aller pour le mieux. Malheureusement, cette affaire lui sortit ensuite de l'esprit. Quand je retournai la voir, elle me répondit : « Ah oui, c'est vrai ! » Puis elle oublia de nouveau. La seconde fois, elle me fournit tout de même une explication, à savoir qu'elle était surchargée de travail. Ce fut seulement deux jours plus tard qu'on apporta enfin ce meuble dans la chambre.

Alvin avait toujours souhaité rendre visite à ma mère, mais elle s'y était constamment refusée. Le soir où la chaise percée fut installée, il m'appela chez moi.

— Expliquez-lui que peu m'importe son apparence. Je ne resterai pas longtemps, juste le temps de dire bonjour et au revoir. Si elle se sent vraiment trop faible, je partirai au bout d'une seconde.

— En vérité, elle va un peu mieux. Au moins, pour l'instant, elle ne souffre pas. Je vais lui en parler.

Je m'acquittai de cette mission, mais elle restait récalcitrante.

— Regarde-moi, dit-elle en désignant son bonnet blanc. Et puis il y a aussi l'autre problème...

— Il t'a déjà vue sans cheveux, répondis-je en feignant d'oublier l'autre problème.

— Oui, mais je portais une perruque.

— Eh bien, mets une perruque.

— Je ne peux pas. Ça fait bizarre de porter une perruque, quand on est dans un lit d'hôpital.

— Ça ne fait pas bizarre du tout. D'ailleurs, ton bonnet blanc non plus, il est plutôt mignon. De toute façon, penses-tu qu'Alvin se soucie à ce point de l'air que tu auras ? Fais-lui donc un peu confiance ! Ce n'est vraiment pas gentil de ta part de le tenir à l'écart de cette façon. Est-ce qu'il n'a...

— D'accord, d'accord, répondit-elle. Dis-lui de venir.

Et Alvin passa à l'hôpital dès le lendemain. Quand j'arrivai moi-même, plus tard dans la soirée, il était déjà reparti. Dès que j'aperçus le visage de ma mère, je compris qu'il était arrivé quelque chose de grave. Elle était allongée sur le dos, les bras plongés sous les couvertures comme s'ils avaient été attachés, et elle contemplait le mur. Ses lèvres étaient sèches et pâles. Quand je m'approchai, c'est à peine si elle tourna les yeux vers moi.

— Qu'est-ce qui ne va pas ? demandai-je en approchant une chaise de son lit.

Pas de réponse.

— Maman, qu'est-ce qui ne va pas ? Dis-le-moi, s'il te plaît.

Elle secoua la tête et ses lèvres se mirent à trembler. Je saisis sa main et sentis que ma bouche aussi frémissait. Ce qui me bouleversait ainsi, c'était de la voir pleurer. Ma mère était d'une sensibilité extrême, mais elle ne versait jamais de larmes ; du moins, elle ne l'avait jamais fait devant moi. Je ne me souvenais que d'une seule exception : lors de l'enterrement de mon père. Nous étions debout l'une à côté de l'autre, mon bras autour de ses épaules, et je l'avais sentie frissonner. En repensant à ce jour-là, je me rappelai que j'avais préféré ne pas regarder son visage. Et je ne voulais pas non plus le regarder en cet instant.

— Que se passe-t-il ? demandai-je à nouveau, en me retournant pour voir si quelqu'un risquait de nous entendre. Mais Mme Hamburg était seule et elle dormait.

Ma mère pinça les lèvres et secoua la tête. Une larme coula de son œil, roula le long de sa joue, disparut derrière son bonnet.

— Je n'ai jamais connu une telle humiliation, dit-elle.

— Qu'est-ce qui s'est passé ?

— C'est Alvin.

— Alvin ? Qu'est-ce qu'il a fait ?

— Il n'a rien fait. C'est moi.

Elle fit un geste du menton vers Mme Hamburg.

— Toute sa famille était ici quand il est arrivé, alors nous sommes allés dans le salon des visiteurs, derrière l'entrée. Il me semblait que cela nous permettrait d'avoir plus d'intimité.

Elle me regardait, les yeux écarquillés par le chagrin, comme un enfant qui raconte à sa mère une chose affreuse qui s'est produite à l'école dans la journée.

— Je portais la jolie robe que tu m'as offerte, tu sais, avec des fleurs.

Elle se tut un instant et pinça les lèvres à nouveau. Puis elle continua :

— Nous parlions, il m'expliquait qu'il voulait me voir plus souvent et que mon apparence lui importait peu, et puis... tout à coup, j'ai eu besoin d'aller aux toilettes... je lui ai dit : « Excuse-moi », je me suis levée. En arrivant aux toilettes, j'ai regardé ma robe et j'ai vu qu'elle était toute tachée derrière, j'ai aussi regardé par terre et j'avais... laissé des taches sur le sol, et j'imagine aussi que je sentais mauvais... Je suis sûre qu'il s'en est aperçu.

Elle ne pleurait plus, elle semblait désespérée.

— Je suis tellement humiliée, tellement humiliée. Je ne veux plus jamais le revoir. Non, je ne veux plus. Je ne peux plus me contrôler. Ce n'est pas... Je ne peux pas...

J'aurais voulu qu'un signe du ciel vienne me dire comment je devais répondre.

— Maman, tu es... Je sais ce que tu peux ressentir, mais vraiment ça n'a pas autant d'importance que tu imagines. Alvin ne s'en soucie certainement pas beaucoup. C'est simplement ton corps qui fait un peu n'importe quoi. Ce n'est pas toi, maman, pas vraiment toi. Essaie de te dire... s'il te plaît, maman, n'aie pas l'air si triste...

J'embrassai sa main, puis la portai à ma joue. Elle était froide et molle.

— Peut-être Alvin ne s'en est-il même pas aperçu. As-tu pensé à cette possibilité ?

Cet argument n'obtint aucun écho. La conversation était terminée, et je le savais. C'était comme si je n'avais parlé qu'à moi-même.

— Excuse-moi, conclut-elle d'une voix éteinte. Parlons d'autre chose.

Et, en effet, elle changea de sujet. Mais elle ne fut plus jamais la même après cet épisode. Et elle ne revit jamais Alvin, bien qu'elle continuât à s'entretenir avec lui au téléphone.

Chapitre 13

23 septembre. Une nouvelle cure de chimio était prévue. Mais les médecins considérèrent que ma mère n'était pas en état de la supporter, et ils la renvoyèrent chez elle pour qu'elle y « reprenne un peu de forces ». C'est ce qu'expliqua le Dr Goldman. J'aurais cru qu'elle se sentirait soulagée de ne pas devoir affronter à nouveau la chimiothérapie. Mais je me trompais. Elle vit là, à juste titre, le signe qu'elle était trop malade pour que cette cure puisse être profitable.

— En voilà des médicaments ! dit-elle, consciente de l'ironie de la situation. Ils ne sont utiles que si l'on est déjà bien portant...

Le Dr Burns était passé la veille au soir. Ma mère lui avait adressé un de ses sourires de petite fille avant de remarquer :

— J'ai l'impression que vous me considérez désormais comme perdue.

— Pas du tout, pas du tout, répliqua-t-il vivement.

Mais je ne trouvai pas son ton très convaincant et me posai une fois de plus cette question inutile : comment enseigner à un médecin ce tact vis-à-vis des malades qui manquait tant au Dr Burns ? La réponse qui me vint à l'esprit était assez décourageante : sans doute fallait-il d'abord que le médecin eût envie d'acquérir cette qualité.

Cette apparition du Dr Burns plongea ma mère dans le même état de cafard que la visite d'Alvin, la semaine précédente.

— Il n'y croit plus, dit-elle en tournant les yeux vers la fenêtre.

Le lendemain, en quittant l'hôpital, elle embrassa Mme Hamburg et elles échangèrent des paroles d'encouragement ; on aurait cru les entendre réciter une prière juive.

— Puissiez-vous rester toujours en bonne santé ! lui souhaita ma mère.

Pour la première fois, nous la ramenâmes chez elle sans emporter de cuvette en plastique.

J'engageai une nouvelle femme de ménage pour venir chaque matin ; c'était une charmante Haïtienne, qui semblait avoir suffisamment de problèmes pour susciter l'intérêt de ma mère. Celle-ci ne fit aucun commentaire quand je lui annonçai ma décision ; elle savait bien que c'était indispensable, d'autant plus que Shany et moi devions quitter New York quelques jours, chacune de notre côté. Ma tante rendait visite à Steven et sa famille, à Washington, et j'allais à Norfolk, en Virginie, pour reprendre l'enquête sur les enfants martyrs que j'avais commencée avant la précédente hospitalisation de ma mère. Nous étions l'une et l'autre pleines d'inquiétude à l'idée de la laisser seule, mais elle nous assura que tout se passerait très bien, prétendant même qu'elle n'acceptait de prendre cette femme de ménage que pour nous faire plaisir.

Je partis le lundi matin. Quand je téléphonai, le soir même, elle semblait aller bien, mais sa voix avait quelque chose de lointain, indépendamment des kilomètres qui nous séparaient. Elle m'apprit que son amie Rose était passée la voir.

— Elle est vraiment débordante d'énergie, ajouta-t-elle. Je me suis sentie fatiguée rien qu'à la voir.

A Norfolk, le lendemain, je consacrai toutes mes pensées à la question des enfants maltraités. Avec la productrice de l'émission, nous avions pris des contacts pour pouvoir assister à une réunion des Parents anonymes, une organisation constituée sur le modèle des

Alcooliques anonymes par des parents qui avaient décidé de cesser de battre leurs enfants. Après cette réunion, j'interviewai une femme qui n'avait pas beaucoup parlé, mais dont le visage à lui seul en disait long. Elle ne devait pas être bien âgée, mais on n'aurait pas songé à la qualifier de jeune femme, avec ses traits bouffis, ses yeux réduits à de minces fentes, ses cheveux tellement tirés en arrière qu'on se disait que cela devait lui faire mal.

Quand je lui demandai de se définir en tant que mère, elle répondit sans la moindre hésitation :

— Lamentable.

— Que voulez-vous dire par là ?

— Je traitais mon fils aîné de la même façon que ma mère m'avait traitée.

— C'est-à-dire ?

— Je le battais jusqu'au sang.

J'avais tellement besoin de distraction — même si je l'ignorais moi-même et n'en aurais sans doute pas convenu — que j'en arrivai à trouver cette enquête divertissante ! La maladie de ma mère — et ce n'était pas sa faute, ni la mienne, ni celle de quiconque — absorbait maintenant toute mon existence. Il n'y avait rien d'étonnant à cela. C'est ainsi que les choses se passent quand un être que l'on aime tombe gravement malade. Qu'un seul membre d'une famille soit atteint de plein fouet, et tous ses parents sentent leur chair criblée par la mitraille. Je savais désormais qu'il était impossible de fuir le champ de bataille avant le dénouement.

Je ne le souhaitais d'ailleurs pas, en réalité. Ma mère et sa maladie étaient devenues deux entités indissociables, et je ne voulais pas m'écarter de la première. C'est pourtant ce que je fis, à Norfolk. Les sévices infligés aux enfants n'étaient pas un sujet particulièrement amusant, de sorte que je n'éprouvais pas de culpabilité à oublier un peu, par ce biais, la maladie de ma mère — ce n'était pas comme si j'avais passé mes après-midi au cinéma. Ce n'était pas une désertion de ma part, puisque je m'occupais d'un problème social de première importance...

Je m'engouffrai donc dans cette brèche et ne mis fin à l'interview de cette mère indigne que lorsque nous fûmes l'une et l'autre au bord de l'épuisement. J'interrogeai ensuite d'autres femmes, qui avaient moins de choses à raconter, mais là n'était pas la question. Je creusai ainsi le sujet pendant de longues heures, la caméra tournant en permanence. Ce fut seulement le lendemain matin à mon réveil, quand la lumière du jour filtra à travers les rideaux de ma chambre d'hôtel de Norfolk, que je me rappelai que ma mère était malade à New York. Mon escapade était terminée.

Je téléphonai et tombai sur un signal « occupé », ce qui pouvait être bon signe, si elle était en conversation avec quelqu'un d'autre, mais également mauvais signe, au cas où elle aurait décroché le récepteur comme cela lui arrivait — en général pas pendant très longtemps — quand elle allait trop mal pour parler à qui que ce soit.

Nous devions quitter Norfolk de bonne heure, pour aller à Washington visionner et monter le film que nous avions tourné. À l'aéroport de Norfolk, j'essayai à nouveau de joindre ma mère. Occupé. Nouvelle tentative quand nous atterrîmes à Washington. Occupé.

Nous arrivâmes aux bureaux d'ABC à Washington vers midi. La productrice se dirigea tout droit vers la salle de montage en me disant, presque sans se retourner, qu'elle n'avait pas besoin de moi tout de suite. Je posai là mon sac de voyage et décrochai un téléphone sur un bureau de la salle de rédaction, vide à cette heure-là — l'équipe de Nightline n'arrivait guère qu'aux alentours de quinze heures. Toujours occupé. Je m'assis et essayai de réfléchir à haute voix. Cela m'arrive parfois. On pense souvent que les gens qui parlent tout seuls sont des fous ; pour ma part, quand je le fais, je me sens moins folle qu'à l'habitude.

— Elle s'est endormie, prononçai-je tandis que les

télex crépitaient derrière moi. Elle s'est endormie et a oublié le téléphone. Mais où est donc Florence, la nouvelle femme de ménage ? Si le récepteur était décroché, Florence s'en serait sûrement aperçue. Bien sûr, elle ne travaille que le matin et elle est peut-être déjà repartie. Mais avant de partir ? Elle s'en serait bien rendu compte ! A moins que ma mère ne lui ait dit qu'elle préférait décrocher. Mais...

Je refis le numéro. Occupé.

— L'appareil est en panne, dis-je en élevant un peu la voix, de sorte que je m'en convainquis moi-même.

Mais je me dis ensuite qu'il n'y avait aucun moyen de s'en assurer. Je savais par expérience qu'un téléphone décroché et un téléphone en panne donnent un signal identique. J'appelai tout de même les dérangements pour leur demander de vérifier. En vain.

Je composai alors le numéro d'Edouard. Il avait un cours dans cinq minutes, me dit-il, mais dès qu'il serait libre il ferait un saut à l'appartement. Nous raccrochâmes et je rappelai chez ma mère.

— Occupé, dis-je à voix haute.

Je me levai, puis me rassis pour appeler les renseignements, car une autre idée m'était venue : il y avait un téléphone dans le hall de l'immeuble de ma mère, et je savais qu'il était relié à l'extérieur parce que j'avais vu le concierge l'utiliser. Ce numéro pouvait fort bien figurer dans l'annuaire... Et c'était le cas, en effet. Quand j'entendis la sonnerie retentir, je fermai les yeux en espérant que j'étais bien tombée sur la personne que je connaissais.

— John ? demandai-je.

— Oui ?

— John, c'est Betty Rollin, la fille de Mme Rollin.

— Ah oui ! Que puis-je faire pour vous ?

— Eh bien, j'ai un service à vous demander. Je ne suis pas à New York en ce moment. Vous savez que ma mère est malade et... on dirait qu'elle a décroché le téléphone. Vous ne l'avez pas vue sortir ?

— Non, je ne l'ai pas vue. Ça fait un bon bout de temps que je ne l'ai pas vue.

— En ce cas, pourriez-vous s'il vous plaît l'appeler par l'interphone et, si elle répond, lui demander de raccrocher son téléphone pour que je puisse la joindre ?

— D'accord, bien sûr.

Cinq dollars, me dis-je. Non, dix dollars. Dès que je serai de retour à New York je lui donnerai dix dollars.

— Merci, John, merci. Maintenant je vais raccrocher, et je rappellerai ma mère dans quelques instants.

Je laissai passer trois minutes, montre en main. Dieu merci, ce n'était plus occupé. On décrocha et une voix répondit « Allô ! », mais ce n'était pas celle de ma mère : je la connaissais suffisamment, elle n'était pas aussi haut perchée et essoufflée. Non, ce n'était pas ma mère. Mais je ne sus plus que penser quand j'entendis :

— Allô, chérie ?

— Maman ?

— Oui... désolée, le téléphone... décroché... vraiment désolée.

On aurait juré qu'elle était ivre.

— Maman, que se passe-t-il ?

— Oh, juste, je dormais... peux pas... l'heure ? Quelle heure est-il ?

— Une heure passée. Mais qu'est-ce qu'il y a ? Tu as une drôle de voix. Dis-moi ce qui se passe. Tu es seule ? Où est Florence ?

— Ah ! Florence... pas idée... Elle est repartie, elle a dû repartir. Dis, quel... quel jour sommes-nous ?

— Écoute, maman. Ne bouge pas, d'accord ? Tu restes sagement au lit et j'arrive dès que possible. N'essaie pas de te lever ni rien, entendu ? Et ne prends pas de comprimés. Ça doit être ça, hein, tu as pris trop de médicaments ?

— Des médi... eh bien...

— Ça ne fait rien. Je serai là très vite.

En raccrochant, je regardai l'heure. Une heure et quart. Je pouvais attraper la navette de deux heures, qui me déposerait à New York vers trois heures. Je serais chez ma mère une demi-heure après. Trop tard. Edouard. Non, Edouard était encore à son cours. Rose, me dis-je. J'allais appeler Rose, elle habitait tout près de chez ma mère. Pourvu que les renseignements aient son numéro. Pourvu que Rose soit chez elle. Pourvu que...

— Rose ?

— Oui ?

Je la suppliai de passer tout de suite chez ma mère. Elle me dit qu'elle allait le faire, bien entendu.

— Et moi, j'arriverai dès que possible, ajoutai-je.

— Ne t'inquiète pas !

Oh, merci, Rose, merci ! Je repris mon sac de voyage et j'allais quitter la salle de rédaction, quand je faillis me heurter à la productrice. Elle me dit, l'air étonné :

— Mais je venais justement te chercher !

Tout en appelant l'ascenseur, je lui expliquai en quelques mots combien j'étais pressée et m'excusai.

— Vas-y, dit-elle sans hésiter, nous trouverons un autre moment.

Dans l'ascenseur, je me demandai pourquoi je ne ressentais aucune sorte de culpabilité ou d'inquiétude vis-à-vis de mon travail. J'y repenserai plus tard, me dis-je en arrivant au rez-de-chaussée. Et je hélai un taxi.

Dès que Rose m'ouvrit, je reçus l'odeur en plein visage. Une odeur écœurante, violente. Aucun doute : les intestins de ma mère l'avaient trahie. Pourquoi donc Rose n'avait-elle pas ouvert une fenêtre ? Mais, en entrant dans le salon, je vis un rideau qui flottait. Rose avait bel et bien ouvert.

Je gagnai la chambre à coucher et m'arrêtai net. Ma mère était allongée sur le lit, dont elle avait repoussé les couvertures. Sa chemise de nuit toute défaite, elle tournait la tête vers le mur. J'aperçus son crâne chauve. Comme elle portait toujours son petit bonnet, je n'avais jamais revu ce spectacle depuis la première série de cures de chimiothérapie, deux ans plus tôt. Quand elle tourna les yeux vers moi, j'eus le souffle coupé. Ses paupières étaient à demi closes et son teint franchement jaune. On aurait dit une morte.

Je m'approchai lentement d'elle. Les draps étaient souillés d'excréments, ainsi que sa chemise de nuit. La puanteur me suffoquait. J'eus l'impression que si je m'approchais encore, je n'arriverais plus à respirer. Je tendis les bras vers elle.

Je la nettoyai — elle se montra aussi maniable et docile qu'un ivrogne de bonne composition — et, une heure plus tard environ, avec l'aide de Rose, je pus reconstituer ce qui s'était passé. Pendant la nuit, ma mère avait éprouvé de fortes douleurs, accompagnées d'une violente diarrhée, et elle avait forcé la dose de médicaments. Florence, la femme de ménage, avait dû quitter l'appartement à midi, comme d'habitude. (Au bénéfice du doute, Rose et moi supposâmes que Florence avait laissé ma mère en train de dormir paisiblement, et non dans l'état où Rose l'avait trouvée.)

Dès son arrivée, Rose avait essayé de savoir quel médecin il convenait d'appeler, mais ma mère avait l'esprit trop embrumé pour le lui indiquer. Rose avait fini par trouver le numéro du Dr Goldman et lui avait téléphoné. Il avait demandé à parler personnellement à ma mère, puis de nouveau à Rose. A celle-ci, il avait affirmé que l'état de ma mère ne semblait pas exiger une admission d'urgence à l'hôpital, mais qu'il s'inquiétait de la déshydratation qu'avait dû entraîner cette diarrhée et qu'en conséquence il s'efforcerait d'obtenir une hospitalisation pour le lendemain.

Rose et moi tînmes cette conversation à voix basse dans le salon, après que ma mère se fut rendormie. Rose semblait très secouée, et il y avait de quoi. Je la dévisageai. Elle avait à peu près le même âge que ma mère, et autant de rides, mais son regard était plein de jeunesse et de vivacité — comme celui de son amie quelques années plus tôt. Chère Rose, dans sa robe de couleur vive et son châle mexicain, assise sur le bord du canapé, les mains sur les genoux... Je me dis soudain qu'elle n'avait sans doute jamais encore vu ma mère autrement que maquillée.

Rose me racontait maintenant, à vive allure et toujours à voix basse, un incident qui s'était produit pendant qu'elle téléphonait au Dr Goldman. Elle tournait le dos à ma mère et, après avoir raccroché, elle vit qu'elle était tombée par terre. Effrayée, Rose s'était précipitée. C'est alors qu'elle avait compris : ma mère, une serviette à la main, essayait de repousser le tapis pour nettoyer les saletés qu'elle avait faites.

— Ne regarde pas ça, avait-elle dit à Rose, les larmes aux yeux, ne regarde pas !

Le lendemain, elle était de retour à l'hôpital, à nouveau sous perfusion. Et, une fois encore, son aspect s'améliora rapidement. Ses joues retrouvèrent du volume et des couleurs, son regard redevint plus vif, ses diarrhées s'apaisèrent. Pourtant, cette renaissance restait plus fragile que les fois précédentes. On aurait dit qu'au fond d'elle-même quelque chose s'était définitivement desséché. J'observai — et elle aussi, j'en suis certaine — que le mot de chimiothérapie ne revenait plus dans ses entretiens avec les médecins. Cela faisait une étrange impression de songer que nous aurions été ravies de l'entendre à nouveau...

Quand je quittai l'hôpital ce jour-là, elle me posa une question :

— Maintenant, ce sera toujours comme ça, non ?

Je ne répondis même pas, car nous connaissions toutes deux la réponse. Oui, ce serait toujours comme ça. Et même pis.

Chapitre 14

Un autre problème ne tarda pas à se poser. Ma mère en était arrivée au point d'avoir besoin de soins permanents ou au moins d'une surveillance constante. A l'hôpital, les choses étaient assez simples : elle ne risquait ni d'abuser des médicaments — les infirmières étant là pour y veiller — ni de se déshydrater, puisqu'il était possible à tout moment de la mettre sous perfusion. Malheureusement, elle ne pouvait plus rester à l'hôpital.

Le Dr Goldman m'avait prévenue : dès lors que ma mère n'était plus sous perfusion, et l'hypothèse d'une nouvelle chimiothérapie paraissant de moins en moins probable, l'hospitalisation ne répondait plus à aucune nécessité. Certes, sa maladie produisait toujours les mêmes effets chroniques — alternance de blocages et de relâchements intestinaux, incapacité de digérer, sans parler de la douleur. Et tout cela ne pourrait aller qu'en s'aggravant. Bien des souffrances l'attendaient encore. Mais elles n'étaient pas de celles qui exigent une hospitalisation. On allait donc la prier de quitter l'établissement.

Pour le cas où je n'aurais pas bien compris la situation, une assistante sociale se chargea de me l'exposer dès le lendemain. Elle fondit sur moi alors que je sortais de la chambre de ma mère pour aller aux toilettes.

— Madame Rollin ?

— Oui.

— Pourrais-je vous parler un instant ?

Elle m'inspira sur-le-champ un sentiment de haine

injustifié. Après tout, rien n'indiquait pour quelle raison je quittais un instant le chevet de ma mère, et elle faisait simplement son métier, comme on dit. Mais je la détestai du fond du cœur, cette fille qui devait avoir vingt-sept ans et se tenait devant moi avec une barrette dans ses cheveux plats d'une propreté presque excessive, et qui, sous les néons du couloir, me débitait son jargon administratif (« Je crains de devoir vous informer que compte tenu de l'état dans lequel se trouve actuellement votre mère... ») au moment le plus mal choisi.

— Avez-vous envisagé la possibilité de recourir aux services d'une maison de repos ? demanda-t-elle.

— S'il vous plaît ! répliquai-je sur le même ton qu'aurait employé maman. Vous m'excuserez, mais il faut que j'aille aux toilettes.

Je la retrouvai au même endroit à mon retour et elle me resservit depuis le début, comme si elle avait prestement rembobiné une bande magnétique, sa tirade sur les maisons de repos.

— Nous en avons beaucoup d'excellentes dans cette ville. Malheureusement, la plupart ont une liste d'attente ; cependant...

— Mademoiselle...

Je jetai un coup d'œil sur la plaque qu'elle portait au revers de sa blouse.

— ... Brown. Je n'ai pas l'intention d'envoyer ma mère dans une maison de repos.

Mais la bande continua à défiler, comme si Mlle Brown gardait le doigt appuyé sur le bouton de son magnétophone. Et pourquoi lui en vouloir ? Ce n'était certainement pas la première fois qu'elle entendait les proches d'un malade rejeter dédaigneusement l'idée d'une maison de repos, qu'il leur faudrait pourtant reconsidérer une fois qu'ils auraient pris conscience de certaines réalités — notamment le prix de revient des soins à domicile. Il fallait compter à peu près trois cent cinquante dollars par jour pour des infirmières à temps plein, un peu moins pour les intérimaires et environ cent soixante-quinze dollars pour les aides-soignantes. Et bien peu de polices d'assurance couvraient cette catégorie de frais.

Je dois reconnaître que ces chiffres me laissèrent abasourdie. Quant à ma mère, je savais d'avance qu'elle réagirait plus violemment. Elle était si fière de l'argent qu'elle avait réussi à mettre de côté qu'elle préférerait très certainement mourir que de le dépenser de cette façon. Encore avions-nous la chance de pouvoir choisir et les moyens d'éviter la solution de la maison de repos. Ma mère avait de l'argent. Moi aussi. Des soins à domicile grèveraient sérieusement notre budget, mais ne nous ruineraient pas. De plus, nous n'avions pas besoin d'infirmières : des aides-soignantes feraient tout à fait l'affaire. Peut-être Pearl serait-clle disponible ? J'étais certaine qu'elle accepterait.

Je me demandai si je devais dire à ma mère toute la vérité sur cet aspect des choses. J'étais peu à peu devenue moins intransigeante sur ce point. La franchise me paraissait toujours préférable, mais ce n'était plus pour moi un absolu : depuis quelque temps, la vérité était parfois trop pénible pour être énoncée de façon automatique. Dans ce cas précis, je décidai que je ne lui cacherais rien — à condition toutefois que ce soit elle-même qui pose la question. Elle n'aurait pas eu grande difficulté, de toute façon, à se renseigner sur les tarifs des infirmières.

Elle ne réagit pas du tout comme je m'y attendais. J'aurais cru qu'elle sauterait au plafond, mais elle resta immobile dans son lit, avec dans les yeux cette tristesse et aux lèvres cette expression d'abattement que je ne lui avais jamais connues avant sa maladie, et elle murmura : « Je n'ai besoin de personne, de personne. » Mais elle savait que c'était faux, je le sentais rien qu'à sa façon de le dire. Aussi, je n'essayai pas de discuter. Je lui passai doucement la main sur le front et mentionnai le nom de Pearl. Ma mère détourna la tête et regarda par la fenêtre.

— Quelle bêtise !

Je m'assis sur le lit en essayant de voir son visage.

— Quoi, quelle bêtise ?

— Cette existence.

— Que veux-tu dire ? demandai-je.

Mais j'avais parfaitement compris.

Elle se tourna vers moi et plongea ses yeux dans les miens.

— Tout ça n'a plus de sens. Ma vie est terminée, il est temps que je m'en aille. Pourquoi est-ce que je ne peux pas m'en aller ?

Elle posait cette question de la même façon que si elle avait demandé la permission de quitter la pièce.

Une infirmière entra, apportant une tasse de bouillon et un comprimé. Ma mère s'assit dans le lit et avala le médicament sans dire un mot. Quand l'infirmière fut ressortie, elle me regarda à nouveau.

— Pourquoi est-ce qu'on ne me donne pas une pilule qui arrêterait tout ça une fois pour toutes ?

— Ils ne peuvent pas, répondis-je en observant la couverture.

— Pourquoi ?

— La loi l'interdit.

— Ce n'est pas normal. Si quelqu'un veut s'en aller, on devrait pouvoir l'aider.

Elle avait les lèvres pincées et serrait les poings sur les bords du drap comme si ç'avaient été les rênes d'un cheval.

— A quoi bon enfermer dans l'existence quelqu'un qui n'a pas envie d'y rester ? demanda-t-elle en cherchant mon regard, que je gardais baissé. C'est cruel. En fait, ça leur est égal, de savoir ce qu'on souhaite vraiment. Tout ce qui compte pour eux, c'est leur métier, pas les gens dont ils s'occupent. Le Dr Burns, par exemple — il est passé ce matin. Voilà, il entre, il sort, c'est tout. Il me parle de ce jeu de ballon, tu sais. Je lui ai demandé : « Dr Burns, ma vie est finie, elle n'a plus de sens. Pourquoi ne pas me donner une pilule ? » Et lui... Il regarde par terre, avec son air embarrassé et il répond : « Non, Ida, il ne faut pas parler comme ça. » Puis il repart. Je ne l'ai jamais vu me quitter aussi vite !

Je l'écoutais, oui, je l'écoutais ; mais je n'entendais pas ce qu'elle disait. Peut-être que, comme le Dr Burns (étrange alliance, vraiment ! Le Dr Burns et moi contre ma mère...), je ne voulais pas l'entendre.

— Tu te sentiras mieux quand tu seras rentrée chez toi, lui dis-je.

— Non, je ne me sentirai pas mieux. Tu te rends compte, en sachant que tu dépenses tout cet argent pour payer des infirmières ?

— Ce n'est pas mon argent, c'est le tien.

— Tu dis des bêtises, et tu le sais parfaitement. Mon argent, c'est ton argent. Pourquoi crois-tu que ton père et moi avons fait des économies pendant tant d'années ? Pour payer des infirmières ? Pour prolonger ma vie alors que je n'y ai plus aucun goût ?

— Maman, heureusement encore que tu as cet argent. Ou, si tu préfères, heureusement que nous avons cet argent. Sinon, on ne pourrait pas s'occuper de toi comme ça, il faudrait...

Je m'interrompis. Ce n'était vraiment pas le moment d'en dire plus. Avec toutes les idées qu'elle avait déjà en tête, il était bien inutile de lui représenter que les choses auraient pu être encore pires.

Dès que je l'eus ramenée chez elle le lendemain, nous nous querellâmes à propos d'une infirmière de nuit. Pearl avait accepté d'assurer la journée, de huit heures à vingt heures, et connaissait une amie qui pourrait la relayer pendant la nuit.

— Tu ne trouves pas que c'est magnifique ? demandai-je à ma mère. Si c'est une amie de Pearl, elle est sûrement très bien.

— Magnifique, pourquoi ? Je ne veux avoir personne ici pendant la nuit. La nuit, je dors, et c'est tout. Je n'ai aucun besoin que quelqu'un reste ici sur un fauteuil pour me regarder dormir.

— Maman, s'il te plaît...

— C'est ridicule, je ne veux pas.

Elle poussa un soupir et ajouta :

— Ce que je voudrais, c'est que tout cela finisse.

Mon dieu, pensai-je, elle ne va pas recommencer ! Je recourus à un vieux stratagème, en lui disant que s'il n'y avait personne à son côté pendant la nuit, je me ferais tant de souci que, moi, je n'arriverais pas à dormir. Et cela réussit : elle acquiesça en silence. Nous nous sentîmes l'une et l'autre soulagées et plus détendues, mais c'était pour moi une bien amère victoire. Je savais que tout ce que je venais de faire, c'était de mettre fin à son existence d'adulte, en lui expliquant qu'elle ne pouvait pas rester seule, qu'il lui fallait quelqu'un pour la surveiller, qu'elle avait besoin de soins et d'aide, qu'elle n'était plus capable de rien faire par elle-même, qu'elle était comme un bébé.

Un vieux bébé.

Il fallait en passer par là. Nous le savions l'une et l'autre. Mais elle en avait les larmes aux yeux, avec une telle expression de mélancolie que j'avais peine à la regarder. Et, nous le savions l'une et l'autre, il m'était également impossible de la réconforter, de lui dire : « Tout ça va passer. »

En engageant des aides-soignantes, nous avions en fait résolu une partie du problème, mais pas le problème dans son ensemble. Les aides ne sont pas des médecins. Ma mère ne disposait donc d'aucune assistance médicale, hormis les conseils que le Dr Goldman pouvait nous donner par téléphone. Entre-temps, le Dr Burns avait disparu du paysage, comme pour un lycéen son professeur de l'année précédente. Ma mère n'avait pas du tout les mêmes rapports avec le Dr Goldman que naguère avec le Dr Burns, mais elle l'aimait bien, et moi aussi. Il ne proposait pas de solutions magiques, mais on pouvait lui parler, on le sentait sincère et compatissant. Pourtant, des relations par téléphone ne pouvaient pas suffire. Le seul moyen pour que ma mère soit examinée par un médecin était qu'on l'hospitalise, mais il était désormais établi qu'elle n'avait pas besoin d'hospitalisation. Goldman aurait certes pu la recevoir à son cabinet, mais elle n'était plus en état de faire ce genre de promenades.

Elle ne parvenait guère à marcher que jusqu'à la salle de bains, et même pour cela il lui fallait de l'aide. Outre son état de fatigue générale, depuis quelque temps ses jambes refusaient de la porter, flanchaient sous son corps, comme si elles ne le jugeaient plus digne d'être soutenu. Par ailleurs, deux jours après son retour chez elle, son système digestif cessa à nouveau de fonctionner. Elle ne pouvait pas manger, presque pas boire, et à nouveau n'arrivait plus à évacuer.

Quand j'exposai cette situation au Dr Goldman, par téléphone, il soupira et prescrivit des suppositoires. Nous arrivions au terme de cette conversation quand je m'entendis formuler une question que je n'avais pas du tout prévu de lui poser. Cela tenait sans doute à ce que son soupir m'avait semblé, bien plus qu'une réaction professionnelle, une manifestation d'humanité et de faiblesse désemparée, et que je sentais un soupir identique tout près de jaillir de ma propre gorge. Voilà pourquoi je lui posai la question tabou : combien de temps ma mère avait-elle encore à vivre ? Il répondit qu'il l'ignorait, mais je le pressai de me donner au moins un ordre de grandeur.

— Je ne sais pas, quelques semaines, peut-être quelques mois, dit-il. Je penserais plutôt quelques mois.

— Cela pourrait-il aller jusqu'à un an ?

— J'en doute. Non, je ne crois pas.

Après ce coup de téléphone, je m'assis au bord de mon lit, enfouis mon visage entre mes mains et pleurai, ce qui ne m'était pas arrivé depuis bien longtemps.

C'était une impression à la fois horrible et merveilleuse. Aujourd'hui encore, je ne saurais dire ce qui m'affligeait le plus : que ma mère fût sur le point de mourir ou que la mort ne vînt pas tout de suite la soulager. D'un côté, considérant ses souffrances actuelles et celles qui l'attendaient encore, j'aurais préféré qu'elle meure et ces « quelques mois » me paraissaient trop longs. Mais, d'un autre côté, je ne pouvais supporter l'idée qu'elle disparaisse, de sorte qu'il n'y avait plus guère de différence entre « quelques mois » et quelques heures.

L'une et l'autre façons de considérer les choses me paraissaient insupportables, et le pire était de ne pas même savoir laquelle était la plus détestable. Voilà ce qui me terrifiait. Tout comme elle-même, surtout quand elle pensait à ma belle-mère Marian. Marian, qui pour en finir avait été jusqu'à tenter de se laisser mourir de faim, et qui pourtant avait survécu si longtemps. La figure de Marian ne revenait pas souvent dans les propos de ma mère, mais cela arrivait parfois — et le plus souvent sans raison apparente. Je savais donc parfaitement qu'elle y pensait et redoutait ce qui l'attendait encore.

Je me mouchai, puis allai à la salle de bains m'asperger le visage d'eau froide. Je retournai ensuite me rasseoir et m'efforçai de revenir aux problèmes d'organisation. On devait pouvoir trouver une meilleure solution que le recours aux gardes-malades et aux communications téléphoniques avec le Dr Goldman. Et, bien entendu, j'avais une idée précise : l'organisation Hospice saurait lui permettre de vivre chez elle sans trop de difficultés, avec des visites d'infirmières et, si nécessaire, de médecins. De plus, ces services seraient couverts au moins en partie par les assurances, ce qui remplirait ma mère de joie. Cette idée m'était déjà venue à l'esprit, mais jusque-là elle était encore prématurée. Il n'en allait plus de même désormais.

En téléphonant à Hospice, j'appris qu'ils n'avaient sur l'ensemble de New York qu'un seul bureau proposant des soins à domicile et qu'il était surchargé de demandes. Je fis inscrire ma mère sur la liste d'attente. Après avoir raccroché, je m'efforçai de rassembler des idées rassurantes : notre cas n'est pas aussi désespéré que celui de tant d'autres gens, pensai-je, nous pouvons recevoir de l'aide, nous avons la chance de pouvoir payer, etc. Je ne m'en détestais pas moins de n'avoir pas préparé en temps voulu les étapes du chemin que ma mère allait devoir parcourir.

Apparemment, elle s'entendait très bien avec Belva, l'amie de Pearl. Dès que je rencontrai Belva, j'en compris la raison. C'était une Jamaïquaine, plutôt bien en chair, à la peau satinée, dont le visage n'avait pas dû beaucoup changer depuis son enfance et qui se tenait toujours comme une petite fille, la tête inclinée et les pieds tournés en dedans. Mais dans ses yeux on discernait tout autre chose, une nature directe et sûre d'elle-même. Quand son regard croisa le mien, je fus heureuse de sentir qu'elle était assez forte pour prendre vraiment quelqu'un d'autre en charge.

Quand j'arrivai ce soir-là, ce fut elle qui ouvrit la porte de l'appartement ; elle se présenta, avec un léger accent jamaïquain. Je lui serrai la main et lui demandai de m'appeler Betty — ce qui, à voir son sourire embarrassé et la façon dont elle baissa immédiatement le regard, était de ma part une erreur. Pearl m'avait tout de suite appelée Betty, mais son amie semblait plus soucieuse de tenir ses distances, surtout, sans doute, vis-à-vis d'employeurs blancs.

Ma mère paraissait dormir. Je pris place sur le fauteuil le plus proche de son lit et examinai les nombreux flacons de comprimés qui s'alignaient sur sa table de nuit, de façon beaucoup plus ordonnée depuis l'arrivée de Belva. Près des médicaments se trouvait aussi la chemise en carton où j'avais rassemblé les indications nécessaires pour Pearl et Belva. Sur la première page figurait une liste des médicaments prescrits à ma mère, avec leurs indications :

*Tylenol nº 3 (*grand flacon*), contient de la codéine,* un comprimé *toutes les trois ou quatre heures — contre la douleur.*

Mylanta, à prendre de préférence après les repas — contre les maux d'estomac.

Demerol, 50 mg — contre la douleur.

Reglan, un comprimé *quatre fois par jour, 10 minutes avant les repas (toujours) — pour une bonne digestion, contre les vomissements.*

Dalmane, un comprimé *au coucher — pour dormir.*

Dulcolax (suppositoire) — contre la constipation.

En bas de la page, j'avais dressé la liste des aliments qu'elle était susceptible d'avaler — les jours où elle mangeait quelque chose :

Petit déjeuner (après le Reglan) : fécule.

Déjeuner : soupe ou yaourt ou œuf ou 1/2 petit pain.

Dîner : soupe ou œuf.

Sur d'autres pages, agrafées à la première, Belva et Pearl notaient tout ce que prenait ma mère : les médicaments sur la colonne de gauche, la nourriture sur celle de droite. Après avoir jeté un coup d'œil à la feuille sur laquelle Belva avait commencé à écrire la veille au soir, je la lus intégralement :

MÉDICAMENTS	*NOURRITURE*
23 h 25 : un Dalmane	*Eau, 1/2 verre*
minuit : un Tylenol nº 3	
3 h : deux Tylenol nº 3	*Eau, 1/2 verre*
4 h 20 : un demi-Dalmane	*Eau, une gorgée*
5 h 30 : vomissements	
8 h : vomissements	
9 h : suppositoire de Dulcolax	

A l'écriture de Belva succédait celle de Pearl, sensiblement moins soignée :

9 h 50 :	fécule *: une cuillerée*
10 h : Reglan	

11 h 30 : Tylenol n° 3	*Eau, 1/4 verre*
13 h 15 : Reglan	
14 h 45 : Reglan	
15 h 15 : Mylanta	
16 h 15 : suppositoire de Dulcolax	
16 h 30 : Tylenol	*Eau, 1/2 verre*
16 h 40 : Mylanta	
16 h 50 : vomi	
17 h 45 : Reglan	
18 h :	*soupe, deux cuillers*

Ma mère ouvrit les yeux au moment même où je terminais cette lecture.

— Bonjour, ma chérie, murmura-t-elle.

— Bonjour, maman.

Je m'approchai d'elle et l'embrassai sur le front.

— Tu te sens un peu mieux ?

Elle haussa les épaules comme si cette question lui déplaisait, et je me souvins tout à coup que, la veille, elle m'avait expliqué combien elle se sentait embarrassée par toutes les questions qu'on lui posait sur son état.

— Les gens m'appellent et me demandent comment je vais. Que veux-tu que je leur dise ? Ils espèrent m'entendre répondre que je vais mieux, ou en tout cas quelque chose de positif. Alvin, par exemple. Il téléphone chaque jour et me pose la même question. Je ne vais quand même pas lui mentir, alors que faire ? Lui dire que ça va de pis en pis ? La voilà, la vérité, mais je ne peux pas l'infliger aux gens comme ça...

J'entendis un bruit en provenance de la cuisine.

— J'ai l'impression que Belva est en train de te préparer quelque chose.

— J'espère bien que non, soupira-t-elle. Dès que j'avale quelque chose, ça me fait des ennuis.

Je soupirai à mon tour.

— Belva est très bien, chuchotai-je.

— Mieux que ça, elle est merveilleuse ! répondit ma mère.

Elle me fit signe de me rapprocher et me confia à voix basse :

— Elle est très croyante. Elle appartient à l'Église du Septième Jour. Je n'aime pas qu'on essaie de me convertir, ajouta-t-elle en secouant la tête. Mais elle, pas du tout. Oui, Belva, c'est un ange.

Elle me fit approcher plus près encore.

— Son fils est à la Jamaïque. Je crois qu'il lui crée des problèmes. Pas question de père dans l'histoire. Elle est plus jeune qu'elle ne paraît — à peu près de ton âge, je crois. Je lui ai dit qu'il n'était pas trop tard pour trouver quelqu'un, en lui racontant, justement, comment tu étais tombée sur Edouard, sans trop lui dire que ça faisait déjà quand même quelque temps. C'est vraiment un amour, cette fille. Elle devrait être mariée. D'après ce qu'elle m'a dit, peut-être que par le biais de son Église elle pourrait trouver quelqu'un qui...

Belva vint interrompre cette conversation :

— Voudriez-vous un peu d'eau froide, madame Rollin ? Ou bien du thé ?

Par discrétion, elle avait posé la question avant de se montrer en personne dans l'embrasure de la porte.

— Non, ma chère Belva, répondit ma mère. Plus tard, peut-être.

Belva hocha la tête et se retira dans la cuisine. Ma mère ferma les yeux et je la regardai sans rien dire, espérant qu'elle allait s'endormir. Mais, au bout d'une minute seulement, elle rouvrit les paupières.

— Je ne me sens pas très en forme, dit-elle, je n'aurais pas dû avaler cette soupe.

— Tu n'y es pour rien, maman. Tu n'as pris que deux cuillerées et c'est ce qui est marqué sur la liste.

— Pourtant, c'est la soupe de Shany. C'est elle qui l'a préparée. Avant, j'aimais sa soupe...

Elle avait une voix traînante. Ses yeux se fermèrent à nouveau, mais seulement un instant.

— Peut-être que si je m'asseyais... dit-elle.

— Voilà une bonne idée !

Bien entendu, je ne savais absolument pas si c'était ou non une bonne idée. Je l'aidai à se redresser et elle resta tout un moment bien droite dans son lit, parfaitement immobile, les yeux vissés sur le mur d'en face.

La nausée, sauf bien sûr en cas de vomissements, n'est pas quelque chose de visible ; pourtant, je voyais quand ma mère avait la nausée. Ses yeux, sa bouche, sa façon de pencher légèrement la tête en avant... Je la ressentais presque moi-même, cette nausée, et je crois en effet que je souhaitais en assumer une part.

Elle posa sa main sur son ventre.

— Nous pourrions peut-être marcher jusqu'à la fenêtre ?

— Très bien ! m'exclamai-je d'un ton absurdement enthousiaste.

Je rabattis ses couvertures. Sa chemise de nuit était remontée au-dessus des genoux, laissant dépasser ses mollets courts et ronds, ses orteils aussi émouvants que ceux d'un enfant. J'eus envie de pleurer à la vue de ces jambes et de ces pieds de bébé, blancs et bombés. Je lui passai un bras sous les jambes pour la déplacer vers le bord du lit.

— Commence par rester assise une minute, lui dis-je, me souvenant des conseils que m'avait naguère donnés une infirmière pour éviter les vertiges en se levant.

Elle m'obéit. Bien sûr. Elle aurait obéi même à un robot. Elle aurait obéi à n'importe qui, à n'importe quoi, pouvant paraître avoir la moindre idée de ce qu'il fallait faire pour endiguer la nausée. Elle s'assit donc sur le bord du lit, attendant la prochaine instruction. Cependant, sa tête penchait d'un côté comme si son cou avait été désarticulé.

— Tu veux qu'on essaie ? demandai-je à voix basse.

Elle fit signe que oui et je l'aidai à se lever. Nous entreprîmes de marcher vers le salon — lentement, très lentement.

— Veux-tu tes pantoufles ?

Elle fit signe que non et répéta :

— Peut-être que si nous allions vers la fenêtre ?

Elle était en pleine lutte.

— C'est une bonne idée. Respire à fond.

Je savais que cette façon de lui parler, comme faisaient les infirmières, était inutile. Mais nous marchâmes jusqu'à la fenêtre, que j'ouvris avec ma main libre pendant que, s'appuyant toujours sur moi, elle inspirait à grands traits.

— Je voudrais m'asseoir, maintenant, murmura-t-elle.

Nous nous assîmes donc, sur le bord du canapé, comme si c'était là un lieu sûr. Les rumeurs de la circulation — c'est-à-dire de la vie et de la santé — montaient par la fenêtre ouverte. Côte à côte, nous écoutions. Je regardais le ciel. Il était noir. Ma mère ferma les yeux et respira encore une fois à fond.

— C'est bon, dit-elle, c'est très bon.

Elle était perdante et nous le savions l'une comme l'autre. Mon regard tomba sur la table à café devant nous. J'observai cette collection de petits objets qui s'y trouvaient posés depuis toujours, les mêmes objets, sur la même table à café, dans tous les appartements et toutes les maisons que ma mère avait habités. Il y avait là une bonbonnière en cristal, un coffret à cigarettes avec un cendrier assorti, et des éléments plus récents — par exemple, les livres d'Edouard et les miens. Toutes les traces d'un itinéraire, celui de ma mère, disposées là pour des invités qui ne venaient plus.

— Je crois, dit lentement ma mère, que je ferais bien d'aller aux toilettes.

Je l'aidai à se lever et nous traversâmes la pièce. Elle me repoussa quand nous arrivâmes à la salle de bains. Belva apparut alors, discrète, et ouvrit la porte. Elles pénétrèrent toutes deux dans la pièce. Je m'appuyai contre le mur et écoutai, d'abord le silence, puis les bruits que faisait ma mère en vomissant. Je me demandai ce qu'elle pouvait bien régurgiter. Elle n'avait rien mangé ! Je retournai dans sa chambre, m'assis sur le lit et me frottai les yeux en me disant qu'il n'y avait rien à faire contre cela, plus rien du tout.

Elles sortirent de la salle de bains, ma mère la première, Belva la soutenant par-derrière comme une marionnette brisée et lui parlant d'une voix douce :

— Nous y sommes presque, madame Rollin, encore quelques pas, oui, voilà...

Quand elles furent parvenues à destination, Belva aida ma mère à s'allonger, remonta les couvertures, replia le drap et en lissa les plis. Pendant ce temps, elle ne cessait de chantonner une sorte de berceuse.

Quand ma mère ferma les yeux, Belva retourna dans la cuisine, où j'avais déjà observé la présence, sur la table, d'une petite broderie à moitié achevée et d'une brochure religieuse intitulée *A propos de la Foi et du Salut.*

Ma mère dormit un bon moment. A son réveil, elle déclara qu'elle se sentait mieux. Pas au point d'avaler quelque chose, mais suffisamment pour ne pas retourner vomir...

— Rose est passée ce matin, dit-elle d'une voix faible. Elle m'a semblé si jeune, si pleine d'entrain ! En la regardant, j'ai compris jusqu'où j'étais tombée.

Je rapprochai ma chaise de son lit et lui pris la main.

— Tu sais combien j'aime Rose, mais tout le temps qu'elle a été ici je n'ai eu qu'une envie : qu'elle parte et me laisse dormir. C'est le seul soulagement que je connaisse désormais : dormir...

Elle retira doucement sa main de la mienne et me regarda avec dureté.

— Penses-tu que je puisse en finir avec tout cela ? demanda-t-elle. Où est la sortie ?

Ce regard me fut insoutenable. Je baissai les yeux, mais, quand je les relevai, son expression n'avait pas varié. Je crois que c'est à cet instant-là que je compris qu'elle attendait vraiment une réponse de moi.

— J'ai vécu une vie merveilleuse, mais maintenant elle est terminée, ou du moins elle devrait l'être. Je n'ai pas peur de mourir, mais j'ai peur de cette maladie, de ce qu'elle va me faire. Je ne vais pas mieux, tout au contraire. Je n'ai plus aucun instant de répit. Toujours ces nausées et cette souffrance. La souffrance — elle ne s'arrête jamais. Il n'y aura plus de chimiothérapie. Il n'y a plus de traitement possible. Le Dr Burns a dit qu'une fois que j'en serais à ce stade les choses iraient vite. Et pourtant, je le sens, je ne suis pas encore à l'agonie. Alors, que va-t-il se passer ? Je le sais : je vais mourir de mort lente.

Elle s'interrompit, toussa, mais ne cessa pas de m'observer.

— Je ne le souhaite vraiment pas. Cela me serait égal que cette maladie me tue rapidement. Je veux bien mourir vite. Mais pas à petit feu.

Elle s'arrêta encore et détourna enfin son regard. Je croyais qu'elle en avait terminé, mais elle poursuivit :

— A qui cela peut-il servir que je meure lentement ? Si c'était utile à mes enfants, je serais d'accord. S'ils en tiraient quelque avantage, j'accepterais de souffrir encore un peu. Pour mes enfants, oui, je ferais ça. N'importe quelle mère le ferait. Mais en quoi cela peut-il t'être utile ? A toi, ou à Edouard ? C'est tout le contraire. Je ne t'ai jamais vue aussi maigre depuis tes années d'université. Une mort lente n'a aucun sens, absolument aucun sens. Et je n'ai jamais aimé ce qui n'avait pas de sens. Il faut que j'en finisse.

Elle s'arrêta. Maintenant, c'était en principe à moi de parler. J'avais la bouche sèche.

— Maman, dis-je d'une voix si basse qu'on m'entendait à peine, qu'est-ce que tu dis ? ? Je sais ce que ça a été... Je sais que les dernières vingt-quatre heures, les dernières quarante heures, ont été épouvantables. Mais il y a aussi des journées qui ne se passent pas aussi mal, non ? Est-ce que... est-ce que ces jours-là, quand ça va moins mal, tu n'as pas envie de continuer à vivre ?

— Je vais mal tous les jours. Tous les jours. Je ne veux pas dire que ça ne pourrait pas être pis encore. Et je sais qu'il y a des gens qui souffrent terriblement et s'accrochent quand même à l'existence. Mais moi, je n'appelle plus ça une vie. La vie, c'est de faire une promenade, d'aller voir mes enfants, de manger ! Tu te souviens combien j'aimais manger ? Aujourd'hui, rien que cette idée m'écœure.

Elle ferma les yeux.

— Aujourd'hui, tout m'écœure. Ce n'est plus une vie. Si je vivais encore, je voudrais continuer. Mais ça, non, je n'en veux pas.

Elle leva les yeux vers moi comme un instant auparavant, avec le même regard inflexible.

— Maman, lui demandai-je en pesant mes mots, est-ce vraiment ce que tu veux... mourir ?

— Bien sûr que je veux mourir ! A part le bonheur de mes enfants, la mort est ce que je désire le plus au monde.

Chapitre 15

Après ce déclic décisif, toute une mécanique se mit en route dans ma tête, de façon d'abord lente et régulière, puis de plus en plus rapide et bruyante. Qui appeler, ne cessai-je de me demander tandis que je rentrais chez moi à grands pas, qui appeler ? Je n'éprouvais pas d'émotion démesurée, seulement le sentiment d'avoir désormais une tâche à remplir, une mission d'une énorme importance que je devais accomplir au mieux.

Pour cela, je savais qu'il me faudrait d'abord faire preuve de prudence. J'avais assez lu de faits divers à propos de gens qui avaient débranché un appareil de survie et récolté les pires ennuis. Bien entendu, ce n'était pas ainsi que je devais procéder. Je devais mener une enquête, voilà tout. On a toujours le droit de se renseigner, me dis-je en attendant que le feu de la Ve Avenue passe au rouge. Mais comment me procurer les informations que je cherchais ? C'était tout le problème. J'avais décidé d'apprendre comment on peut permettre à quelqu'un de mourir, mais quel médecin accepterait de me le dire ?

Je traversai l'avenue et remontai très lentement la 55e Rue jusqu'à notre appartement. Comment trouver un médecin qui me conseillerait en matière de suicide, prenant par là le risque de perdre le droit d'exercer, voire d'être poursuivi en justice ? De toute évidence, ce ne pouvait être qu'un ami proche. Quand j'arrivai devant notre immeuble, je m'attardai un instant devant la porte. Même si je trouvais un tel ami médecin — et, dans l'immédiat, je ne voyais personne — c'était quand même beaucoup lui demander.

Je décidai d'appeler un médecin que je connaissais et appréciais depuis mon enfance. Il savait en outre que ma mère était malade, mais au téléphone je préférai m'abstenir de parler ouvertement d'elle. Notre conversation fut loin de se dérouler de manière paisible et agréable : je trébuchais sur les questions et lui se montrait réticent à y répondre. Je commençai par lui dire que je voulais lui poser quelques questions purement hypothétiques sur les meilleures façons de se suicider pour une personne qui serait en train de mourir d'un cancer, et qu'il pouvait interrompre cet entretien quand il voudrait. Je l'assurai par ailleurs que ce n'était pas à mon propre usage que je cherchais à obtenir ces renseignements. Après avoir gardé le silence un instant, il s'éclaircit la gorge et répondit enfin :

— D'accord.

Je lui expliquai ensuite que la personne pour le compte de laquelle je me renseignais avait à sa disposition un médicament nommé Dalmane. (Je savais que ma mère n'arrivait à rien avaler, mais j'espérais que, de ce point de vue, les choses s'amélioreraient.)

— Est-ce que le Dalmane... pourrait suffire ? demandai-je. Et, en ce cas, combien... combien de comprimés à trente milligrammes seraient... nécessaires ?

— Je peux vous répondre, dit-il très lentement, que si quelqu'un souhaitait faire cela — et je ne connais personne qui soit en pareil cas —, vingt-cinq est une quantité qui... pourrait se révéler efficace.

Je compris qu'il avait peur, très peur.

— Imaginez, poursuivis-je, que quelqu'un ait du mal à ingérer de la nourriture ou quoi que ce soit d'autre. Serait-il possible alors de diminuer cette quantité ? Est-ce que dix comprimés, par exemple, pourraient suffire ?

— J'en doute un peu.

A entendre le son de sa voix, je compris qu'il reprenait ses distances.

— Et quinze ?

— C'est difficile à dire.

Il restait poli, mais pour le moins concis. Pas un mot de trop. Voilà, c'est fini, pensai-je. Il ne me dira rien de plus. Et je conclus la conversation en le remerciant.

Il devait forcément exister d'autres recours. Je m'assis sur le lit et, en regardant fixement la lampe de chevet, je me souvins de Derek Humphry, que j'avais un jour interviewé pour l'émission Nightline. Il avait aidé sa femme à mourir et écrit un livre à ce sujet, puis fondé à Los Angeles une sorte de groupe en faveur de l'euthanasie, baptisé « Ciguë ». Je parcourus mes dossiers, trouvai son numéro et laissai un message sur son répondeur. Ensuite seulement, je m'aperçus qu'il serait le dernier à accepter de me conseiller. C'était une des principales figures du mouvement pour la légalisation de l'euthanasie, et il devait être aussi étroitement surveillé qu'un suspect libéré sur parole. Je me souvins alors qu'il avait publié un second livre, après celui consacré à sa femme. Je me levai et allai vérifier sur mes rayonnages. Oui, je l'avais : *Je voudrais mourir en dormant.* Je feuilletai l'ouvrage, dont je me souvenais maintenant qu'il consistait en récits de suicides, précisant les méthodes employées. Ce Humphry était un malin. La loi interdit de publier des indications sur les manières de se suicider, mais ne peut empêcher personne d'écrire des récits... Même si chacun d'entre eux comportait dans sa conclusion un dosage bien précis.

Quand Edouard rentra, il me trouva assise par terre dans le bureau, plongée dans ce livre.

— Qu'est-ce que tu fais ?

— Je lis.

— Ça, je le vois. Mais qu'est-ce que tu as trouvé de si fascinant pour ne pas t'installer dans un fauteuil ?

Je levai les yeux vers lui. Il se tenait debout à côté de moi, sa serviette à la main.

— Ma mère veut mourir, je cherche comment elle peut s'y prendre.

Edouard posa sa serviette et s'assit sur une chaise. Je continuai :

— Elle en avait déjà parlé et je n'y avais pas prêté plus d'attention que ça. Mais, à la façon dont elle y est revenue ce soir, j'ai compris qu'elle le souhaitait vraiment.

— De quelle façon ?

Mon mari a le teint pâle, on devine encore sur son visage qu'adolescent il préférait lire plutôt qu'aller jouer dehors. J'aime cette pâleur, elle suscite en moi une sorte de tendresse. Mais en cet instant précis — peut-être à cause de l'éclairage — il paraissait exagérément pâle, presque malade.

— Je ne sais pas, répondis-je en m'accoudant mais sans me lever. C'est simplement qu'elle paraissait sérieuse. Elle ne m'a pas vraiment demandé de l'aider. Je crois qu'elle ne voulait pas me demander ça. Mais c'est comme si elle l'avait fait.

Je redressai le buste et secouai la tête comme pour me réveiller.

— J'imagine mal qu'elle puisse vraiment faire ça, et en plus je ne vois pas comment elle s'y prendrait. Ce livre explique toutes les sortes de comprimés que l'on peut absorber, mais elle n'arrivera jamais à les avaler sans les recracher.

Je levai à nouveau les yeux vers mon mari. Il contemplait le cercle de lumière que formait la lampe sur son bureau.

— Elle a très peur, ajoutai-je. Elle a l'impression d'être prise au piège de la vie et, à mon avis, elle veut seulement s'assurer qu'il existe un moyen d'en sortir, une issue de secours. C'est l'expression qu'elle a employée : « Où est la sortie ? » Peut-être qu'elle ne s'en servira pas, mais je crois qu'elle se sentirait mieux si elle savait que cette porte existe.

Je me levai, marchai jusqu'à la fenêtre et m'appuyai sur la tablette.

— Tu penses qu'elle a tort ? Si tu étais à sa place, est-ce que toi aussi tu ne voudrais pas connaître la réponse à cette question ? Moi si. A vrai dire, je veux aussi la connaître pour moi-même. Ça peut m'arriver aussi, on ne sait jamais. Je veux la connaître pour tout le monde.

— Quel est ce livre ?

Je le lui dis, et lui parlai aussi de mon coup de téléphone à cet ami médecin. Il hocha la tête. Je le regardai en face. Edouard ne réagit jamais très vite, et l'émotion transparaît rarement sur son visage. Je n'avais aucun moyen de savoir comment il prenait tout ça et commençais à m'inquiéter.

Il finit par répondre, la voix basse :

— Je suis d'accord avec toi. Je ne crois pas non plus qu'elle fera quoi que ce soit, mais elle serait certainement rassurée de savoir qu'il existe une solution, le cas échéant. Par conséquent, nous devrions chercher laquelle. Dès que possible.

Je remarquai cette façon de dire « nous ». Elle ne me surprit pas, mais j'en fus émue. « Ne dites pas mon gendre... » Ma mère avait raison.

Edouard s'avança jusqu'à la fenêtre devant laquelle je me tenais et, avec une lenteur infinie, nous nous enlaçâmes et restâmes là, sans rien dire, sans bouger. Puis j'allai mettre de l'eau à chauffer pour faire du thé, après quoi nous dressâmes ensemble une liste des médecins que nous connaissions. Ensuite, nous entreprîmes de leur téléphoner l'un après l'autre.

Chapitre 16

J'avais demandé à Belva de m'appeler le matin avant de partir et elle n'y manqua pas.

— Alors, Belva, comment s'est passée cette nuit ?

Elle ne répondit pas tout de suite, et je me sentis défaillir.

— Pas trop bien, mademoiselle Rollin.

— Elle a encore vomi ?

— Eh bien, oui.

— Combien de fois ?

— Trois fois.

Mon dieu ! J'entendais à peine sa voix.

— Et maintenant ?

— Maintenant, elle se repose. Pearl vient d'arriver. Peut-être que la journée se passera mieux.

— Oui... Merci beaucoup, Belva. Merci d'avoir appelé.

— Je vous en prie, mademoiselle Rollin.

Il était huit heures moins le quart. J'attendis huit heures pour appeler le Dr Goldman.

—Est-ce qu'elle arrive à garder un peu de liquide ?

Je lui dis que non, et ajoutai :

— Elle ne va pas non plus à la selle.

— Ah... Appelez-moi cet après-midi. Si son état ne s'est pas amélioré, nous devrions peut-être songer à l'hospitaliser.

— Dr Goldman, il se pourrait que... Et si elle ne voulait pas retourner à l'hôpital ?

— Écoutez, si elle est déshydratée, je ne vois rien

d'autre à faire. En ce cas, il lui faudrait une perfusion, et ce n'est possible qu'à l'hôpital.

— Et sinon ?

— Sinon, elle mourra.

Je me tus un bref instant, puis ajoutai :

— Vous savez qu'elle désire mourir.

— Pas de cette façon, non.

Ainsi commença le 4 octobre 1983 cette journée dont nous devions toujours parler par la suite comme du « mardi terrible ». Je ne pus en suivre tout le détail, parce que, entre midi et trois heures — quelle absurdité ! —, se tenait au Plaza Hotel un déjeuner dont j'étais membre d'honneur, comme réalisatrice et écrivain. Les autres invités d'honneur étaient la cantatrice Roberta Peters et Matilda Cuomo, épouse du gouverneur de l'État de New York. Les récompenses étaient décernées par une organisation juive qui s'efforçait — quelle ironie ! — de trouver de l'argent pour une clinique privée du Bronx.

Quand j'avais reçu l'invitation, je m'étais dit que ma mère ne serait pas mécontente de m'accompagner ; de fait, elle en aurait été très heureuse. Quand il apparut qu'elle ne pourrait pas assister à ce déjeuner, je pensai me décommander. Shany et Edouard me détournèrent immédiatement de cette idée. Tout d'abord, me dit Edouard, ce serait plutôt cavalier vis-à-vis de l'organisation. Surtout, Shany et lui me firent valoir que si ma mère ne pouvait pas venir avec moi, elle souhaiterait au moins que je puisse tout lui raconter. Pourtant, après le compte rendu de Belva, je m'étais à nouveau décidée à annuler. Quand j'appelai ma mère dans la matinée, elle parvenait à peine à parler, mais elle trouva le moyen de me demander, d'une voix rauque :

— C'est bien aujourd'hui que tu as ce déjeuner, non ?

J'acquiesçai, mais en précisant que je n'y assisterais peut-être pas.

— Est-ce que tu veux me rendre plus malade encore ? demanda-t-elle, et elle répondit elle-même à sa question : Si tu veux me rendre plus malade, il te suffit de ne pas aller à ce déjeuner.

J'y allai donc. J'en garde deux souvenirs, encore plus stupéfaits que honteux : tout d'abord, que je mangeai comme quatre ; ensuite, que la vue de la mère de Roberta Peters, assise à côté de moi et en pleine santé, me remplit d'envie et de tristesse. Je me souviens encore d'avoir couru à deux heures et demie, telle Cendrillon, vers le téléphone public du hall de l'hôtel.

Je composai le numéro de maman et entendis la voix d'Edouard. Je me dis d'abord que j'avais dû me tromper et composer par erreur notre propre numéro. Mais Edouard m'expliqua en chuchotant ce qui s'était passé, du moins dans les grandes lignes — je ne sus les détails que plus tard. Ma mère avait certes passé une mauvaise nuit, mais la journée avait commencé plus mal encore. Vers midi, Edouard avait reçu un coup de fil de Pearl, obligée de donner à ma mère le maximum de drogues contre la douleur. Il avait alors appelé le Dr Goldman, qui déclara qu'il allait essayer de la faire admettre à l'hôpital. Une heure plus tard — les souffrances de ma mère ayant encore redoublé —, Goldman rappela mon mari pour lui apprendre qu'il n'y avait pas de lit disponible. Il aurait pu la faire entrer en urgence, mais il ne le souhaitait pas, parce que si une autre urgence plus grave, se présentait, ma mère serait dirigée sur un autre hôpital. Edouard — qui à ce moment-là avait déjà accouru chez ma mère — lui dit que les douleurs empiraient ; le Dr Goldman suggéra d'appeler un service de soins privé qui enverrait une infirmière. Celle-ci pourrait lui faire une piqûre (acte que Pearl, en tant qu'aide-soignante, n'avait pas le droit d'exécuter). Entre-temps, lui-même rédigerait une ordonnance pour les médicaments à mettre dans cette piqûre et pour les seringues dont l'infirmière aurait besoin. Edouard laissa ma mère en compagnie de Pearl et de Shany, qui venait d'arriver, se précipita au bureau du Dr Goldman, prit l'ordonnance, passa dans une pharmacie et revint en toute hâte jusqu'à l'appartement, où une infirmière l'attendait. Celle-ci défit le paquet qu'Edouard avait apporté et, aussi rapidement qu'elle put (ma mère en était à supplier pour qu'on soulage sa souffrance), injecta deux centimètres cubes de Demerol dans la hanche droite de sa patiente. Ma mère s'endormit presque sur-le-champ, me dit Edouard, et ne s'était pas réveillée depuis. Il avait demandé à l'infirmière de rester tout l'après-midi, au cas où ma mère aurait besoin d'une nouvelle piqûre. Shany avait également l'intention de demeurer là-bas, de sorte que je pouvais me contenter de rentrer à la maison :

— Il commence à y avoir beaucoup de monde ici. Moi-même, je ne vais pas tarder à partir.

En raccrochant le combiné, je sentis mon déjeuner me remonter à la bouche. Je titubai jusqu'aux toilettes des femmes et réussis à me retenir jusque-là. En revenant dans le hall moqueté, je songeai aux vains efforts que faisait ma mère pour arriver à vomir, par contraste avec la facilité avec laquelle j'avais rendu trois excellents plats du restaurant du Plaza.

Dès que je fus chez moi, je me déshabillai et me mis au lit. J'entendis la porte d'entrée s'ouvrir et se refermer.

— Edouard ?

— Oui.

— Je me suis allongée.

— Bonne idée. Alors, ce déjeuner ?

— Aucune importance. Comment vas-tu, toi ?

— Très bien.

Il ôta sa veste et vint s'asseoir sur le bord du lit. Je me redressai et m'appuyai contre le chevet.

— Tu as l'air épuisé, lui dis-je. Je suis désolée que tu

aies dû... Je suis désolée pour la façon dont cette journée s'est déroulée.

— Tu n'y es pour rien. Et toi-même, tu n'as pas l'air d'aller si bien.

— Si, si, ça va. Et là-bas, maintenant ?

— Toujours pareil. Elle va très mal. L'infirmière y est toujours. Une autre viendra la remplacer à dix heures, et encore une autre à dix heures du matin.

— As-tu...

— J'ai appelé Belva. Je lui ai dit que nous la paierions de toute façon, mais que ce n'était pas la peine qu'elle vienne.

— Et demain ?

— Demain, l'autre infirmière reviendra. J'ai dit à Pearl la même chose qu'à Belva. De toute façon, demain, avec un peu de chance, elle aura une place à l'hôpital.

Il retira ses chaussures, appuya ses coudes sur ses genoux et secoua lentement la tête. Je sortis de sous les couvertures, m'approchai de lui et l'entourai de mon bras, ma tête contre son dos.

— Comment ai-je pu avoir cette chance ? Quelle autre femme a un mari pareil ?

— Allez, arrête, dit-il en riant. On croirait entendre ta mère !

— Et alors, quel mal y a-t-il à ça ? Elle a compris qui tu étais depuis le début.

Je m'écartai un peu et ajoutai :

— Au fait, elle n'acceptera pas d'aller à l'hôpital. Parce qu'une fois là-bas, elle ne pourra plus... rien faire.

— Au point où elle en est, elle ne pourra plus rien faire, comme tu dis, ni à l'hôpital ni ailleurs. Elle est incapable d'avaler un comprimé. Tu aurais dû voir ça, quand elle a essayé de prendre un Dalmane. Elle se parlait à elle-même, comme si cela pouvait vraiment faire passer le comprimé : « Peut-être qu'en m'asseyant... peut-être qu'en me levant... peut-être qu'en l'écrasant dans un peu de thé. » Puis la douleur est devenue si violente qu'elle n'arrivait même plus à parler.

Je l'interrompis, ne voulant pas en entendre davantage, et me laissai retomber sur le lit.

— Je sais. Des comprimés ne pourront pas faire l'affaire. Il faut qu'on trouve autre chose.

— Est-ce que tu as parlé à Fred ?

Fred était un des médecins que nous connaissions.

— Oui. Il m'a dit que quinze Dalmane suffiraient sans doute, si elle était capable de les ingurgiter. Mais il avait l'air de douter qu'elle y arrive.

— Quinze ? L'autre avait dit vingt-cinq ! Comment pouvons-nous savoir qui a raison ? Peut-être aucun des deux !

Je me levai et enfilai un peignoir, puis vins m'asseoir sur le lit à côté d'Edouard.

— Et les voitures ? Est-ce qu'il n'y a pas des gens qui font ça dans des voitures ? Et sans souffrir ? D'ailleurs, comment ça marche ? Tu es au courant ?

— C'est l'oxyde de carbone, répondit-il. Il faut laisser entrer les gaz d'échappement dans la voiture et fermer les vitres. On peut aussi faire ça dans un garage. Fermer la porte du garage et mettre le moteur en marche. Mais la première manière est sans doute plus rapide.

— Nous n'avons pas de voiture...

— Je sais bien.

Je me levai et arpentai la chambre, les mains dans les poches de mon peignoir.

— Peut-être pourrions-nous en louer une ?

Edouard secoua la tête.

— Ou emprunter celle d'un ami. Je parle sérieusement. Imagine comme ce serait simple ! Tout ce qu'elle aurait à faire ce serait de s'asseoir dedans.

— Et où est-ce que tu ferais ça ? demanda Edouard. Sur la Ve Avenue ? Sur la IIe ? Ou bien l'emmènerons-nous à Brooklyn au milieu de la nuit ? Et que dirons-nous à la police ?

Je m'adossai au mur et regardai mon mari, toujours assis au pied du lit comme si ç'avait été un banc de jardin public. Il n'avait pas même dénoué sa cravate.

— Mais qu'est-ce qui nous arrive ? dis-je. Combien d'imbéciles, chaque jour, trouvent des moyens pour faire mourir des gens ? S'ils en sont capables, pourquoi pas nous ?

Je regardais Edouard, et Edouard regardait le tapis. Le piaillement d'un oiseau retentit dans la cour. J'allai à la fenêtre. On entendit encore son cri, une fois, puis deux fois. On aurait dit qu'il était malade. Je fermai la fenêtre.

— Et un revolver ?

— Nous n'avons pas non plus de revolver.

— On pourrait en acheter un.

— Ce serait chercher les ennuis. Les noms des gens qui achètent une arme à feu sont consignés sur des registres. De plus, je ne crois pas que ta mère serait d'accord.

— Connaissons-nous quelqu'un qui possède une arme ?

Edouard secoua à nouveau la tête.

— Pas moi, et toi ?

— Je ne crois pas. Mes amis sont des libéraux, des démocrates, et les gens qui sont contre les armes n'en possèdent pas. Ah, si nous vivions au Texas ! Là-bas, même les démocrates ont tout un arsenal.

— Nous pourrions voir avec ce gang portoricain sur lequel tu avais fait une enquête pour NBC, tu t'en souviens ?

— Tu plaisantes ?

— Oui.

— Eh bien, peut-être que nous devrions. Mais, tu sais, ça ne sera pas simple, ce sera toute une histoire.

— Qu'est-ce que tu comptes faire ? Recruter un groupe d'assassins pour descendre ta mère ?

— Pas du tout. Je leur demanderais seulement de me

prêter un revolver. Ils le feraient. Ils m'aimaient bien. Après tout, je les ai fait passer à la télévision.

— Tu ne parles pas sérieusement ?

— Écoute, je... je cherche une idée.

— C'est le moins qu'on puisse dire.

— Mais je crois quand même qu'on ne peut écarter d'emblée celle-ci. Une arme est un moyen rapide et sûr. C'est bien pour ça qu'on est contre, non ?

— Et qui appuiera sur la détente ? Toi ?

— Ma mère pourrait le faire elle-même, non ? Est-ce qu'il faut beaucoup de force ?

— Non, pas vraiment.

— Alors ?

— Alors quoi ? Encore faudrait-il se procurer un revolver. Et puis, à quoi ça rime, tout ça ? Tu imagines ta mère appuyer sur la détente ?

Je poussai un soupir et me laissai glisser le long du mur jusqu'à me retrouver assise par terre. Je levai les yeux sur Edouard.

— Eh bien, monsieur le professeur, quelle est votre idée ?

— J'ai pensé à l'arsenic. Mais, pour autant que je sache, c'est... disons, un peu infect. Par ailleurs, c'est le même problème que pour le revolver : je ne sais pas où nous pourrions en obtenir.

— Qu'est-ce que ça veut dire, infect ?

— Je pense que l'arsenic entraîne des convulsions. Le cyanure ferait probablement mieux l'affaire. C'est de cyanure que se sont servis Goering et Hitler. Mais là aussi, c'est pareil : où trouver du cyanure ?

— Voilà une bonne vieille méthode ! dis-je en frissonnant. Mais je crois que si elle avait souhaité procéder ainsi, elle nous l'aurait déjà demandé. Non, ça ne peut pas se passer de façon aussi horrible, aussi violente.

Je me levai à nouveau et me remis à marcher de long en large.

— Je sais bien quel est notre problème. C'est que

nous sommes des amateurs. Que savons-nous sur la manière de tuer quelqu'un ? Rien. Mais il y a encore un problème, c'est que les gens qui savent cela, les professionnels, si tu veux, sont des criminels. Et, je suis d'accord avec toi, nous ne pouvons pas nous adresser à eux. Il y a aussi d'autres professionnels, les médecins, mais ce sont eux qui refuseront de nous parler. Alors, que pouvons-nous faire ? Je veux dire que plus j'y pense, mieux je comprends qu'elle ait envie de disparaître. Songe à la journée d'aujourd'hui. Et demain, comment est-ce que ce sera ? Quant à la semaine prochaine ou, pis encore, le mois prochain, je ne veux même pas l'imaginer. En fait, tout ça risque de continuer, tout ça va continuer. Si on ne lui donne pas de traitement, cette chose qu'elle a dans le ventre va grossir encore, et lui faire de plus en plus mal. Non ? Ce n'est pas vrai ? Ce n'est pas logique ?

— Demain, je passerai quelques coups de fil pour savoir s'il y a d'autres substances, dit Edouard en s'adressant presque plus à lui-même qu'à moi. Peut-être peut-on trouver quelque chose à quoi je n'ai pas pensé et qu'il soit plus facile de se procurer.

— Malgré cette discussion, dis-je, rien de tout cela ne me paraît réel. Je ne peux... je ne peux pas l'imaginer accomplir un acte pareil. Tu peux, toi ?

— Oui. Mais, en un sens, la question n'est pas là. La question est celle du choix. Elle dit qu'elle veut mourir, et cela signifie pour le moins qu'elle veut avoir la possibilité de le faire. Nous devons lui offrir cette possibilité.

Nous restâmes silencieux un instant. Puis je poussai un énorme soupir et me tournai vers mon mari.

— Mais est-ce que tu crois réellement qu'elle le ferait ? Dis-moi pourquoi tu le crois, dis-le-moi.

— Parce que c'est raisonnable, et que ta mère est une femme raisonnable. Et parce que ce qui lui arrive, au contraire, échappe à toute raison. Et elle le sait. Je suis sûr qu'elle pense aussi au cas de ma mère.

— J'en suis sûre aussi, répondis-je.

Nous étions maintenant assis l'un à côté de l'autre au pied du lit, les yeux tournés vers la télévision éteinte, sur le mur opposé.

— Tu sais, je n'arrête pas de penser à elle, à ce qui lui arrive.

Edouard hocha la tête.

— Moi, je pense aux dernières journées de ma mère. Je me rappelle combien, assis à son chevet, j'aurais voulu lui mettre un comprimé dans la bouche.

— Et pourquoi ne l'as-tu pas fait ?

Il leva les yeux sur moi.

— Parce que... parce qu'on ne tue pas sa propre mère.

— Mais quelle différence y a-t-il avec ce que nous projetons ? Je le sais, mais je voudrais que tu me le répètes.

Il me regarda à nouveau.

— La différence est énorme. Nous ne parlons pas de tuer ta mère, mais du fait qu'elle veut elle-même se donner la mort. Elle veut vraiment se tuer elle-même, alors que la mienne attendait que Dieu s'en occupe.

Edouard se leva subitement et s'approcha de la porte. Sans se retourner, il ajouta :

— Elle ne pouvait pas imaginer que Dieu ne la prendrait pas en charge.

Déjà il était sorti et se dirigeait vers son bureau.

— Je vais faire un peu de maths.

— D'accord, répondis-je, avec le sentiment que j'aurais bien aimé, moi aussi, pouvoir faire des maths de temps en temps.

Chapitre 17

Sur la feuille de surveillance figurait maintenant une troisième écriture, très régulière. C'était celle de la nouvelle infirmière, une femme blanche dans la cinquantaine, mince, d'aspect soigné dans son uniforme hospitalier, les yeux bleus clairs, avec un nez long et osseux. Elle avait un accent que j'aurais eu de la peine à identifier.

15 h 45 Demerol, 1 cc	*La patiente s'est tranquillement reposée jusqu'à 18 h.*
18 h 45 Demerol, 1cc	*Douche. Quelques gorgées*
R.A.S.	*d'eau. Analgésiques. Fille et gendre arrivés vers 21 h.*

— Jamais on ne m'a fait des piqûres aussi bien, m'assura ma mère. Tu te rends compte, on te plante une aiguille de quinze centimètres et tu ne sens rien du tout. Non mais, tu te rends compte ?

L'infirmière, qui s'efforçait de ne pas rougir, répondit :

— Madame Rollin, votre fille et son mari ne sont sûrement pas venus vous voir pour savoir comment je faisais les piqûres.

Après quoi elle quitta la pièce. Ma mère remua un doigt pour que nous nous approchions et nous confia à voix basse :

— Je ne sais pas encore grand-chose d'elle. Son mari et ses enfants sont restés en Tchécoslovaquie. Douze et dix ans, les enfants. Elle les a quittés, tout bonnement. C'est quand même un peu dur, non ?

Elle voulait que je lui parle du fameux déjeuner.

Avant tout, qui avait dit sur moi des choses merveilleuses, auxquelles j'avais certainement répondu aussi de façon merveilleuse ? Et puis, comment m'étais-je habillée ? Et Matilda Cuomo ? Et Roberta Peters ? Je répondis à toutes ses questions, en évitant seulement d'évoquer la scène finale, dans les toilettes, et de rien dire à propos de la mère de Roberta Peters.

— Et comment va mon superbe gendre ? Je devrais dire mon fils, car qui d'autre...

— Je vais très bien, Ida. Et ça me fait vraiment plaisir de voir que vous allez bien mieux. Par rapport à cet après-midi...

— Ne m'en parlez plus ! C'est simplement la piqûre, je dois être devenue droguée.

Elle sourit.

— Je ne pense pas qu'on vienne m'arrêter comme droguée. Notez que ça me serait bien égal de passer à la chaise électrique. Mais les seuls qui ont droit à la chaise électrique sont ceux qui n'en voudraient pas. C'est un monde de fous...

Elle laissa retomber sa tête sur l'oreiller, puis se redressa et nous fit signe d'approcher encore.

— Alors, qu'est-ce que vous avez trouvé ?

— A quel sujet ? répondis-je.

Je voulais être sûre de ne pas me tromper, m'étant fait une règle de ne pas aborder la question fondamentale avant qu'elle n'y vînt d'elle-même.

— Tu le sais très bien, répondit-elle.

Et comme chaque fois qu'elle abordait ce sujet — même si je n'en ressentais aucune surprise, même si je ne lui souhaitais pas d'autre sort que celui qu'elle-même désirait, même si j'étais fière de son courage —, je sentis mon cœur se serrer.

— Je... nous... avons obtenu quelques renseignements.

C'était la première fois que nous parlions de cela devant Edouard, mais elle ne paraissait pas en avoir conscience. Sans doute était-elle certaine qu'il était au courant, et je me sentis émue de l'affection qu'elle lui témoignait ainsi. Mais je luttai contre cette émotion. Il fallait laisser loin derrière nous tout sentiment. La situation devenait trop dangereuse, je devais me comporter comme un soldat affrontant la bataille. Le sentimentalisme risquait de tout compromettre.

— Alors, qu'avez-vous trouvé ?

Je me retournai pour vérifier que l'infirmière ne pouvait pas nous entendre.

— Ça, peut-être, répondis-je en saisissant le flacon de Dalmane.

— Combien ?

— Sans doute une quinzaine. Ou un peu plus.

— Qui te l'a dit ?

— Fred Silver.

— Tu l'as appelé ?

J'acquiesçai.

— C'est vraiment gentil, dit ma mère. J'ai toujours pensé que Fred était un brave garçon.

Elle jeta un regard sur le flacon et fronça les sourcils.

— Comment arriverai-je à avaler quinze comprimés ?

— C'est bien le problème. Mais nous cherchons d'autres idées.

— Quel genre d'idées ?

Mon dieu, me dis-je, si tout cela pouvait s'arrêter !

Quant à elle, elle soupira et se tourna vers le mur.

— Tu pourrais peut-être m'emmener sur le toit de cet immeuble. J'ai entendu dire qu'on y avait une jolie vue.

Je baissai la tête. Il était de plus en plus difficile de savoir quand elle parlait sérieusement et quand elle plaisantait.

— Maman, il pourrait se faire que tu arrives à digérer plus facilement. Ça n'a rien d'impossible.

Elle hocha la tête.

— Donc, impossible de mourir tant que je n'irai pas mieux !

Edouard intervint alors, d'une voix douce :

— C'est bien ce qu'il semble pour l'instant, Ida, mais faites-nous confiance. Nous allons bientôt trouver... ce que nous avons besoin de savoir. S'il vous plaît, ne vous faites pas trop de souci.

Ma mère soupira. Puis elle nous contempla, avec soudain dans ses yeux écarquillés toute la tristesse d'une enfant de six ans.

— Pourquoi faut-il que j'aille à l'hôpital demain ? A l'hôpital, ce sera impossible de...

— Je sais, maman...

Je me penchai pour remettre en place son petit bonnet blanc, qui avait glissé en arrière. Son crâne presque dénudé, où ne subsistait qu'une petite poignée de cheveux, était devenu une partie de son corps aussi intime que ses organes génitaux.

— Mais à l'hôpital, ils arriveront sans doute à faire que ton organisme fonctionne à nouveau.

— Ils ne feront pas que ça, dit-elle avec une moue. Ils ne me laisseront jamais en paix.

Elle avait raison. Le lendemain, en arrivant à l'hôpital, nous apprîmes que le Dr Goldman avait prescrit une transfusion sanguine. Je lui téléphonai du chevet de ma mère et lui dis tout net :

— Elle n'en veut pas.

— Cela lui fera beaucoup de bien. Elle est anémique.

— Je sais. Mais elle ne veut plus qu'on essaie de la prolonger.

Je regardai ma mère, qui approuva de la tête, et ajoutai :

— Elle veut... qu'on laisse faire les choses.

— Je comprends ce que vous me dites, Betty. Mais, qu'on fasse une transfusion ou pas, votre mère en a encore pour quelque temps, qu'elle le veuille ou non.

La transfusion permettra quand même de lui redonner un peu d'énergie.

— Bon, je vais lui dire ça...

Mais ma mère secoua la tête et répondit :

— Je n'en veux pas, je n'en veux pas !

La transfusion ne se fit donc pas, mais son état s'améliora tout de même. Ses douleurs diminuèrent — on put lui supprimer le Demerol dès le lendemain — et, grâce à la perfusion, elle cessa de se déshydrater. Mais à mesure qu'elle reprenait des forces physiques, son moral se transformait aussi : elle n'était plus dépressive mais colérique.

Elle se mit à parler brutalement à l'aide-soignante qui venait prendre sa tension, à crier après Shany, et moi-même, je ne fus pas épargnée : quand je revins, plus tard dans la journée, avec un peu de talc qu'elle m'avait demandé de lui apporter, elle ouvrit le sachet et répandit la poudre sur son lit en grognant :

— C'est trop peu, je t'avais dit d'en prendre plus. Ça me ferait tout juste un jour.

Cela ne lui ressemblait pas. Et lorsqu'on amena dans la chambre une autre malade — une femme d'une soixantaine d'années, charmante, raffinée, dont nous apprîmes qu'elle était également atteinte d'un cancer —, ma mère, au lieu de s'enquérir de tous les détails de son existence comme on aurait pu s'y attendre, lui dit à peine bonjour.

Je finis par lui dire qu'elle paraissait irritée. Elle me regarda avec étonnement et je crus qu'elle allait protester du contraire. Au lieu de quoi, elle répondit :

— C'est vrai.

— Mais contre qui ?

Elle parut à nouveau surprise. Je demandai :

— Contre moi ?

— Quelle question stupide ! Pourquoi est-ce que je t'en voudrais ? Non, je suis en colère parce que je me sens coincée.

— Comment ça, coincée ?

— Coincée, quoi ! Obligée de continuer à vivre. Je n'ai plus envie de continuer et je ne vois pas pourquoi je n'aurais pas le droit d'en sortir. En plus, on n'arrête pas de me dire que j'ai l'air en pleine forme et que tout va très bien. Des fois, j'ai failli me retourner pour voir à qui on pouvait bien dire des choses pareilles. Je me sens fichue et je ne pense qu'à ça. Plus ou moins fort, bien sûr. Mais tous ces médecins sont incapables de comprendre ce qu'on ressent vraiment quand on est dans cet état. Ils ne pensent qu'à ta tension, à ta température, aux dimensions de la tumeur. Quand tu leur parles de toi, c'est simple, ils ne t'entendent pas. Surtout, bien sûr, quand tu leur expliques que tu voudrais avaler quelque chose pour en finir.

— Ils ne savent probablement pas comment réagir quand un patient leur tient de tels propos.

Tout en faisant cette réponse, je pensais en fait à autre chose : elle voulait vraiment en finir. Oui, elle le voulait. Comment était-ce possible ? Ma mère, vouloir mourir ?

Elle continua, secouant la tête :

— Ces médecins... Par exemple, cet assistant du Dr Goldman qui est passé ce matin, j'ai oublié son nom. D'ailleurs, maintenant, j'oublie tout. Enfin, il est venu et il s'est assis juste là, à côté de mon lit. A vrai dire, c'était gentil de sa part. Les autres médecins restent debout. S'asseoir, c'est déjà presque engager une conversation. Tandis qu'en les voyant debout autour de soi, on a toujours l'impression qu'ils n'attendent que de pouvoir repartir. Tu te souviens comment faisait le Dr Burns ? Non, vraiment, quand ils restent debout je n'arrive plus à me souvenir de ce que je voulais leur demander. Remarque, ce n'est pas si grave. J'en ai assez de toutes ces questions et de toutes ces réponses. Mais, attends voir, qu'est-ce que je voulais te dire ? J'ai oublié de quoi j'étais en train de parler. Tu vois, je perds la tête.

— Mais non, tu ne perds pas la tête, maman. Tu m'expliquais pourquoi tu te sentais tellement en colère.

— Ah oui, c'est vrai. Eh bien, c'est cet assistant du Dr Goldman, dont le nom m'échappe. Donc, il s'est assis et il a commencé le petit train-train habituel, comment ça va, etc. J'ai répondu : Comment trouvez-vous que je vais ? Pourquoi ne me donnez-vous pas un cachet pour que tout ça s'arrête ? Pourquoi, pourquoi ? Écoute ce que je lui ai dit : On exécute bien les assassins ! Tu sais, ce livre de Norman je-ne-sais-plus-quoi à propos d'un criminel qui voulait absolument passer à la chaise électrique ? On lui a dit bon, d'accord. Alors, pourquoi à lui et pas à moi ?

— Maman, qu'est-ce que tu veux qu'ils fassent ? Te mettre en prison et te faire passer à la chaise électrique ?

— Mais non, je ne leur en demande pas tant. Ni prison, ni chaise électrique. Ils pourraient faire ça ici même. Une simple piqûre, et voilà tout ! Ce médecin que j'ai bien aimé, celui qui s'assied, il m'a dit : « Madame Rollin, vous êtes une femme intelligente et vous êtes pleine de vitalité. Pourquoi donc voulez-vous mourir ? » Est-ce que tu as déjà entendu une telle stupidité ? Pleine de vitalité, moi ? C'est ça qu'il appelle de la vitalité ? J'ai déjà un pied dans la tombe ! Mon seul problème, c'est d'y mettre l'autre... Mais attends, voilà un autre médecin qui arrive !

En me retournant, j'aperçus un interne. A voir sa mine, on aurait cru qu'il était plus malade que ma mère. Il tenait une seringue à la main.

— Tu vois, dit ma mère, ils ne me laissent pas tranquille un moment.

L'interne eut un sourire hébété et s'approcha du bras de ma mère.

— Fermez le poing, s'il vous plaît.

— Encore une prise de sang, commenta ma mère. Ils n'arrêtent pas de m'en faire, je me demande comment il peut encore m'en rester.

Elle considéra l'interne, qui avait du mal à trouver la veine, et lui demanda :

— Vous ne pouvez pas mettre un peu de poison là-dedans ?

— Arrête, maman ! C'est un interne, il ne fait que son travail.

Ma mère prit son air de petite fille désolée et lui dit :

— Excusez-moi... Aïe ! Tu vois, ils te font mal, mais ils refusent de te tuer !

Il devenait impossible de l'arrêter. A la fin de l'après-midi suivant, son téléphone tomba en panne. Un réparateur vint examiner l'appareil, le démonta mais, je ne sais pourquoi, partit sans l'avoir rebranché. Quelques minutes plus tard, une infirmière au visage de madone, mais bâtie comme un rugbyman, entra dans la pièce. En voyant le téléphone, elle beugla (d'une voix mieux en rapport avec sa corpulence qu'avec sa physionomie) :

— Qu'est-ce que c'est que ça ?

Je lui expliquai toute l'affaire, et elle se pencha vers l'objet comme si ç'avait été un crotale prêt à bondir.

— Je ne veux pas toucher à ça, il y a de quoi s'électrocuter !

Ma mère, qui jusque-là somnolait, ouvrit les yeux et dit, de sa voix faible et rauque :

— Moi, je vais y toucher ! Passez-le-moi, je vais y toucher !

Mais l'infirmière ne l'entendit pas. Elle était déjà sortie de la chambre et n'eût d'ailleurs pas compris la plaisanterie de ma mère. Mais n'était-ce qu'une plaisanterie ?

Le soir même, un de nos amis, romancier, accepta de monter sur la brèche.

Il téléphona à un médecin et lui expliqua qu'il écrivait une nouvelle dans laquelle le personnage principal souhaitait se suicider. Cependant, précisa-t-il, ce personnage avait des problèmes digestifs graves et ne pouvait pas avaler de cachets ; il n'avait pas non plus la possibilité d'utiliser une arme à feu ou une automobile. Dans ce contexte, quelle solution pouvait-il choisir ?

Le médecin, sans doute ravi d'être consulté pour un motif littéraire, suggéra immédiatement deux solutions : la déshydratation, ou bien l'injection d'air dans une veine.

Le Dr Goldman m'avait clairement laissé entendre que la mort par déshydratation était trop effroyable pour être envisagée, mais je voulus en avoir le cœur net. Prenant à mon tour la littérature pour prétexte, j'appelai un autre médecin. Il me confirma sans hésitation ce qu'avait dit le Dr Goldman : la déshydratation ne pouvait pas convenir. Même si le processus se déclenchait spontanément — en l'occurrence : même si le système digestif de ma mère se déréglait à nouveau, entraînant une déshydratation naturelle —, en l'absence de soins elle se trouverait dans un état « extrêmement pénible ». Je songeai bien un instant que ma mère aurait peut-être le courage d'affronter une telle situation ; pour ma part, je n'aurais pas celui d'y assister. Ce médecin ajouta qu'elle sombrerait ensuite dans le coma et perdrait le contrôle de ses fonctions physiologiques. Comment diable aurions-nous pu supporter une telle situation ? Pis encore, il m'expliqua que l'agonie pouvait se prolonger des jours entiers, voire des semaines. Plus il parlait, plus tout cela me paraissait atroce.

L'idée de la bulle d'air semblait donc bien meilleure. Mais qui ferait la piqûre ?

— C'est tout simple, dis-je à Edouard. Il suffit de trouver quelqu'un qui accepte d'être inculpé de meurtre...

— Peut-être pourrait-elle le faire elle-même ? répondit-il. Nous avons des seringues.

— Elle ne sait pas faire une piqûre.

— Elle pourrait apprendre.

— Qui va lui montrer comment procéder ?

— Une infirmière, par exemple. N'avons-nous aucune infirmière parmi nos relations ?

De fait, nous connaissions quelqu'un qui avait été infirmière. Ce n'était pas à proprement parler une amie, mais tout de même la sœur d'un ami. Celui-ci appela donc sa sœur. Puis il nous informa du résultat de sa démarche : elle-même comprenait bien notre situation et aurait accepté de nous aider ; mais elle était mariée à un psychanalyste qui, dès qu'il eut eu vent de l'affaire, décréta que c'était hors de question. Notre ami ajouta que ce psychanalyste avait demandé si ma mère se sentait déprimée et proposé, si tel était le cas, un traitement approprié.

Il ne me parut pas utile de raconter à ma mère tout cela par le menu. Je ne tenais pas à ce qu'elle passe son temps, allongée sur son lit, à se représenter de manière précise les différentes sortes de mort qui pourraient lui être accessibles. Elle n'insistait d'ailleurs pas trop pour que je lui fournisse des détails, une vue d'ensemble paraissait lui suffire. Elle me demandait « Comment ça avance ? » ou bien « Il y a du nouveau ? », sur le même ton que si elle avait simplement voulu savoir quel nouveau reportage on me proposait à la télévision.

Et je répondais :

— Tout va bien.

Je ne voulais pas non plus qu'elle reste là allongée à se dire que les choses n'avançaient pas. Même si c'était vrai.

Quand j'allai la voir à l'hôpital le lendemain, notre conversation se déroula sur le même ton que d'habitude. Mais elle aborda aussi un aspect de la question dont nous n'avions encore jamais parlé :

— J'espère que ce que vous ferez ne vous créera pas d'ennuis, dit-elle en me regardant dans les yeux. Sinon, je préfère que vous y renonciez.

— Ce n'est pas un délit que de se renseigner, répondis-je.

Elle eut un air sceptique.

— Tu en es sûre ?

— Mais oui !

C'était la vérité. En revanche, si nous parvenions effectivement à trouver un moyen pour l'aider à mourir et à nous en servir — ce qui n'était encore nullement acquis —, alors oui, je le savais, nous pouvions avoir des ennuis. Peut-être.

De toute manière, il n'était pas encore temps de s'en préoccuper. Et Edouard semblait du même avis que moi.

— Nous ferons tout ce que nous pourrons, me dit-il, et après, si nous avons des problèmes, eh bien nous aurons des problèmes !

Et nous pensions confusément que, même ainsi, ce serait encore une chance.

Chapitre 18

6 octobre. Le lendemain matin, quand j'arrivai à l'hôpital, deux détails me sautèrent aux yeux. Ma mère n'était plus sous perfusion. Et elle tenait à la main quelque chose qui ressemblait à un sandwich. Un sandwich au poulet, me sembla-t-il. Certes, le temps aidant, j'aurais dû être habituée à voir la situation évoluer. Le cancer est une maladie capricieuse, et les tumeurs peuvent être plus douloureuses certains jours que d'autres. Je le savais parfaitement. Tout de même, un sandwich au poulet !

On avait ouvert le rideau séparant le lit de ma mère de celui de sa compagne de chambre. Celle-ci déjeunait également, et l'on aurait dit deux femmes du monde au Palm Court de l'hôtel Plaza. Au moment où j'entrai dans la pièce, ma mère disait (la bouche pleine, eh oui, la bouche pleine !) :

— Votre fils a quelque chose de mon gendre. Je devrais plutôt dire mon fils, parce que...

Je restai stupéfaite. Ma mère me présenta sa voisine, la même qu'elle avait si mal accueillie la veille. Je la saluai d'un signe de tête, embrassai maman, puis, comme elles étaient en pleine conversation, les priai de m'excuser et sortis dans le couloir. Il me fallait un peu d'espace, après l'incroyable scène à laquelle je venais d'assister. J'avais besoin de réfléchir. Mais par où commencer ? Ma mère mangeait. Dès lors qu'elle y parvenait, elle serait également en mesure d'avaler des cachets. Cependant, à la voir déjeuner avec autant d'entrain et bavarder gaiement avec cette autre femme, comment penser qu'elle souhaiterait encore avaler des cachets ? C'était impensable, totalement impensable. Je parcourais le couloir d'un pas très lent mais, dans mon esprit, tout se bousculait.

En définitive, toute cette histoire de suicide avait quelque chose d'irréel, de théâtral, d'excessif. C'était comme un problème d'échelle géométrique : le suicide paraissait un acte disproportionné pour une petite bonne femme telle que maman. Quand j'arrivai au bout du couloir, tout me semblait clair et net. Nous continuerions à nous renseigner : autant valait essayer de savoir « où était la sortie », comme elle disait, et lui éviter de se sentir emprisonnée par l'existence. Mais, tout à coup, il était devenu absurde de penser qu'elle ouvrirait pour de bon cette porte de sortie et qu'elle la franchirait.

Quand je retournai dans la chambre et que je la revis, l'air heureux, comme lorsqu'elle était en bonne santé, je me sentis confirmée dans cette façon de voir. Elle ressemblait de nouveau à ma mère, pas à un être désireux de mourir. Je me dis que nous allions certainement découvrir une meilleure solution. Je rappellerais Hospice, et puis on verrait bien. Assise près de son lit, je retrouvai une sérénité que je n'avais pas ressentie depuis des semaines. C'était comme si on m'avait retiré des mains un gros paquet émettant un inquiétant tic-tac.

Sa compagne de lit s'était levée et avançait lentement vers la porte.

— Vous voyez, Phyllis, lui dit ma mère avec un sourire d'encouragement, vous arrivez à marcher beaucoup mieux qu'hier.

Mais dès que l'autre femme fut sortie, ma mère changea de visage.

— J'arrive à manger, me dit-elle en soulevant son plateau comme une pièce à conviction de première importance, j'arrive à digérer. J'ai fait exprès d'avaler ce sandwich, et je sais que j'arriverai à le garder dans l'estomac. Sinon, je le sentirais déjà.

Je ne répondis pas. Ma mère, toujours son plateau à la main, gardait les yeux fixés sur moi.

— Est-ce que tu comprends ce que cela signifie ? J'arrive à manger. Mon système digestif s'est remis à fonctionner, le Dr Goldman me l'a assuré. Il était bloqué, mais il s'est débloqué. Je peux de nouveau manger. Par conséquent, je peux aussi avaler des cachets.

Je hochai la tête péniblement.

— Maman... est-ce que tu veux dire que... est-ce que tu veux toujours...

Elle répliqua, l'air contrarié :

— Mais bien sûr !

— Pourtant, tu as l'air tellement mieux...

J'étais au bord des larmes. Elle dut le sentir, car elle prit un tout autre ton pour me dire :

— Ma chérie, aujourd'hui c'est une bonne journée, mais ça ne veut rien dire du tout. La tumeur est toujours là, elle me laisse seulement un peu de répit. C'est très bien, et Dieu veuille que ça dure quelques jours. Mais en réalité rien n'a changé.

— Comment peux-tu savoir que rien n'a changé ?

— J'ai posé la question au Dr Goldman.

— Quand ça ? Et qu'a-t-il répondu ?

— C'était ce matin, juste après le petit déjeuner. Oui, je ne te l'ai pas dit mais j'ai aussi pu avaler mon petit déjeuner. Presque un demi-bol de céréales, un peu de jus de fruits et de café. Plus que je n'avais mangé depuis quinze jours ! Alors, je lui ai demandé ce qui se passait, parce que cette impression de redevenir quelqu'un de normal, après...

— Qu'a-t-il répondu ?

— Eh bien, il a toussoté, bafouillé, tourné autour du pot... Au bout du compte, il m'a expliqué que j'allais me sentir mieux pendant un jour, peut-être quelques jours, il n'a pas été plus précis, mais que la tumeur était toujours là et qu'elle avait plutôt tendance à grossir. Ils m'ont fait une radio hier, j'ai cru mourir tant la salle, en bas, était glaciale. Ç'aurait été aussi bien... Enfin, je ne suis pas morte. Mais la tumeur, elle, est toujours là, et elle ne tardera pas à revenir me presser l'intestin, à bloquer tous mes boyaux et à me remettre dans un état épouvantable. Ce qu'il m'a dit ne m'a pas surprise ; tu sais que ta mère n'a jamais cru aux miracles. Simplement, j'en ai conclu que le mieux était de quitter cet hôpital au plus vite, parce qu'ici je n'aurai aucun moyen de faire ce qu'il faut. Tu me suis ?

— Non, enfin si, je te suis... Tu voudrais donc toujours qu'on te trouve des comprimés ?

— Mais bien entendu ! Seulement, il faut d'abord que je sorte d'ici. Le Dr Goldman a dit que ce serait peut-être possible demain.

— Tu lui as aussi demandé ça ?

— Hé oui ! Il n'en a tiré aucune conclusion, il sait parfaitement que je déteste l'hôpital.

Le soir même, nous reprîmes sérieusement nos recherches. Je commençai par relire le livre de Humphry, mais les renseignements qu'il donnait n'étaient pas suffisamment précis pour nous. J'y appris tout de même que quinze comprimés de Dalmane (quantité dont ma mère disposait toujours, car maintenant on soulageait ses souffrances au moyen de piqûres) ne seraient pas suffisants. Humphry cite un autre ouvrage, selon lequel il serait nécessaire de compter au moins vingt comprimés de Dalmane à trente milligrammes et « en conjugaison avec d'autres méthodes ». Lesquelles, malheureusement, n'étaient pas spécifiées.

En poursuivant ma lecture, je tombai sur l'histoire — que je relus deux fois — d'une femme qui s'était suicidée en prenant un gramme et demi de Seconal, dose présentée comme le « minimum létal ». Cette personne était toutefois « peu corpulente et de constitution fragile ». Ce n'était pas le cas de ma mère ; son visage s'était certes émacié mais elle était toujours bien en chair, même après avoir perdu plus de dix kilos.

D'une certaine manière, les chapitres du livre qui nous furent les plus utiles — et qui nous inquiétèrent aussi le plus — étaient ceux où l'auteur parlait de tentatives de suicide manquées. Cette femme qui avait succombé au Seconal, par exemple, avait d'abord essayé le Dalmane mélangé à du whisky, mais elle en avait absorbé une dose insuffisante et s'était retrouvée à l'hôpital, où on lui avait fait un lavage d'estomac. Je lus cette anecdote à Edouard et nous nous jurâmes que si nous accomplissions pareille chose pour ma mère, ce ne serait qu'à coup sûr.

Je repris également mes appels téléphoniques. Le livre de Humphry nous avait apporté des éléments importants, mais il nous semblait risqué de pousser les choses plus loin sans demander conseil à un médecin. Ayant épuisé la liste de ceux que nous connaissions à New York, nous appelâmes des praticiens de la côte Ouest. J'eus un moment d'espoir en obtenant au bout du fil un chef de clinique que je connaissais à Los Angeles. Je m'étais dit qu'il n'aurait pas d'objection de principe sur notre projet, et je le pense toujours. Mais quand nous en vînmes à poser le problème en termes concrets, je sentis qu'il n'était pas disposé à se compromettre.

— Tu pourrais essayer cent milligrammes de barbituriques...

Il avait prononcé cette phrase avec une telle précipitation que je dus la lui faire répéter.

— Combien de milligrammes ? Harry, je n'ai pas bien entendu. Cent ou cinq cents milligrammes ?

— Oui, c'est ça, exactement. Écoute, je serais heureux de te rendre service, mais, tu vois, j'ai un patient qui vient d'arriver et...

— Bien sûr, Harry. Je comprends. Merci de ton renseignement, merci beaucoup.

— Non, non, il n'y a vraiment pas de quoi.

Et il raccrocha.

Je dis à Edouard :

— Je ne leur en veux pas. Pas du tout. La loi leur interdit de donner ce genre d'informations, et ils ont peur des conséquences. Harry, j'aurais envie de l'étrangler. Mais je le comprends.

C'est ainsi que nous cessâmes nos recherches auprès des médecins. Mon coup de téléphone suivant fut pour une amie dont le père était pharmacien. Elle n'ignorait rien de la maladie de ma mère et m'assura être prête à tout faire pour m'aider. Par exemple, et sans hésitation, à appeler son père pour lui demander les informations dont nous avions besoin.

— Fais bien attention, lui dis-je, de ne pas laisser croire à ton père que nous attendons qu'il nous fournisse les substances nécessaires. Nous voulons seulement savoir. Savoir ce qui pourrait marcher.

Notre amie était si désireuse de nous aider qu'elle décida de raccrocher et de téléphoner immédiatement à son père.

— Je te rappelle dans cinq minutes.

Elle nous rappela une heure plus tard, pour nous apprendre qu'au terme d'une longue discussion, son père avait déclaré qu'en aucun cas il ne fournirait de tels renseignements. Il lui en voulait même d'avoir insisté. Tout ce qu'il avait trouvé à proposer, c'était que ma mère demande à son médecin des antalgiques et des antivomitifs...

Mon amie était manifestement navrée de ce piètre résultat.

— Vraiment, je suis désolée. Jamais je n'aurais pensé que mon père réagirait de cette manière. J'ai d'abord cru qu'il n'avait pas compris. Mais, en fait, c'est plutôt qu'il ne voulait pas comprendre. Je lui ai expliqué la situation en large et en travers. A la fin, je l'ai mis au pied du mur, et alors il s'est emporté. Vraiment, je n'arrive pas à croire que...

— Ne t'en fais pas, répondis-je. Et merci, vraiment, d'avoir essayé. Nous t'en serons toujours reconnaissants.

Je raccrochai et m'effondrai dans un fauteuil. Edouard fit de même, de l'autre côté de la pièce, et nos regards se croisèrent.

— Et maintenant ? demandai-je.

— Je ne sais pas. J'ai encore feuilleté le livre de Humphry. C'est vrai qu'il permet de se faire une idée de ce qu'elle pourrait prendre, mais tous les médicaments qu'il cite exigent une dose importante. De façon générale, il faut plusieurs grammes, alors que les cachets ne contiennent qu'un certain nombre de milligrammes. Autrement dit, il faudrait aller, pour certaines substances, jusqu'à quarante ou cinquante comprimés. Bien sûr, elle digère mieux maintenant, mais dans quelle mesure ? Et puis il y a un autre problème, à savoir que nous n'avons pas ces médicaments et que je ne vois pas bien comment nous pourrions nous les procurer.

— Peut-être avons-nous fait fausse route : si on oubliait les médecins et qu'on cherche du côté des gens qui consomment ce genre de médicaments et qui en ont chez eux ?

— Tu en connais ?

— Non. Et zut ! Je ne vois pas même quelqu'un autour de nous qui prendrait du simple Valium... Oh, attends !

Je me redressai sur mon siège.

— Je viens de penser à quelqu'un. Maryanne.

— Maryanne ? Elle n'a vraiment rien d'une camée.

— Non, bien sûr. Mais souviens-toi qu'elle a fait un cancer — de l'utérus, j'imagine — et qu'elle a pris des antalgiques forts. Je sais qu'elle en a toujours, elle me l'a dit.

— Appelle-la.

— Oui, je vais l'appeler, mais il faut voir comment je peux le faire sans trop la troubler. Elle n'est pas aussi gravement malade que ma mère, loin de là, mais elle a connu de sales moments et je ne voudrais pas lui donner des idées de ce genre...

— Tu as tort de t'en faire, à mon avis. Au point où elle en est maintenant, elle doit plutôt chercher à vivre qu'à mourir.

J'appelai donc mon amie Maryanne, qui réagit de façon magnifique et même exubérante. Dans sa hâte d'aller voir ce qu'elle avait encore dans son armoire à pharmacie, elle renversa son téléphone qui tomba à terre.

— Oh, tu m'entends, tu m'entends ? Excuse-moi, juste une minute, d'accord ? J'en ai pour un instant, je suis absolument sûre que j'ai ce qu'il faut. Mes pauvres ! Mais vous avez raison. Écoute, j'y avais pensé pour moi aussi — simplement pensé, je veux dire. Bon, maintenant, attends un peu, juste le temps que j'aille voir.

Après un instant :

— Voilà, j'ai ramassé tout ce que j'ai et je vais te lire les notices. Le premier s'appelle Percodan. Percodan, tu notes bien ? Et puis un autre. Dil-au-dil. Dilaudil, d'accord ? Bon, alors, j'ai aussi un truc qui s'appelle Lev-o...

Elle continua à m'énumérer tous les médicaments qu'elle avait trouvés, en précisant chaque fois les dosages recommandés. Ensuite, elle répandit sur la table le contenu de tous les flacons, pour compter exactement combien de comprimés il lui restait de chaque spécialité.

— Je peux te donner tout ce que j'ai ici, conclut-elle. Mon médecin me fera une nouvelle ordonnance, sans aucun problème. Est-ce que tu veux que je vienne t'apporter tout ça ? Rien de plus facile, vraiment, je t'assure que ça ne me dérangerait absolument pas !

Il est parfois étrange de découvrir quelles sont les personnes réellement prêtes à vous apporter leur aide. Maryanne n'était pas vraiment une amie proche. Nous nous étions bien connues quand nous étions célibataires. Après mon mariage avec Edouard, j'avais essayé de poursuivre mes relations avec elle, mais avec un succès tout relatif. Et, depuis deux ans, je l'avais à peine revue. Quand j'avais appris qu'elle était malade, je lui avais téléphoné, mais elle m'avait répondu sur un ton si tranquille que je m'étais contentée de la rappeler de temps à autre. Maryanne n'était pas faite pour jouer le rôle d'une grande malade. Jamais, depuis que je la connaissais, je n'avais vu personne se fâcher avec elle. Maryanne était quelqu'un d'adorable, quoique un peu difficile à comprendre. Généralement vêtue de longues robes exotiques, elle aimait à recueillir toutes sortes de chiens ou de chats perdus, ainsi que des gens un peu paumés, et paraissait se soucier bien plus des problèmes des autres que de ceux qu'elle aurait pu avoir elle-même.

La voix enrouée de reconnaissance, je répondis :

— Maryanne, c'est tellement gentil de ta part ! Je ne crois pas urgent que tu nous apportes ces comprimés, mais j'ai noté tous les noms des médicaments et je te rappellerai dès que je saurai ce qui pourrait nous être utile. Vraiment, Maryanne, je trouve magnifique que tu sois prête à nous les donner. Ce n'est pas seulement un coup de main, c'est... c'est...

— Enfin, ne dis pas de bêtises ! Je t'ai bien dit que j'avais déjà pensé à cette solution pour moi-même, non ? Je veux dire : tout va bien maintenant, je suis en pleine forme, mais imagine que ça change, que je me retrouve dans un état dramatique, sans espoir d'en sortir ? Si cela arrivait, je voudrais aussi... enfin, je voudrais au moins savoir comment arrêter ce cauchemar. Non ? A propos, si tu as envie de parler de ce problème avec quelqu'un, je connais le médecin idéal.

— Non, c'est vrai ?

— Il est merveilleux. C'est un vieux copain et il sera d'accord avec ce que vous avez l'intention de faire. Je sais qu'il a déjà aidé d'autres gens dans le même cas. Tu devrais l'appeler.

— Et comment ! Maryanne, c'est exactement ce que nous cherchions, un médecin prêt à nous aider. Je ne sais comment te dire... Maryanne ! C'est quelqu'un à qui tu fais confiance, absolument confiance ?

— Que veux-tu dire ?

— Est-ce qu'il sait vraiment de quoi il parle ? S'il nous dit comment faire, pourrons-nous être sûrs qu'il ne se trompe pas ?

— Aucun problème. Il a soixante-sept ans, tu vois le genre ? Je ne connais personne au monde de plus honnête, de plus chic, de plus sensible, de plus digne de confiance que cet homme-là. Tu peux me croire. En plus, avant de quitter les États-Unis, il dirigeait le département de médecine générale de je ne sais plus quel important hôpital de Chicago...

— Il a quitté les États-Unis ?

— Il habite Amsterdam. Il est américain. De Louisville, pour être précise. Mais cela fait quelques années qu'il est allé s'installer là-bas.

— Mon dieu, mais c'est affreux !

— Et pourquoi donc ? Tu peux aussi bien l'appeler là-bas, non ?

— En Hollande ?

— Et alors ? Je vais te donner son numéro.

En effet, pourquoi ne pas téléphoner en Hollande aussi bien ? Nous apprîmes par les renseignements internationaux que le décalage horaire avec les Pays-Bas était de sept heures. Il était donc trop tard pour appeler tout de suite. Nous réglâmes la sonnerie du réveil sur trois heures du matin, mais nous nous réveillâmes avant. Je m'assis dans le lit, toute frissonnante, et m'emparai du téléphone pendant qu'Edouard refermait la fenêtre, enfilait son peignoir et s'asseyait dans le fauteuil à côté du lit. Il régnait un silence si impressionnant que je restai quelques secondes à tendre l'oreille avant de me décider à composer le numéro.

Comme toujours quand je suis énervée, je commençai par trop parler. Je racontai tout et n'importe quoi à ce médecin, depuis ce que ma mère avait mangé la veille jusqu'aux médicaments que Maryanne avait dans sa pharmacie. Je parvins enfin à ralentir mon débit et à poser quelques questions et mon interlocuteur m'interrogea à son tour. Il parlait posément, sans avaler aucune syllabe, comme si la communication téléphonique n'avait pas été bonne, alors qu'elle était excellente. Sa voix était douce, un peu traînante. On sentait quelqu'un plein de gentillesse, mais aussi de prudence, et cela me plut.

— Depuis combien de temps votre mère est-elle malade ? Se sent-elle déprimée ? Lui est-il déjà arrivé d'être déprimée ? Quel est votre propre état d'esprit en ce moment ? Et celui de votre époux ? Est-ce que votre mère vit toute seule ?

Il posa toutes sortes de questions, d'ordre psychologique, médical, pratique. On aurait cru plutôt une interview qu'une conversation, et à la fin j'eus le sentiment de m'en être bien sortie.

— Je souhaiterais pouvoir réfléchir à tout cela, vérifier certains éléments et vous rappeler ensuite, conclut-il. Il doit être très tard là-bas, vous devriez vous recoucher pour l'instant et, à votre réveil, c'est moi qui vous appellerai. D'ici cinq heures environ. Cela vous convient-il ?

Je répondis que cela nous convenait parfaitement, le remerciai, précisai qu'il pouvait bien sûr appeler en PCV et raccrochai.

— J'ai l'impression que nous allons enfin vers une solution. J'ai bien aimé sa façon de parler. Il m'a paru, disons... solide.

— C'est magnifique, répondit Edouard. Nous y verrons plus clair quand il rappellera. En attendant, on va dormir encore un peu.

Mais je n'arrivai pas à retrouver le sommeil. La nervosité, cet espoir nouveau... J'imaginai par exemple qu'il m'expliquerait que dix comprimés du Percodan de Maryanne feraient parfaitement l'affaire. Mais il me vint aussi des idées moins plaisantes, par exemple qu'aucun médicament ne pourrait convenir et que je devrais me servir d'un revolver. Je me dis même qu'il ne rappellerait peut-être pas du tout. Je finis tout de même par m'endormir. Puis le téléphone sonna. C'était lui.

Cette fois, la communication était moins bonne et je dus faire un effort pour bien comprendre ce qu'il disait. Mais il parlait toujours de façon aussi lente et distincte, et je pus noter ses conseils au fur et à mesure.

— Le Dalmane n'est pas la meilleure substance à utiliser en pareils cas, déclara-t-il d'emblée. Et pas davantage les médicaments dont vous a parlé Maryanne.

Je me sentis sur le point de défaillir. Mais il poursuivit et je notai rapidement le nom du médicament.

— Combien de capsules ?

— A mon avis, vingt capsules de cent milligrammes suffiraient largement. Oui, avec vingt capsules, vous pouvez être certaine d'obtenir l'effet recherché.

— Docteur... Avez-vous une idée de la manière dont on peut s'en procurer ?

— Pas exactement, mais ce ne devrait pas être trop difficile. C'est une des raisons pour lesquelles j'ai pensé à cette solution. Il vous faudra une ordonnance, bien entendu, mais il me semble que le médecin traitant de votre mère vous l'accorderait sans doute. Ce médicament n'est certes pas un remède bénin, mais on y recourt souvent pour combattre l'angoisse et l'insomnie. Votre mère pourrait donc en demander.

— Elle prend déjà du Dalmane, pour ce qui est de l'insomnie. Il faudrait donc qu'elle dise que ce n'est pas assez fort ?

— Exactement.

Je fus loin de me sentir rassurée. J'imaginais mal comment le Dr Goldman pourrait croire une histoire pareille. Vingt comprimés, en plus ! J'avais espéré que dix ou quinze auraient pu suffire.

— Et, pour prendre ces cachets... y a-t-il une façon plus efficace que d'autres ?

— Oui, j'allais justement y venir. Avant tout, il faudrait qu'elle s'abstienne de manger ou boire quoi que ce soit pendant les six heures précédant cette absorption. En revanche, juste avant ce délai de six heures, il serait bon qu'elle ingurgite quelque chose de léger, par exemple du thé et une tranche de pain grillé. Par ailleurs, a-t-elle des antivomitifs ?

— Reglan et Compazine.

— Très bien. La Compazine conviendra parfaitement. Un quart d'heure avant, qu'elle en prenne un comprimé. Cela l'aidera à ne pas recracher les autres cachets. Je répète que ce médicament agit très rapidement et qu'il ne devrait pas y avoir de problème. C'est seulement une précaution supplémentaire. Je vous suggérerais aussi de lui faire absorber en même temps une gorgée d'eau gazeuse. Et puis, ah oui, j'imagine que tout cela se fera chez elle, pas à l'hôpital ?

— Oui. Elle doit ressortir dans un jour ou deux.

— Bon. Au cas où vous rencontreriez une quelconque difficulté, n'hésitez pas à me téléphoner, à n'importe quelle heure. J'ai parlé de cette affaire à mon épouse, de sorte que si vous appelez en plein milieu de la nuit, elle n'ira pas s'imaginer qu'il est arrivé quelque chose d'affreux à l'un de nos enfants...

Il dit cela avec un petit rire et je m'efforçai de rire aussi. Après quoi je balbutiai :

— Comment vous... je vous suis tellement reconnaissante ! Je ne sais pas si je vous ai raconté toutes les difficultés que nous avons eues pour trouver quelqu'un qui accepte de considérer ce problème avec nous...

— J'en suis sûr. Et ne croyez pas être les seuls dans ce cas. Figurez-vous qu'il m'est déjà arrivé plus d'une fois qu'on m'appelle des États-Unis pour des affaires semblables.

— Vraiment ?

— Hé oui ! La médecine moderne a beaucoup fait pour accroître l'espérance de vie, mais le système juridique n'a pas encore su s'adapter aux difficultés qui devaient inévitablement se présenter dès lors que certaines personnes atteignent un âge tel qu'elles n'ont plus le désir de continuer à vivre.

Il s'interrompit, comme pour me permettre d'exprimer mon opinion. Mais je ne dis rien, aussi poursuivit-il :

— Chacun devrait avoir le droit de quitter la vie au moment où il le souhaite, et d'y être aidé si nécessaire. Enfin, je ne vais pas vous enquiquiner avec mes idées là-dessus...

Il conclut cette dernière phrase avec le même rire que je lui avais déjà entendu.

— Si, je vous en prie ! Ce problème m'intéresse.

— Bon. Il faut aussi se souvenir qu'en ce domaine la plus grande prudence s'impose, et à plusieurs niveaux. Ainsi, s'il devenait licite d'aider quelqu'un à se suicider, encore faudrait-il que l'on puisse s'assurer que la personne concernée le désire réellement. Bien entendu, on pourrait recourir pour cela à une sorte de jury, composé de spécialistes de différentes disciplines. Mais je puis vous assurer que la plupart des gens, si malades soient-ils, n'ont pas envie de mourir. Ils veulent vivre, ou, si vous préférez, ils ont peur de la mort. Ce qui est bien évidemment leur droit le plus strict. Il faut donc faire en sorte qu'ils soient assurés de pouvoir rester en vie aussi longtemps qu'ils le désirent.

Il s'excusa d'avoir l'air de donner une conférence, mais continua son raisonnement :

— Par ailleurs, on rencontre aussi le cas de gens qui disent vouloir mourir, mais qui ne le veulent pas vraiment. Par conséquent, il est très important de donner à tout un chacun l'information et l'aide dont il peut avoir besoin, mais il faut aussi que, le moment venu, il puisse conserver la liberté de passer ou non à l'acte. Par exemple, ne soyez pas étonnée si votre mère changeait d'avis. Il est tout à fait possible, je dirais même probable, que les choses se passent ainsi.

— Je... je suis heureuse que vous m'ayez parlé ainsi. Cela m'aidera à mieux comprendre les choses. C'est étrange, savez-vous ? Quand je considère la situation de façon rationnelle, en sachant combien elle souffre, j'espère qu'elle souhaite vraiment en finir. Mais vous me dites maintenant que ce n'est peut-être pas le cas, et cela m'apporte aussi un certain soulagement. C'est comme un jeu de bascule, et ce depuis le début.

— Il est probable qu'il en sera ainsi jusqu'à la fin. C'est bien normal. Vous aimez votre mère et vous ne souhaitez pas qu'elle meure. Mais, du fait même que vous l'aimez, vous êtes amenée à penser que cela vaudrait tout de même mieux. Quoi qu'il arrive, ce sera difficile à supporter. Mais je vous confirme que vous devriez pouvoir résoudre la situation. En tout cas, appelez-moi quand vous voudrez, si vous avez une question à me poser. Je vous souhaite que tout se passe pour le mieux.

Nous avalâmes notre petit déjeuner en toute hâte et prîmes un taxi pour gagner l'hôpital. Je me sentais dans un état bizarre. Ce même genre d'excitation que l'on ressent généralement à l'approche d'un événement heureux. Mais ce n'était pas précisément le cas... Étrange !

J'étais inquiète, aussi. Que faire si elle cessait à nouveau de digérer, si elle n'arrivait plus à avaler quoi que ce soit ? Si, pendant la nuit, quelque chose comme un orage magnétique, dans son organisme, venait tout abîmer à nouveau ? Si... Mais, dès que j'entrai dans sa chambre, je lus sur son visage que tout allait bien. Elle tenait le combiné du téléphone coincé contre l'épaule et disait :

— Mes adorables enfants viennent justement d'arriver. Oui, d'accord. Je vais le leur dire. Je te rappellerai demain.

Elle me tendit le récepteur pour que je raccroche et expliqua :

— C'était Alvin, il vous embrasse.

Alvin... Pauvre Alvin ! Elle ne veut toujours pas qu'il

vienne la voir, alors il l'appelle. Et il continuera sans doute jusqu'à la fin.

Elle paraissait encore en meilleure forme que la veille. Ses joues étaient bien roses et ses yeux presque aussi brillants qu'avant sa maladie.

— Ils me laisseront sortir demain, dit-elle, je n'attends plus que ce moment !

Puis, en murmurant comme une conspiratrice, elle nous intima l'ordre d'approcher.

— Dites-moi où ça en est, avant qu'elle ne revienne.

Et, du doigt, elle désignait l'autre lit, où il n'y avait personne.

— Où est-elle ? demandai-je.

— Dans la salle d'attente, avec son fils. Parlez-moi tout de suite !

Nous lui fîmes un résumé de la situation, mais elle voulait des détails. Pendant que nous les lui donnions, je ne cessai d'observer l'expression de son visage. Peut-être espérais-je y déceler quelque signe de crainte, de terreur, qui aurait voulu dire : « Non, arrêtez, je ne veux pas cela. » N'importe quel signe. Mais je ne perçus rien de tel, et Edouard pas davantage. Je lui avais plusieurs fois demandé son avis sur la question, dès la veille, et je continuai à lui en parler ce jour-là et les jours suivants. Cela devenait un rituel. De la même façon qu'on demande : « Est-ce que tu m'aimes ? », je l'interrogeais maintenant :

— Est-ce que tu penses qu'elle le veut vraiment ?

Je ne précisais presque jamais « qu'elle veut vraiment se tuer ». J'aurais préféré pouvoir le faire, car je n'aime guère pratiquer la litote. Mais jamais de ma vie je n'en avais autant ressenti le besoin. Quand les mots précis venaient à mon esprit, je sentais ma gorge se nouer.

Chaque fois, Edouard répondait, sans laisser paraître la moindre sorte d'impatience : « Oui. » Il alla même une fois jusqu'à préciser, comme il devait sentir que je le souhaitais :

— Oui, je suis persuadé qu'elle le veut vraiment. Et,

même si elle changeait d'avis, il est probable qu'elle restera capable de le faire et qu'elle saura qu'elle en est capable.

Dans le compte rendu que nous fîmes à ma mère, nous ne commîmes qu'une seule erreur tactique : préciser l'heure de nos coups de téléphone à Amsterdam. Ce fut le seul élément qui parut la chagriner :

— Quoi, trois heures du matin ! Et ensuite huit heures du matin ! Mais alors, vous n'avez pas dormi ! Toute une nuit de gâchée... Je comprends — dit-elle en me regardant — pourquoi tu as ces cernes sous les yeux. Mon dieu, qu'est-ce que je fais subir à mes enfants !

Tenter d'arrêter ma mère quand elle se lançait dans ce genre de diatribe était à peu près aussi raisonnable que de croire qu'en se réfugiant sous un porche on contribue à abréger la durée d'un orage. La seule attitude raisonnable est d'attendre qu'il cesse de pleuvoir.

Elle finit par retrouver son calme, mais seulement après avoir laissé éclater un dernier petit coup de tonnerre :

— Je vais vous dire quelque chose, et je ne changerai pas d'avis là-dessus. Je ne veux pas que vous vous occupiez de ça. Je veux le faire toute seule.

Nous restâmes l'un et l'autre ébahis. Jamais nous n'avions encore considéré cet aspect du problème, mais elle nous avait devancés, et de loin. En fait, nous aurions dû nous en douter. Cela lui ressemblait tout à fait. N'avait-elle pas, toute sa vie durant, préparé dès le vendredi les couverts pour le goûter du samedi ? De même, elle avait mûrement réfléchi à la chose et, si elle venait seulement d'apprendre ce qui serait au menu, la liste des invités, en revanche, était dressée depuis longtemps.

— Je ne veux pas non plus de Shany, elle risquerait de vouloir m'empêcher...

Edouard et moi nous tenions là, au pied du lit, et l'écoutions abasourdis. Elle allait trop vite pour nous permettre de suivre. Après un instant de silence, Edouard lui dit, du même ton ferme et tranquille qui était toujours le sien :

— Ida, je serai à votre côté.

Ma mère secoua la tête pour refuser cette idée.

J'intervins à mon tour :

— Mais enfin, qu'est-ce que tu crois ? Nous serons là tous les deux ! Ne sois pas ridicule, maman ! Crois-tu que nous...

Edouard leva les bras pour nous faire taire l'une et l'autre et reprit :

— Écoutez, nous pourrons en discuter plus tard. De toute façon, nous n'avons pas encore trouvé ce qu'il nous faut, et c'est à ça qu'il faut penser d'abord. En fait, nous avons besoin d'une ordonnance du Dr Goldman.

— Et si je la lui demandais, tout simplement ? demanda ma mère.

— Maintenant ?

Nous la fixions des yeux. Là encore, elle avait réfléchi plus vite que nous.

— Et pourquoi pas ? Je rentre demain, c'est une excellente occasion. Il me donne toujours des ordonnances quand je sors de l'hôpital. Un produit de plus ou de moins... Où sont mes lunettes ? Ah, voilà. Ma chérie, donne-moi un papier et un crayon, je voudrais noter le nom de ... Tu as dit... (Elle écrivit le terme, puis ajouta :) Maintenant, passez-moi le téléphone et regardez dans le tiroir. Le numéro du Dr Goldman, à son cabinet, se trouve quelque part dans un petit carnet Oui, c'est ça !

Après quoi elle composa le numéro et, dès qu'elle eut le Dr Goldman au bout du fil, se lança dans une étonnante improvisation :

— Oui, très bien, je vais très bien. Enfin, pas si bien que ça, mais ça va mieux, beaucoup mieux... Oui, j'ai très envie de rentrer à la maison... Docteur, voudriez-vous faire quelque chose pour moi, je vous prie ?

A cet instant-là, mais il ne dura presque pas, sa voix monta d'un cran et se fit un peu théâtrale.

— Apparemment, j'ai de plus en plus de mal à dormir depuis quelque temps, et je me demandais si avant mon départ de l'hôpital vous ne pourriez pas me prescrire un médicament un peu plus puissant. Vous savez, il m'est déjà arrivé d'avoir ce genre de problèmes et à cette époque mon médecin m'avait prescrit quelque chose de formidable...

Elle tenait devant elle le papier où elle venait d'écrire.

— Voilà, c'est comme ça que ça s'appelait. Vraiment, vous seriez adorable de me faire une ordonnance pour ça !

Je mis ma main dans celle de mon mari et la serrai de toutes mes forces.

— Ah ! très bien, merci infiniment. Oui, oui, ça va. Et demain ça ira encore mieux.

Elle me tendit le combiné comme si j'avais été sa secrétaire, et elle-même une importante productrice de cinéma venant de conclure un contrat de toute première importance. Puis, d'une tout autre voix, beaucoup plus grave que celle qu'elle avait eue en appelant le Dr Goldman, elle nous dit :

— L'ordonnance sera prête à temps pour mon retour.

Nous entendîmes soudain du bruit derrière nous. C'était la compagne de chambre de ma mère qui revenait, s'appuyant péniblement au bras de son fils.

— Oh ! J'espère que je ne vous dérange pas ! dit-elle.

— Pas du tout, ma chère, répondit ma mère d'un air enjoué. Vraiment pas du tout. Nous faisions simplement quelques projets pour demain. D'ailleurs, j'ai toujours adoré faire des projets. Pas vrai, ma chérie ?

Elle me posait la question comme si elle avait été tout à la fois comédienne, réalisatrice du film où elle jouait, présidente de la société de production... bref, général d'armée.

Chapitre 19

10 octobre. Nous avions gagné quant à la question de savoir si nous devrions être présents ou non lorsqu'elle avalerait ses comprimés. La bataille n'avait pas été trop rude car elle ne demandait sans doute — et cela se conçoit — qu'à la perdre.

Ce soir-là, je pris l'avion pour Boston. *Nightline* m'avait confié un reportage sur les réactions des enfants vis-à-vis de l'hypothèse d'une guerre nucléaire. Or, certaines écoles de Boston consacraient des cours à cette question. C'était peut-être une initiative discutable. A vrai dire, je ne me souviens plus guère de cette enquête. Tout ce que je sais, c'est qu'on m'avait assuré qu'elle ne me prendrait qu'une journée. J'avais perdu un temps fou sur l'émission consacrée aux enfants maltraités — à tel point que je n'avais pu la terminer seule — et, maintenant que ma mère semblait sur le point de mettre à exécution son projet (je n'employais jamais ces termes-là, même quand je me parlais toute seule), il était probable que je refuserais la prochaine mission qu'on voudrait me confier. C'est pourquoi je m'étais dit qu'il valait la peine d'accepter celle-ci.

J'ignore pourquoi je ne me sentais pas plus inquiète que cela à l'idée que je risquais de perdre ma situation. Il est vrai que ce travail n'exigeait guère de présence au bureau. En général, on m'appelait chez moi pour me confier telle ou telle enquête. Ma présence ou mon absence ne faisaient donc pas l'objet d'une attention particulière. Cependant, la productrice de l'émission attendait que je propose des idées nouvelles — ce que j'avais toujours su faire jusque-là — et que l'on sente chez moi, au moins de temps en temps, un vrai tempérament de reporter. Mais on avait dû s'apercevoir, même quand j'allais au bureau, que le cœur n'y était plus.

Presque personne, parmi mes collègues, n'était au courant de la maladie de ma mère. D'ailleurs, ce n'était en aucun cas une raison valable de tirer au flanc. Mais je réussis, apparemment, à dissimuler combien mon travail avait cessé de m'intéresser.

Quant à cette absence d'inquiétude, je crois qu'elle tenait simplement à une surcharge mentale. Il n'y avait plus assez de place dans mon esprit pour des soucis concernant d'éventuelles difficultés avec ABC News.

Cette enquête sur la peur du nucléaire se déroula fort bien, mais pas spécialement grâce à moi. C'est le genre de choses qui se font un peu toutes seules : les enfants se montrèrent excellents, comme c'est en général le cas. Et la productrice était une jeune femme dynamique, prête à en faire plus que nécessaire. Je fus ravie de la laisser jouer ce rôle.

Tandis que je partais pour Boston, Edouard et Shany s'occupèrent d'aller chercher ma mère à l'hôpital pour la ramener chez elle. Pendant le tournage, je m'absentai un instant de la salle de classe pour aller téléphoner à Edouard dans le bureau du directeur de l'école.

— Ça y est, je l'ai, me dit-il. Crois-moi, ça n'a pas été facile. J'ai dû faire trois pharmacies. Ça doit être un sacré truc !

Il rit.

— Tu n'imagineras jamais de quoi ta mère s'est inquiétée !

— Je donne tout de suite ma langue au chat. Dis-moi ?

— Il pleut ici, figure-toi, et quand elle s'est aperçue que j'avais dû marcher un peu pour obtenir ce que je cherchais, elle s'est dit que je risquais de m'être enrhumé !

— Tu avais un parapluie ?

Il rit à nouveau.

— Tu es bien la fille de ta mère !

— Bon, je vais retourner à cette histoire de guerre nucléaire.

— Ça se passe bien ?

— Je crois. Mais je ne peux pas dire que je me sente très concentrée.

— Eh bien, concentre-toi. Ici tout va bien. Nous avons trouvé ce qu'il faut, et ta mère se sent parfaitement tranquille. Allez, au travail !

— Très bien, monsieur. Dites, monsieur ?

— Oui ?

— Je t'aime.

— Moi aussi, je t'aime. Mais retourne travailler !

Le soir venu, je téléphonai à Shany, qui me dit :

— Il y a quelque chose que je ne comprends vraiment pas. D'un seul coup, ta mère est devenue d'une humeur parfaite. Elle ne m'a pas crié dessus une seule fois de toute la journée !

— Tu ne dis pas ça pour t'en plaindre, j'espère ?

Elle eut un petit rire.

— Non, mais ça m'étonne. Elle a l'air tellement calme, comme si rien ne pouvait la contrarier.

— Mais c'est très bien !

— Oui, bien sûr...

Elle n'en semblait pas vraiment convaincue.

12 octobre. Dès que l'avion eut atterri à New York, je filai chez ma mère. Ce fut Belva qui m'ouvrit la porte. Il y avait toujours une infirmière qui assurait la garde de nuit, mais ma mère avait tenu à ce que ce soit de nouveau Belva qui vienne pendant la journée. D'après elle, peu importait que Belva ne puisse pas lui faire de piqûres, parce que c'était seulement le soir qu'elle avait mal.

Quand j'arrivai à l'appartement, je trouvai maman

assise à la grande table du salon. Ce meuble prenait bien trop de place dans l'appartement, mais elle le possédait depuis 1947 et s'en était servie pour des centaines de fêtes ou d'anniversaires, de sorte qu'elle n'avait pu y renoncer le jour de son déménagement. Sur cette table s'empilaient maintenant toutes sortes de papiers, d'enveloppes et de classeurs. Ma mère, ses lunettes sur le nez, était en train de les annoter et de les ranger en piles.

— J'essaie de mettre un peu d'ordre dans tout ça, me dit-elle presque sans lever le regard. Il y a encore de quoi faire ! Je croyais avoir tout réglé, mais je suis loin du compte. Tu vois, ta mère a bien changé. Tu te souviens comme j'étais organisée ? Je payais toujours les factures le premier du mois, ça m'était comme indispensable ; une facture en souffrance, ça me faisait l'effet d'un acte d'accusation !

Puis elle murmura :

— Demande à Belva si elle ne veut pas sortir un instant.

Je parlai à Belva, qui quitta la pièce aussi prestement et silencieusement qu'à l'habitude. Dès qu'elle eut fermé la porte, ma mère parla plus vivement :

— Voici le chèque pour le loyer de novembre. Donc, ne t'inquiète pas pour ça. Maintenant, il y a autre chose de plus important : les bons au porteur qui sont dans mon coffre doivent être transférés dans le tien. Je vais t'expliquer comment faire, c'est très simple...

A un certain moment, entre l'affaire des bons au porteur et je ne sais plus quelle autre, mon attention s'égara. Malgré tous mes efforts, je me laissai entraîner vers d'autres visions. Derrière les yeux qui me fixaient par-dessus ses lunettes, je revoyais ma mère telle que je l'avais toujours connue, solide, infatigable, travailleuse, adorable. Celle qui nous faisait jouer dans notre cour à Clark Street. Celle qui me forçait à me tenir bien droite quand je jouais du piano. Celle qui veillait aux comptes de la société de Joe Brooks et qui avait su investir dans la pierre au bon moment. Celle qui embêtait tous ceux qu'elle aimait pour qu'ils mangent des germes de blé (« Rien qu'une cuillerée mélangée à tes céréales ! Tu n'en sentiras même pas le goût ! ») En la voyant, là, devant moi, je me dis qu'en mourant maintenant elle éviterait de jamais connaître ce qu'était la vieillesse. Cette pensée me parut d'abord merveilleuse, puis terrible, puis à nouveau merveilleuse. En tout cas, elle me frappa à un point incroyable ; sans doute le fallait-il pour empêcher que je me précipite aux pieds de ma mère, la tête sur ses genoux, en pleurant toutes les larmes de mon corps.

Il n'était pas question de l'interrompre quand elle parlait affaires. C'est pourquoi je restai sur ma chaise, en essayant malgré tout de bien l'écouter.

Avant de repartir, je demandai à voir les comprimés.

— Mais bien sûr ! répondit-elle.

Et elle m'indiqua, sans même quitter du regard ses papiers, l'endroit où elle les avait cachés : sous les serviettes brodées, au fond du placard à linge. Je glissai mes doigts là où elle m'avait dit et trouvai le flacon. Avec précaution, je dévissai le bouchon et regardai à quoi cela ressemblait. Je n'en crus pas mes yeux. Les comprimés rouge vif étaient de la taille d'une tête d'une allumette. Ma mère avait certainement deviné mes pensées, car elle dit :

— Ils ne sont pas gros, hein ? Ce ne sera pas difficile.

Chapitre 20

Cette nuit-là, nous mîmes à nouveau le réveil pour rappeler Amsterdam. Au fur et à mesure du compte à rebours, de nouvelles questions surgissaient. Je les avais notées. Au bout de combien de temps les cachets agiraient-ils ? Que faire si elle se réveillait ? Qui appeler quand tout serait fini ?

La réponse à la première question fut : cinq à six heures.

Quant à la seconde, mon interlocuteur me dit :

— Surtout, qu'elle reste dans son lit ; empêchez-la d'essayer de marcher. Vu le dosage, il est tout à fait improbable qu'elle arrive à bouger ; mais cela peut tout de même se produire au début, pendant une heure ou deux. En ce cas, si elle se levait, elle risquerait de tomber et de se blesser. Vous devriez alors l'emmener à l'hôpital, ce qui ferait tout échouer.

Quant au problème de savoir qui prévenir, mieux valait, à son avis, téléphoner à un médecin :

— Je ne sais pas comment cela se passe à New York quand quelqu'un meurt chez soi, mais le mieux est toujours de mettre un médecin au courant et de lui demander quoi faire. Il se peut qu'il vous dise d'appeler la police et, en ce cas, il faudra obtempérer. Si tout va bien, le médecin délivrera un certificat de décès, assurant que votre mère est morte de mort naturelle. Si l'on soupçonnait un suicide, cela donnerait lieu à une enquête. Ce n'est pas votre intérêt.

Cette dernière phrase fut pour moi comme un coup porté en plein estomac. « Ce n'est pas votre intérêt... »

Ces seuls mots suffirent à me représenter tout ce que j'avais évité de me dire jusque-là et à quoi je préférais encore ne pas songer : en réalité, nous préparions un meurtre. Edouard ne réagit pas autrement, je m'en rendis compte, quand il me dit, ayant écouté mon compte rendu de cette conversation :

— Il faut être très prudent.

Il parlait de la même voix tranquille que d'habitude, mais j'eus l'impression qu'il poussait un cri.

— Oui, répondis-je simplement.

Il se tenait près de la fenêtre, en peignoir, le teint pâle et les cheveux tombant sur les yeux. C'était bien toujours mon mari, cet homme franc et honnête qui n'aurait en aucun cas déduit de sa feuille d'impôts les frais d'achat d'un livre autre qu'un ouvrage de mathématiques. Je me dis, en le regardant, que si j'avais eu fût-ce la moitié de sa force de volonté, je lui aurais épargné cette épreuve. Mais ce n'était pas le cas et, désormais, il la partageait avec moi.

Après cela, nous ne parlâmes plus de notre projet que quand c'était vraiment nécessaire, et seulement entre nous ou alors avec le médecin d'Amsterdam, toujours à voix basse et sans paroles inutiles. Nous évitions aussi d'utiliser des mots trop concrets. Ces précautions ne faisaient qu'aggraver tout ce que cette affaire avait déjà d'insolite et de pénible.

Maintenant, ma mère avait ses cachets. Elle aurait pu les prendre à n'importe quel moment. Mais elle n'en faisait rien.

Un matin, alors que nous venions de rappeler Amsterdam, je demandai à Edouard :

— Pourquoi est-ce qu'elle attend encore ?

— Je n'en sais rien.

— Crois-tu qu'en fait elle n'ait plus envie de le faire ?

— C'est possible, répondit Edouard.

Il regardait le plafond mais je savais que, sans ses lunettes, il ne voyait rien du tout.

13 octobre. Un mardi. Il y avait encore beaucoup de détails à régler, plus que je n'aurais cru. Bien davantage que ce que nous avions imaginé, compte tenu des délais. D'une certaine manière, ces journées-là me rappelèrent la semaine qui avait précédé notre mariage. C'était également à trois que nous avions préparé cette cérémonie. Il ne s'agissait pas d'un mariage en grande pompe mais, dès lors qu'Edouard et moi étions convenus de nous écarter des sentiers battus et de tout organiser nous-mêmes, la moindre décision semblait devenir un objet de conflit entre les uns et les autres. A peine étions-nous parvenus à décider du cadre où se tiendrait la réception, qu'il fallait déjà débattre du menu, de la musique, des fleurs et de tout le reste ; pour autant que je pusse m'en souvenir, nous avions vécu alors un décalage entre nos sentiments et la réalité, pour ainsi dire un peu semblable à celui que nous éprouvions dans les circonstances actuelles. Nous étions si affairés à préparer le mariage que nous en venions à oublier quand nous serions effectivement mariés. C'était comme une sorte de paralysie, dont nous avions peut-être besoin pour conserver notre calme. Tout comme aujourd'hui. Quant à ma mère, que notre union plongeait dans une extase inexprimable, on sentait qu'elle éprouvait de plus en plus les sentiments d'un comptable qui voit approcher la fin de l'exercice : profits ou pertes, il fallait que tous les calculs soient exacts. Et il suffisait de la regarder par moments pour être certain qu'elle ferait en sorte qu'ils le soient.

Nous étions assis sur le canapé, ma mère entre nous deux avec un calendrier sur ses genoux. Belva était sortie se promener — plus ou moins sur ordre, une fois de plus. Ma mère lui avait dit :

— Belva, c'est une si belle journée ! Pourquoi n'iriez-vous pas prendre un peu l'air ?

Et cette chère Belva d'enfiler son manteau dès qu'elle entendait les mots « belle journée »...

Du bout de son crayon, ma mère parcourait nerveusement les dates du mois d'octobre. Il s'agissait de fixer une date.

— Voyons, dit-elle, nous sommes aujourd'hui jeudi 13 et il est trop tard pour s'occuper de la banque. Mais demain ?

Elle regardait Edouard.

— Demain je ne serai pas là, Ida. Il y a un congrès de mathématiques à Washington et j'ai promis de faire une communication.

Ma mère prit un air ravi :

— Oh, c'est merveilleux ! J'ai vraiment des enfants extraordinaires. Mais alors, pour la banque, il faudra attendre jusqu'à lundi. Par conséquent, je ne pourrai rien faire avant mardi.

Mardi ! Je me dis qu'elle ne pouvait vraiment pas attendre si longtemps. Et si...

— Mais que voulez-vous que j'aille faire à la banque ? demanda Edouard.

— Aller chercher ces bons au porteur dans mon coffre pour les transporter dans votre coffre à vous, à votre propre banque. Je veux que vous vidiez tout ce que vous trouverez là-bas.

— Et pourquoi maintenant ? demandai-je à mon tour.

— Parce que, quand quelqu'un meurt, on bloque tout ce qu'il peut avoir dans son coffre. Par conséquent, vous ne pourrez pas y accéder avant des semaines, peut-être avant des mois.

— Et alors, quelle importance ?

— Moi, je trouve ça important. Je tiens à ce que vous sortiez tout ça de mon coffre, je ne veux pas que vous soyez obligés d'attendre.

— Enfin, maman, qu'est-ce que ça change ?

Je n'avais pas l'intention de monter le ton, mais je ne pus m'en empêcher. Edouard leva la main pour nous arrêter, conscient qu'elle commençait à s'énerver. Tout comme moi, quand je pensais qu'avant mardi il faudrait encore attendre cinq jours. Le matin même, au réveil, Edouard et moi avions envisagé la possibilité qu'il annule son déplacement à Washington, mais en fin de compte nous y avions renoncé. Il me semblait qu'une telle coïncidence entre son changement de programme et la mort subite de ma mère pourrait sembler suspecte. Mais cette histoire de coffre risquait de prolonger les choses de presque une semaine... Et si elle recommençait à ne rien pouvoir avaler ? Pourtant je gardai le silence. Je ne voulais surtout pas qu'elle se remette à penser à ses problèmes digestifs.

— Je ne prendrai pas ces cachets tant que vous n'aurez pas vidé ce coffre, déclara-t-elle.

Je répondis, presque en riant :

— Maman ! C'est une menace ?

Et j'ajoutai calmement, en croisant les bras :

— Écoute, s'il te plaît. Tu n'as aucune raison d'attendre à cause de ça. Si tu veux que nous vidions ce coffre, nous allons le faire. Mais je peux parfaitement m'en occuper demain — sans Edouard, je veux dire.

Elle secoua la tête.

— Edouard sait exactement comment procéder. Il leur faudra ta signature, bien entendu, mais il vaut mieux qu'il soit là aussi. En plus (et sur ce point elle avait raison), c'est dangereux. Se promener avec des bons au porteur sur soi, c'est comme se promener avec de l'argent liquide.

— Mais je ne me promènerai pas ! Je prendrai un taxi !

Elle secoua à nouveau la tête et dit :

— Bon, maintenant je pense que je vais aller m'allonger.

Edouard l'aida à se lever et à marcher jusqu'à son lit. Je me dis qu'il était inutile de discuter davantage : elle avait pris sa décision. Mais je ne comprenais toujours pas. Elle savait parfaitement le risque qu'elle courait en retardant le moment fatal. Je me souvins de ce qu'avait dit notre ami d'Amsterdam, à propos des gens qui finalement reculaient au moment de passer à l'acte. Peut-être qu'en décidant d'attendre le mardi suivant elle cherchait simplement un moyen de rendre la chose impossible...

Je soupirai. A nouveau, je me sentais partagée, je ne savais plus si je souhaitais qu'elle le fasse ou non. Mais à cette incertitude s'ajoutait encore un sentiment d'irréalité : je n'arrivais toujours pas à croire qu'elle le ferait. Ce scepticisme tenait pour une large part à ce qu'elle ne paraissait plus aussi gravement malade. On n'aurait certes pas pu imaginer qu'elle était en excellente santé, mais elle ne semblait pas non plus au bord du tombeau. Il me fallut un effort pour me souvenir que la douleur, du moins jusqu'à un certain degré, n'est pas perceptible à autrui. Et, surtout, que la sienne ne pouvait que s'accroître encore. S'accroître terriblement.

— A quelle heure ? demanda-t-elle.

Je devais avoir l'air tout à fait ailleurs, car Edouard se tourna vers moi pour m'expliquer :

— Ta mère demande à quel moment de la journée elle devra prendre ces cachets.

— Comme tu voudras, maman. L'après-midi, peut-être ?

Et je la regardai, installée sur son lit, toujours vêtue de sa chemise de nuit et de ses pantoufles.

— Tu te sens bien comme ça ? Tu ne préfères pas te mettre au lit ?

— Aucun problème. Comment cela se passera-t-il alors ? Redis-moi ce que t'a expliqué ce médecin d'Amsterdam.

— Tu devrais manger un peu, environ six heures avant. Puis plus rien. Tu pourrais donc prendre ton petit déjeuner. Ensuite...

— Et Belva ? Il faudrait qu'elle soit sortie !

— Ça ne devrait pas poser de problème. Il suffirait que j'arrive vers cinq heures et que je lui dise de rentrer un peu plus tôt que d'habitude.

— Mais est-ce que ça ne risquerait pas de paraître suspect... après ? demanda ma mère.

— Je ne crois pas. Qu'est-ce que tu en penses, Edouard ?

Il hocha la tête.

— Je suppose que vous voulez dire : est-ce qu'on pourrait nous accuser de quoi que ce soit ? A mon avis, il n'y a pas de raison de s'inquiéter. Mais vous souhaitez peut-être aussi éviter, Ida, que personne sache ce que vous-même avez décidé de faire ?

— Je ne sais pas exactement ce que je voulais dire, répondit-elle. Mais l'infirmière de nuit ?

— Nous la décommanderons.

— Ça, alors, ça paraîtra bizarre !

— Non, pas du tout. Il suffit de lui dire que nous avons trouvé une autre infirmière.

— Et pourquoi, demanda ma mère, déciderions-nous tout à coup de prendre une autre infirmière ?

— Je n'en sais rien, et ça n'a pas grande importance. Il suffira de dire que nous avons décidé de nous contenter à nouveau d'aides-soignantes pour la nuit. Elle-même sait très bien que vous allez mieux depuis quelque temps.

— Mais ensuite ? Est-ce que cela ne paraîtra pas bizarre que personne d'autre que vous ne se soit trouvé ici à ce moment-là ?

— Non, si c'est vous-même qui décommandez l'infirmière ; personne ne pourra prouver que nous étions au courant.

Ma mère ne répondit rien. Apparemment, son anxiété s'était dissipée.

— Je voudrais que vous partiez d'ici le plus vite possible — juste après. En fait, je préférerais vraiment que vous ne soyez pas là du tout.

— Maman, nous en avons déjà parlé des centaines de fois. Nous serons là. Nous ne ferons rien nous-mêmes, mais nous serons là.

Rien n'était encore décidé quant au moment où nous quitterions l'appartement. Edouard et moi en avions déjà discuté après le petit déjeuner, et nous revînmes sur ce problème le soir même, en rentrant à la maison. Le docteur avait dit que si elle n'arrivait pas à digérer les cachets, si un problème devait surgir, nous nous en rendrions compte très vite : soit sur-le-champ, soit dans l'heure ou les deux heures qui suivraient. Une fois ce délai écoulé, nous serions en mesure de considérer que son système digestif avait fonctionné normalement. A l'issue de la dernière conversation que j'avais eue avec lui, il m'avait mise en garde contre la tentation de rester dans l'appartement.

— Sortez de l'immeuble, en vous faisant reconnaître par le concierge, et revenez le lendemain. Ou alors, arrangez-vous pour que quelqu'un d'autre la trouve morte dans la journée suivante. Si jamais il devait y avoir une enquête, pendant la période où elle aurait été susceptible d'avaler ces cachets, il vaudrait mieux que ni l'un ni l'autre d'entre vous ne vous montriez trop, afin qu'il soit impossible de démontrer qu'elle n'a pas agi par elle-même. Vous comprenez ce que je veux dire ?

En fait, je ne comprenais pas vraiment, et je ne souhaitais pas tellement comprendre. Je ne voulais pas penser à ce qui se passerait après. C'était presque comme si j'en étais incapable, comme si la chose me devenait inaccessible par suite d'une soudaine défaillance visuelle. Hier, j'apercevais ce qu'il y avait derrière ce réverbère, et aujourd'hui je n'y arrive plus, je ne vois qu'un vague brouillard...

En rentrant chez nous, Edouard et moi décidâmes — avec un sentiment de honte et de culpabilité, mais aussi d'impuissance — que c'était Belva qui devait découvrir ma mère morte. Belva viendrait travailler le mercredi matin comme à l'habitude, et elle s'apercevrait alors que sa patiente était décédée. Si nous agissions autrement, il nous faudrait renoncer à ses services dès avant cette date, ce qui l'amènerait certainement à se poser des questions. Et comment savoir comment elle réagirait en pareil cas ? Nous l'aimions beaucoup mais, tout comme pour Shany, nous ne pouvions être certains qu'elle s'abstiendrait d'intervenir.

— J'imagine que, dans ce genre de travail, on voit assez souvent des gens mourir. Ce ne sera sûrement pas la première fois.

— Sûrement pas, répondit Edouard.

— Tout de même, ce n'est pas très correct de notre part, non ?

— À vrai dire, je n'en sais rien. Mais je n'ai pas l'impression que nous puissions faire autrement.

Nous traversâmes la Ve Avenue et prîmes vers l'ouest. La lumière du crépuscule était splendide. Dans toutes les rues se promenaient des gens qui arboraient un air de gaieté probablement bien affecté. À l'angle de la 55e Rue, trois musiciens jouaient *When the Saints Go Marching In*.

— Je viens de me poser une question, dis-je en haussant la voix pour qu'Edouard puisse m'entendre malgré le saxophone. Quand Belva arrivera, le matin, il n'y aura pas d'infirmière. Tu ne crois pas qu'elle se demandera pourquoi ? Bien sûr que si, surtout quand elle s'apercevra que ma mère...

— Peut-être, cria-t-il en retour.

Puis il ajouta, à voix plus basse :

— Mais n'oublie pas ce que nous venons de dire à ta mère. Comment Belva pourrait-elle deviner que ce n'est pas elle-même qui a donné congé à l'infirmière ? De toute manière, peu importe ce qu'elle pensera : à ce moment-là, tout sera terminé, et je ne pense vraiment pas que Belva souhaite nous voir enfermer.

— Moi non plus. Mais, quand même, elle se dira forcément qu'il s'est passé quelque chose de bizarre...

Nous étions arrivés à notre pâté d'immeubles. On n'entendait plus de musiciens et les passants étaient plus rares. Je conclus :

— Il faudra bien lui dire quelque chose. Tu imagines ? Elle arrive, elle ne trouve personne et ma mère est morte. Elle se posera des questions.

J'avais enfin prononcé le mot « morte » et en ressentis quelque fierté. J'observai en moi-même l'effet qu'il produisait : aucun. Nous avions allongé le pas.

— Il suffirait de la prévenir que l'infirmière de nuit doit partir de bonne heure et de lui dire de ne pas s'inquiéter si elle ne la trouve pas là en arrivant.

— Et comment Belva entrera-t-elle dans l'appartement ?

Nous étions devant notre porte.

— Elle a sûrement une clef. Je vérifierai.

Quand nous entrâmes dans l'appartement, je commençai par retirer mes souliers puis, mon manteau toujours sur le dos, je m'appuyai contre le mur et fermai les yeux un instant.

— Tu sais ce que je retire de cette expérience ?

— Non, répondit Edouard.

Il ôtait mon manteau avec les mêmes gestes qu'il aurait eus pour enlever son anorak à une petite fille revenant du ski.

— Un plus grand respect pour l'intelligence des criminels.

Depuis quelques jours, Edouard était devenu particulièrement taciturne. Il travaillait à ses calculs, allait donner ses cours, menait son existence tout comme à l'habitude, mais il parlait moins. Et il mangeait moins. A la vérité, j'étais dans le même état que lui. Ma mère s'en était aperçue. Au début de la semaine, elle m'avait dit :

— Tu maigris.

Je ne sais pas exactement pourquoi, mais en l'entendant me faire ce reproche je fondis en larmes. Ou, plus exactement, je me laissai aller à pleurer ; car, depuis quelques jours, j'aurais pu fondre en larmes à peu près n'importe quand, mais je prenais sur moi pour ne pas le faire par crainte de ne plus pouvoir m'arrêter. Ce n'était pas la meilleure manière de dépenser mon énergie... Je ne voulais surtout pas pleurer en présence de ma mère, parce que j'étais à peu près sûre que cela déclencherait aussi une crise chez elle. Le bon sens me disait que la seule façon de nous en sortir, les uns et les autres, était de veiller à éviter tout état de fébrilité collective. Mais je ne voulais pas non plus devenir une espèce de robot, ni que ma mère puisse penser que c'était le cas.

C'était le lundi, en fin de matinée. Je sentis une première larme sur une de mes joues, puis une deuxième de l'autre côté, et je ne savais pas le moins du monde — en tout cas pas de façon consciente — pourquoi je les laissais ainsi couler.

— S'il te plaît, ma chérie, me dit ma mère, ne prends pas les choses comme ça. Ce que je vais faire, c'est parce que je le veux. Je ne regrette absolument rien en ce qui me concerne. Au contraire, je suis heureuse de pouvoir en terminer avec tout ça. S'il y a des gens pour qui je suis triste, ce sont tous ceux qui voudraient qu'il y ait une autre solution, alors qu'il n'y en a aucune. Ma chérie, je t'en prie !

Je m'essuyai le visage du dos de la main.

— Je comprends ce que tu veux dire, maman, et je suis d'accord avec toi. Mais comment veux-tu que je prenne tout ça tranquillement ? Je crois que tu as raison d'agir comme tu le fais, mais... mais je t'aime. Je suis bouleversée, forcément !

Pendant que je lui répondais ainsi, elle garda son air paisible. Je me levai, un peu chancelante, me mouchai, puis revins m'asseoir auprès d'elle et, comme si de rien n'était, nous revînmes à la préparation de notre complot.

Chapitre 21

14 octobre. Edouard était à Washington pour son colloque et moi, je pris l'autobus pour aller à ABC. Cela me fit une étrange impression de retrouver ces bureaux où régnait une évidente normalité. Ce fut comme un brutal changement de température. L'équipe de *Nightline* était plutôt jeune, dans l'ensemble, mais cela ne m'avait jamais frappée à ce point. Tous ces gens respiraient la jeunesse et la jovialité. Je me sentis moi-même à nouveau joviale.

Il m'arrivait de plus en plus souvent de m'observer avec détachement comme si j'avais quitté mon propre corps. Et, bien souvent, il me semblait être devenue une poupée mécanique.

Je téléphonai à ma mère du bureau. Elle me dit qu'elle attendait son amie Rose, puis Shany, et me demanda comment allait sa chérie. Elle parlait de façon légère, insouciante. J'écoutais attentivement, pour déceler s'il n'y avait pas aussi dans sa voix quelque tonalité plus inquiète, mais je ne perçus rien de tel. Je me dis que c'était peut-être justement parce que j'étais devenue une poupée mécanique que je n'étais plus capable d'entendre. Mais Edouard m'affirma que lui non plus n'avait noté aucune anxiété dans sa voix.

Je ne m'attardai pas dans les bureaux d'ABC. Quelques collègues avaient fait monter des plats chinois dont l'odeur suffit presque à me rendre malade. En ressortant de l'immeuble, je croisai un producteur qui me parla d'un travail « super » que nous aurions à faire ensemble la semaine suivante. Il s'agissait du centième anniversaire du Metropolitan Opera. Il ajouta que nous pouvions commencer à tourner dès le mardi :

— J'ai fixé rendez-vous à Pavarotti mardi après-midi.

C'était affreux. Mardi, non, vraiment... Mardi, c'était le jour où ma mère avait décidé de se donner la mort. Je bafouillai :

— Ça a l'air génial. Mais, euh, il vaudrait peut-être mieux que nous en reparlions demain.

C'est une chose étrange que de garder un secret. A moi, en tout cas, cela paraît étrange. J'ai tendance à dire ce que j'ai à dire, ne serait-ce que pour créer des relations avec les gens. Quand on se tait, on obtient l'effet inverse et cela ne me plaît absolument pas. Mais les circonstances faisaient que je me sentais de plus en plus coupée de tout le monde, hormis les quelques personnes qui étaient au courant, et qu'on pouvait compter sur les doigts d'une main. Avec celles-là, je me sentais en relation extrêmement étroite, comme si nous avions été reliées par un fil électrique. Quant à mon mari — lui et moi ne faisions vraiment plus qu'un.

Pendant le week-end, ma mère reçut quelques visites. Alvin n'était pas du nombre, bien qu'ils continuassent à se téléphoner chaque jour. Elaine apporta son extraordinaire gâteau de nouilles. Shany arriva ensuite, toujours allumant une cigarette après l'autre. Puis leur frère, qui parla à ma mère d'un traitement du cancer sur lequel il venait de lire un article qu'il lui recommandait. Dans la soirée du samedi, ce fut une vieille amie, Emma Goldin, qui avait pris l'avion spécialement. Je me heurtai à elle dans l'entrée de l'appartement, au moment où elle allait repartir. Les yeux rougis par les larmes, elle me serra entre ses bras et m'expliqua qu'ayant dit à ma mère qu'elle voulait prier pour elle mais ne savait quoi demander, elle avait obtenu pour seule réponse :

— Qu'à ton retour chez toi, je ne sois plus sur cette terre.

Je ne restai pas longtemps. Je me sentais comme un bloc de glace qui aurait risqué de fondre d'un seul coup, et je n'y tenais pas. Pour ce qui est de ma mère, elle paraissait être dans un état normal, presque incroyablement normal. Elle parlait, elle riait, elle écoutait les autres. Je ne sus qu'en penser. Je n'essayai même pas.

En prenant l'ascenseur pour redescendre, je rencontrai une autre connaissance. C'était Frieda, une Juive allemande qui avait à peu près le même âge que moi et habitait l'immeuble. Nous nous étions connues bien des années auparavant par l'intermédiaire d'une amie d'enfance, Karen. Quand j'avais revu Frieda dans l'immeuble, il y avait de cela peut-être un mois, je ne m'étais souvenu d'elle que très vaguement. Il y avait pourtant un élément de sa vie qui m'était resté en mémoire : son père et sa mère étaient morts à Auschwitz. Après quoi, elle avait vécu à peu près constamment en nomade, tantôt en Europe, tantôt aux États-Unis, passant d'un travail à l'autre, sans jamais se fixer nulle part ou lier son existence à celle de quelqu'un d'autre. Elle était jolie, voire élégante, avec ses cheveux blonds tirés en arrière et ses yeux verts, pleins d'expression.

— Comment va ta mère ? me demanda-t-elle avec un intérêt sincère.

— Pas très bien.

— Ça me fait de la peine. Si je peux être utile en quoi que ce soit, vraiment quoi que ce soit, je t'en prie, appelle-moi. Je te dis ça du fond du cœur.

— Je n'en doute pas, et il se pourrait que j'en ai besoin. Merci, en tout cas. Vraiment, merci beaucoup.

Le soir où Edouard revint de son colloque de mathématiques à Washington, nous allâmes à Carnegie Hall où la danseuse Ann Reinking donnait un spectacle. Nous avions reçu des billets d'invitation. J'avais d'abord pensé les renvoyer, mais ne m'en étais pas occupée. Et, le samedi venu, comme ma mère était plutôt trop entourée que pas assez, nous décidâmes de les utiliser.

Je braquai mon regard sur la scène et ne l'en laissai plus dévier. Mais mes pensées n'étaient pas aussi dociles. Parfois elles s'envolaient comme un ballon et je ne savais même plus où elles étaient passées. Puis je les retrouvais, toujours les mêmes — en particulier, cet aspect du problème que nous étions loin d'avoir résolu : comment s'arranger pour que quelqu'un puisse rester au côté de ma mère jusqu'au dernier instant ? Ce brave docteur d'Amsterdam nous avait bien recommandé de ne pas nous attarder dans l'appartement plus de deux heures ; or, le résultat définitif en demanderait à peu près cinq. Nous ne concevions pas de pouvoir la laisser ainsi toute seule pendant ses dernières heures d'existence. D'après le médecin, il n'y avait pratiquement pas la moindre chance qu'après les deux premières heures elle parvienne à bouger, nous pouvions donc partir tranquilles. Formulé de cette façon, cela paraissait fort sensé ; mais je ne pouvais pas me faire à cette idée et Edouard pas davantage.

Tout en gardant les yeux fixés sur Ann Reinking qui, de ses longues jambes superbes, arpentait la scène, je ne cessais de revenir sur ce qui me préoccupait. Le médecin d'Amsterdam m'avait bien expliqué pourquoi notre présence dans l'appartement pourrait nous mettre dans une situation pour le moins délicate vis-à-vis de la justice ; mais, au fond, je n'arrivais pas à y croire. Qui donc aurait pu imaginer qu'Edouard et moi avions assassiné ma mère ? Ça ne ressemblait à rien ! Une mauvaise plaisanterie, un ridicule feuilleton télévisé... Cela ne m'empêchait pas d'avoir tout de même un peu peur. Après tout, il arrive tous les jours qu'on jette en prison des gens pour des crimes qu'ils n'ont pas commis. Et nous... n'était-ce pas bel et bien une sorte de crime que nous nous apprêtions à commettre ? J'ignorais toujours ce qu'il en était au juste, et ne tenais du reste pas à le savoir.

Sur la scène évoluaient maintenant plusieurs danseurs, tous vêtus de noir. Leurs mouvements, très stylisés, étaient admirablement synchronisés.

La voie de la prudence (comme aurait dit ma mère) aurait certainement consisté à partir au bout de deux heures, comme le recommandait le médecin, mais à trouver quelqu'un qui puisse rester encore un peu à son côté, jusqu'à ce que tout soit fini. Mais qui donc ? Edouard et moi en avions encore discuté pendant que nous marchions jusqu'à Carnegie Hall.

Sans doute, parmi nos amis les plus sûrs, quelqu'un aurait-il accepté de nous rendre ce service ; mais nous jugions l'un comme l'autre que c'était là trop demander à un ami. Mais alors, à qui d'autre ? Car il y avait toujours le risque d'être vu entrer et sortir de l'immeuble, donc de subir ensuite un interrogatoire en cas d'enquête. Bien sûr, il ne s'agissait pas de jouer aux gendarmes et aux voleurs, et toutes mes craintes étaient peut-être ridicules. Par ailleurs, comment...

C'est alors que je trouvai enfin la bonne idée. C'était à la fin du premier acte, tout le monde applaudissait. Et pendant que moi aussi, mécaniquement, je battais des mains, mes pensées allèrent à Frieda, cette femme que j'avais rencontrée dans l'immeuble de ma mère.

Pour me faire entendre d'Edouard malgré le vacarme de l'assistance, c'est en criant que je lui livrai le résultat de mes réflexions :

— Frieda ! Nous pouvons demander à Frieda ! Personne ne la verra entrer ou sortir, puisqu'elle habite l'immeuble ! Nous pourrions peut-être la payer.

Edouard fit la moue et j'ajoutai :

— Elle est merveilleuse, mais ce n'est pas véritablement une amie, j'aimerais lui proposer quelque chose en échange.

— Elle a besoin d'argent ?

— A vrai dire... oui, il me semble.

Edouard se tut un instant avant de demander :

— Es-tu certaine que nous pouvons lui faire confiance ?

— Oui.

— Pourquoi ?

— Comme ça. D'instinct. D'ailleurs, c'est la plus ancienne amie de Karen.

Je téléphonai à Frieda dès le lendemain matin, dimanche, et lui demandai si je pouvais passer chez elle un instant dans l'après-midi, juste avant de voir ma mère. Nous nous fixâmes rendez-vous à quatre heures. Edouard partit le premier chez ma mère. Quand j'arrivai à mon tour, je préférai ne pas demander au concierge d'appeler Frieda par l'interphone. Toujours ce jeu des gendarmes et des voleurs : il valait mieux, me semblait-il, qu'on ne puisse établir aucune relation entre Frieda et moi. Je n'arrivais plus du tout à savoir quand les précautions que je prenais étaient raisonnables et quand elles devenaient ridicules. Autant être ridicule, me disais-je, que de faire des bêtises...

J'expliquai sans ambages à Frieda ce que j'attendais d'elle. Elle fondit en larmes. Cette réaction me déconcerta et je faillis même me fâcher. Elle savait que déjà la situation me rendait folle, et elle ne trouvait rien de mieux que de s'effondrer elle-même, alors que nous arrivions enfin au bout de nos peines. Je m'assis sur son canapé, contemplai sur le mur d'en face la grande affiche de voyage représentant Israël, et attendis qu'elle se calme.

— Excuse-moi, dit-elle enfin. En aucun cas je ne ferais une chose pareille. Et certainement pas pour de l'argent.

Quelque chose dans l'expression de son visage semblait pourtant contredire ses paroles. Aussi je poursuivis :

— Frieda, pardonne-moi si je t'ai blessée en parlant

d'argent. C'est seulement parce que nous ne sommes pas des amies intimes et que ce n'est pas rien, ce que je te demande là. C'est vraiment une chose importante, un vrai travail, si tu veux. C'est pour ça que je ne me sentais pas le droit de te le demander sans te proposer quelque chose en échange. Mais la vérité, c'est que si tu acceptais, aucune somme d'argent ne serait suffisante pour t'en remercier.

Elle essuya ses larmes avec un mouchoir.

— Qu'est-ce que tu voudrais que je fasse, au juste ?

— Passer à l'appartement vers huit heures. Nous serons encore là, mais nous partirons tout de suite. Toi, tu auras seulement à rester là quelques heures. Il est extrêmement peu probable qu'il y ait le moindre problème. Toutefois, si c'était le cas, c'est-à-dire si ma mère essayait de se lever, il faudrait que tu l'en empêches, pour éviter qu'elle tombe et se blesse. Mais, je te le répète, ce risque est tout à fait infime.

Frieda se leva et marcha jusqu'à la fenêtre. Elle me tournait le dos et regardait dehors. Elle habitait un étage plus élevé que ma mère et les bruits de la rue parvenaient plus étouffés. Les klaxons des voitures avaient quelque chose de presque irréel. Après dix ou vingt secondes, elle se retourna et secoua la tête :

— Excuse-moi. J'admire le courage de ta mère. Mais... je ne peux pas.

Je me levai et passai mon bras autour de son épaule :

— N'y pense plus, Frieda. Je comprends très bien. Et excuse-moi si je t'ai fait de la peine.

Ma mère était assise au salon et discutait avec Edouard. Elle portait son nouveau peignoir, en étoffe froncée à ramages, un cadeau de la fille d'Elaine. Elle n'était pas trop pâle et semblait presque joyeuse. Je m'assis, puis me retournai et demandai :

— Où est Belva ?

— Je lui ai dit de rentrer plus tôt, répondit ma mère.

Il m'a semblé que c'était une bonne idée : comme ça, mardi, elle ne trouvera pas ça trop bizarre.

Edouard et moi échangeâmes un regard, aussi frappés l'un que l'autre par cette nouvelle manifestation de perspicacité. Malgré l'état de torpeur où j'étais plongée, sa façon de parler continuait à me sidérer. Elle me paraissait trop calme, trop posée. J'avais presque l'impression qu'elle ne se rendait pas compte de ce qu'elle s'apprêtait à faire. J'en venais à me demander si elle n'avait pas sombré dans la folie.

— Ma chérie, poursuivit-elle, nous allons peut-être modifier le programme. Comme je l'expliquais à Edouard, il n'est pas nécessaire d'attendre jusqu'à mardi mais seulement jusqu'à demain après-midi si vous vous occupez du coffre le matin.

Elle escomptait bien sûr une réaction de ma part, mais c'était comme si plus rien n'avait relié mon cerveau à mes cordes vocales. Je ne retrouvai l'usage de la parole qu'en observant que ma mère essayait d'ôter son alliance.

— Que fais-tu ?

— Je veux te la donner. Mais c'est agaçant, elle refuse de descendre. S'il te plaît, Betts, apporte-moi un peu de crème de toilette. Là-bas, sur le bureau.

J'eus l'impression que tout le poids de mon corps descendait dans mes jambes, mais parvins néanmoins à atteindre le bureau. Je pris le flacon, revins vers ma mère et le lui tendis de loin, en allongeant le bras. Elle dévissa le bouchon, s'enduisit le doigt de crème, tira encore un peu, et l'alliance glissa enfin. Elle me la tendit comme si c'était un simple jeton de téléphone.

— Voilà ! Mets-la dans ton sac.

Je serrai les lèvres et avalai plusieurs fois ma salive. Puis j'ouvris la fermeture Eclair d'une des poches de mon sac à main et y rangeai l'alliance. Elle regarda son doigt, l'essuya et dit en s'adressant à Edouard :

— Tu sais, je crois que c'est la première fois que j'enlève cette alliance depuis que je la porte. Ça fait cinquante et un ans. Ou cinquante-deux ? Nous nous étions mariés en 1931, par conséquent nous aurions fêté notre cinquante-deuxième anniversaire de mariage en mai dernier, ou bien est-ce que je me trompe ?

— Non, ça fait bien cinquante-deux, répondit Edouard.

— C'est bien agréable d'avoir un mathématicien dans la famille ! dit ma mère en souriant.

Puis elle se tourna vers moi et ajouta :

— Ma chérie, ne prends pas cet air triste. Ta mère agit exactement comme elle le souhaite. Tu ne comprends donc pas le réconfort que c'est de pouvoir en finir ? Tu voudrais que je laisse encore traîner les choses ? Crois-moi, cette chance que j'ai aujourd'hui fait de moi la femme la plus heureuse du monde. Je reconnais bien sûr que, toute seule, ç'aurait été beaucoup plus difficile. Mais comme ça, avec mes enfants à mes côtés ! D'ailleurs, existe-t-il une seule autre mère qui ait des enfants aussi merveilleux ? Cite-moi seulement un seul nom...

Elle se relança dans son habituelle apologie, mais ne tarda pas à revenir au sujet le plus brûlant : les détails stratégiques qui restaient encore à régler. Elle tenait à ce que tout soit exactement minuté. A neuf heures et demie, Edouard et moi irions à la banque ; à dix heures, je viendrais au rapport ; à quatre heures et demie, je serais de retour chez elle ; à cinq heures moins le quart, Belva quitterait l'appartement ; Edouard arriverait à cinq heures, juste après ses cours ; à six heures moins le quart, la Compazine ; à six heures, les cachets. Elle entreprit de noter ce programme, puis elle se ravisa, déchira la feuille de papier et récita à nouveau tout l'horaire prévu, en comptant sur ses doigts les éléments de son énumération.

Edouard lui demanda si elle avait vu Shany dans la journée. Elle acquiesça d'un air coupable. Nous n'étions guère fiers de laisser Shany dans l'ignorance.

Ma mère, surtout, n'avait cessé d'y penser, mais toujours pour conclure en soupirant :

— Non, je ne peux pas prendre ce risque, vraiment je ne peux pas.

Edouard trouva cependant une idée : laisser à Shany un mot écrit. Le visage de ma mère s'illumina. Nous lui apportâmes son carnet et un stylo. Puis elle me demanda :

— Qu'est-ce que je lui mets ?

Ma mère s'adressait à Edouard pour les questions de chiffres, à moi pour les problèmes d'expression.

— Dis-lui que tu tiens vraiment à faire ça, et que tu l'aimes.

Ma mère écrivit la lettre, cacheta l'enveloppe et me la tendit.

— Maintenant, j'aimerais retourner dans mon lit.

Nous la prîmes chacun par un bras et l'aidâmes à traverser la chambre. Elle s'affala sur l'oreiller et murmura en fermant les yeux :

— Je voudrais que tout cela soit terminé.

— Ça le sera bientôt, dis-je en lui prenant la main.

Elle me dévisagea et demanda :

— Comment font les gens sans enfants ? Ceux qui voudraient aussi tout arrêter mais qui n'ont personne pour les aider ?

— Maman, tu as l'air très fatiguée, tu devrais dormir un peu. Nous resterons ici jusqu'à ce que l'infirmière arrive.

Elle acquiesça et se tourna sur le côté. Je remontai les couvertures sur ses épaules et éteignis la lumière.

— Betts ?

— Qu'y a-t-il ?

— Est-ce que tu écriras quelque chose sur cette histoire ?

La question me laissa abasourdie. Je me l'étais déjà posée, bien entendu, mais je n'aurais pas cru qu'elle pût y avoir pensé.

— Est-ce que, toi, tu le souhaites ?

— Oui, répondit-elle.

Je restai un instant immobile dans l'obscurité, puis m'éloignai sur la pointe des pieds. Elle s'était déjà endormie.

Quand j'allai ouvrir à l'infirmière de nuit, j'aperçus une enveloppe glissée sous la porte. Je la ramassai et vis qu'elle était à mon nom. A l'intérieur se trouvait une feuille portant ces simples mots : « Je le ferai. Frieda. »

Je pliai le papier et le rangeai dans mon sac à main, à côté de l'alliance de ma mère.

Chapitre 22

17 octobre. Ma mère avait loué son coffre dans une petite agence de la Chemical Bank, au coin de la Ire Avenue et de la 56e Rue, à quelques pâtés d'immeubles de son appartement. Entre elle et le préposé à la section des coffres s'étaient établies ces relations amicales que peuvent entretenir des voisins. C'était un petit Italien d'un certain âge. Il me rappela aussitôt l'épicier que nous avions à Yonkers, une de ces personnes toujours prêtes à se mettre en quatre pour rendre service, et j'aurais parié que pendant qu'il agrafait les coupons de ma mère, celle-ci lui avait fait raconter à peu près toute son existence.

— Alors, comment va votre maman ? demanda-t-il.

— Pas très bien.

Son visage devint grave.

— Oh, ça me fait bien de la peine d'entendre ça. Elle est merveilleuse, votre maman, vraiment une personne charmante.

Il ajouta en souriant :

— Et je suis sûr que c'est aussi votre cas.

— Merci, dis-je.

Et je ne fus pas moins stupéfaite que lui de sentir mes lèvres se mettre à trembler.

— Il m'a prise au dépourvu, expliquai-je à Edouard quand nous ressortîmes. Il était si gentil, si ouvert. Tout à fait comme elle... Alors, tout à coup, elle m'a manqué, comme si... alors qu'il ne s'est encore...

— Allons, ne t'énerve pas, répondit Edouard en passant son bras autour de mes épaules pendant que nous descendions la rue. La journée ne fait que commencer.

Le conseil était inutile, car j'en avais parfaitement conscience. Cependant, l'incident survenu à la banque avait au moins servi à me rappeler que je devais faire en permanence le ménage dans mes sentiments, comme si je rangeais une chambre : passer le balai partout, bien tirer les dessus-de-lit... Je savais que si je laissais le désordre s'installer, c'était tout notre plan qui pouvait s'écrouler. Je n'imaginais que trop bien un tel scénario : je me laisse envahir par l'émotion ; du coup, ma mère en fait autant ; cela retentit sur son système digestif ; elle recrache les cachets — et se retrouve prise au piège...

— Je saurai rester calme, dis-je à Edouard tandis que nous approchions de chez maman. Oui, j'y arriverai.

Conformément aux instructions que nous avions reçues, Edouard me laissa devant l'appartement et alla déposer les papiers dans notre coffre.

— Oh, je suis contente de vous voir, mademoiselle Rollin, dit Belva quand j'arrivai. J'avais quelques courses à faire et, maintenant que vous êtes là, je vais pouvoir descendre.

Je n'en crus pas un mot, mais cette nouvelle ne m'en fut que plus agréable. J'avais une grande envie, avant que notre programme ne se mette en route, de passer quelques moments seule avec ma mère. Dès que Belva eut refermé la porte, je m'assis au pied du lit de ma mère et scrutai son visage. Je cherchais toujours une quelconque fissure, n'importe quel signe pouvant indiquer qu'on n'irait pas plus loin. Selon Edouard, cette inspection minutieuse était sans objet, car c'était elle qui tenait la barre, pas nous.

— Souviens-toi que nous n'avons joué que le rôle de pilotes, pour sortir le bateau du port, me répétait-il. Au point où nous en sommes, elle est seule maître à bord. Autrement dit, elle peut choisir de faire demi-tour, mais ce ne sera pas à nous de la conseiller dans un sens ou dans l'autre, et il me semble que jusqu'ici nous avons bien pris garde de ne pas le faire.

Bien sûr que nous avions veillé à ne jamais intervenir de cette façon ! Je continuais d'ailleurs à me fixer pour règle, vis-à-vis d'elle, de ne jamais prononcer fût-ce un mot à ce sujet avant qu'elle n'y vienne elle-même. Ce qui ne manquait jamais de se produire.

— Tu as bien dormi ? lui demandai-je.

— Pas mal. Edouard est-il allé déposer les bons ?

— Il s'en occupe en ce moment.

— Il a pris un taxi ?

— Oui.

— Est-ce qu'il m'appellera une fois que ce sera fait ?

— Tu lui as demandé de t'appeler, il le fera sûrement.

— Je le pense aussi.

Elle se cala contre l'oreiller et hocha la tête.

— Sans doute ai-je dû faire quelque chose de bien dans ma vie, pour avoir la chance qu'Edouard soit là. Sais-tu pourquoi je suis si heureuse que vous vous soyez mariés ?

Elle posait la question d'une voix triste, mais ce n'était pas contradictoire, car elle parlait souvent ainsi dès qu'une émotion, fût-ce le plus grand bonheur, l'étreignait. Pour ma part, c'est avec toute l'ironie du bon vieux temps que je répondis :

— Non, dis-moi ?

— Eh bien, vois-tu, je peux mourir en paix. Tu n'imagines pas ce que c'est, pour une mère, d'être assurée que sa fille unique ne restera pas sans protection. Je ne parle pas des questions matérielles, tu le sais. Je veux dire que je te laisse avec quelqu'un de bien, qui t'aime et que tu aimes. C'est ce que j'ai toujours le plus souhaité pour toi, et maintenant tu l'as. A combien de mères est-il donné de quitter ce monde en emportant une pareille joie ?

— Maman, dis-je, j'espère que tu ne te considères

pas comme... obligée d'aller jusqu'au bout. Tu n'es obligée à rien du tout, maman. J'espère que tu en es bien consciente.

Elle me regarda comme si j'étais devenue folle.

— Comment ça, obligée ? Par rapport à qui, obligée ? Mais je n'attends que ça, au contraire ! Si tu savais comme j'ai eu mal cette nuit ! La piqûre m'a aidée, c'est vrai, mais moins que l'idée que j'allais en finir bientôt. Quelqu'un d'autre verrait sans doute la situation sous un autre angle. Mais je te l'ai déjà dit : je ne pense vraiment pas que ce que je vais devoir supporter soit pire que ce qu'une foule de gens supportent pour continuer à vivre. Tu peux me croire. Je sais jusqu'où peut aller la souffrance. Ta cousine Honey, par exemple, rappelle-toi ce qu'elle a enduré. Eh bien, elle n'a jamais songé à en finir. Bien sûr, c'est différent, elle n'avait pas même cinquante ans et ses enfants étaient loin de l'âge adulte. Pauvre Honey, je comprends qu'elle se soit accrochée. Mais moi ? Pourquoi est-ce que je devrais m'obstiner, je te le demande ? La vie m'a apporté tout ce que j'en attendais. Soixante-seize années merveilleuses, qui peut en dire autant ? Maintenant, c'est fini. Et, Dieu merci, j'ai encore ma tête à moi, ce qui fait que je m'en rends compte. Je dirais aussi : Dieu merci, en ce moment je suis capable d'avaler, donc de trouver une issue. Dieu merci ! répéta-t-elle en souriant. Cela suffirait presque à faire de moi une Juive pieuse.

— Tu ne crois pas en Dieu ?

J'avais parfaitement conscience de lui poser cette question pour la première fois. En même temps, je connaissais d'avance la réponse.

— Non.

— Mais... tu prononces souvent son nom.

— Je sais bien. Je me dis qu'il y a sans doute là quelque chose. Mais j'ignore quoi, et je ne pense pas que personne le sache. Parfois, c'est difficile, parce que je voudrais pouvoir rendre grâce à quelqu'un ; alors je dis : Dieu merci. Qui d'autre pourrais-je remercier d'avoir de si merveilleux enfants ?

Elle regarda derrière moi et parcourut toute la pièce des yeux.

— Ma chérie, ne touche pas au mobilier tant que tu n'auras pas vendu l'appartement. Les gens n'ont pas beaucoup d'imagination, tu feras une meilleure affaire si l'appartement est meublé. Là-dessus, tu peux me croire. Ta mère sait de quoi elle parle.

Le téléphone sonna. C'était Shany.

— Très bien, très bien, lui dit ma mère. Betty est avec moi. Oui, demain, ce sera très bien. On se voit demain.

Elle raccrocha et se replongea dans son oreiller.

— Oh là là ! J'avais oublié que Shany risquait de passer aujourd'hui... Je vais te dire : il vaudrait mieux que je prenne toutes les précautions.

Elle reprit le récepteur et composa le numéro de Shany.

— Écoute, je me suis dit qu'il valait mieux que tu saches, au cas où tu changerais d'idée ou je ne sais quoi. Il se pourrait qu'Alvin passe cet après-midi... Alors, j'ai pensé que je n'allais pas l'en empêcher. C'est pour ça que demain ce serait vraiment mieux. D'accord ? Bon, alors demain.

Ayant raccroché, elle commenta :

— Shany ne viendra sûrement pas si elle pense qu'Alvin sera peut-être ici.

— Tu as revu Alvin ?

Elle fit non de la tête :

— Nous nous parlons au téléphone. C'est suffisant.

Je pensai à Alvin. Il allait être effondré. Mais je ne pouvais pas non plus me mettre martel en tête pour lui, pour...

Le téléphone à nouveau. Cette fois c'était Edouard, à propos du coffre.

— Eh bien, dit ma mère en raccrochant, voilà une bonne chose de faite. Alors, maintenant : qui est-ce qui va rester ici après votre départ ?

J'avais espéré qu'elle oublierait. N'ayant pas la moindre envie de discuter avec elle de ce qui était prévu pour la suite, j'avais commencé à croire qu'elle-même préférait laisser ce sujet de côté. Avec un soupir, je lui parlai de Frieda, sans m'étendre sur la question. Mais, comme d'habitude, elle voulut en savoir davantage. Et, bien entendu, je ne parvins pas longtemps à lui dissimuler que les parents de Frieda étaient morts dans un camp de concentration.

— Oh, c'est terrible ! s'exclama-t-elle suffoquée. Mais comment est-il possible que nous ne nous soyons pas rencontrées ? Une fille, comme ça, toute seule ! J'aurais pu l'inviter à dîner, l'aider à s'en sortir. Pourquoi est-ce que tu ne nous as même jamais présentées ?

— Je la connais à peine, maman. C'est une vieille amie de Karen, mais moi-même je n'ai jamais vraiment eu l'occasion de la connaître mieux.

Ma mère fronça lcs sourcils.

— Vraiment, je regrette de n'avoir pas pu l'aider. Et regarde un peu ce qu'elle accepte de faire maintenant pour moi !

On tapota à la porte. C'était Belva. Il était onze heures. Ma mère déclara qu'elle avait envie de dormir un peu et suggéra que je revienne plus tard, vers quatre heures ou quatre heures et demie.

Je fus soulagée de ressortir. L'air du dehors me cingla les joues, mais c'était agréable. Je plongeai les mains dans les poches de ma veste et, machinalement, pris la direction de mon appartement. Mais, au premier coin de rue, je m'arrêtai. Car pourquoi, finalement, serais-je rentrée ? Aussi je préférai prendre à droite jusqu'à la IIIe Avenue, puis à gauche jusqu'à Central Park, que je longeai. Tout en marchant, je regardais autour de moi. C'était un lundi matin et tout le monde avait un air décidé — le menton haut, le teint net, la serviette alerte. J'avais beau marcher moi-même d'un bon pas, je n'avais pas l'impression d'avancer comme eux. Ni même d'être là, ou ailleurs. Arrivée à l'angle de la

66e Rue, je m'arrêtai et fis demi-tour pour rentrer à la maison, même si je n'avais aucune raison particulière pour cela.

Une fois dans l'appartement, j'appelai Edouard, qui m'apprit qu'il venait juste d'avoir ma mère au téléphone.

— Elle a l'air d'aller très bien, dit-il.

— Tu le penses vraiment ?

— Oui. Pas toi ?

— Si, je pense que si. Mais tu ne crois pas qu'il y a un peu de théâtre là-dedans ?

— A vrai dire, non.

— Tu estimes qu'elle veut vraiment aller jusqu'au bout ?

— Oui.

Nous raccrochâmes, après quoi je consultai mon agenda. « 17 octobre. 12 h 30 : coiffeur. Kenneth. » Je regardai ma montre, il était douze heure dix. Passant mes mains dans mes cheveux, je me demandai depuis quand je ne les avais pas lavés. Puis je considérai à nouveau le cadran de ma montre et me posai la question : peut-on, si l'on est sain d'esprit, se rendre chez le coiffeur cinq heures et demie avant que sa mère ne se suicide ? Je connaissais la réponse, mais décidai d'y aller quand même. Ce n'était pas pour mes cheveux, seulement pour passer quelque temps chez Kenneth, dont le salon est très agréable. J'avais simplement envie, en fait, de rester là pendant une heure, enveloppée d'une blouse à fleurs, entourée de pédicures et de sèche-cheveux, en laissant dériver mes pensées.

Il ne me fallut qu'un quart d'heure pour arriver là-bas. Et je me sentis vraiment partir à la dérive. La coiffeuse, dont le prénom était Glenn, m'installa sur un haut fauteuil. Puis elle commença à bavarder, et j'entrai dans le jeu. Une femme en tablier m'apporta du café dans une tasse chinoise à motifs floraux roses. Mais tout cela ne dura guère. Trois quarts d'heure plus tard, je me retrouvai dans la rue.

Je retournai chez moi, retirai mon manteau, l'accrochai avec un soin presque excessif et allai m'asseoir dans un fauteuil du salon. Mais je n'y restai pas longtemps, préférant bientôt aller m'installer dans un fauteuil de la chambre à coucher. Je regardai le téléphone, puis décrochai et appelai ma mère.

— Juste pour savoir, lui dis-je.

— Tout va bien, ma chérie. Je viens de déjeuner. Tout va bien.

— Préférerais-tu que je vienne avant quatre heures et demie ?

— Non, je ne crois pas. Quatre heures, quatre heures et demie, ce sera très bien.

Bon ! Elle se sentait un peu dans le même état que moi. En une pareille journée, mieux valait savoir garder nos distances. Comme le fiancé et la fiancée, au matin précédant le mariage.

Malgré tout, je n'avais pas envie de rester chez moi. Aussi j'appelai Joanna, une amie très proche, pour lui demander si je pouvais passer chez elle prendre une tasse de thé.

— Bien sûr, répondit-elle, et elle me proposa de venir à trois heures, ajoutant : mais cela ne nous laissera guère qu'une heure. Si tu veux, Betty, tu n'auras qu'à rester chez moi après mon départ. D'ailleurs, je pourrais même annuler mon rendez-vous. Ce n'est pas très important. Je...

Je répondis que je serais heureuse de passer à trois heures, mais seulement si elle maintenait son rendez-vous. Elle me le promit. Je courus jusque chez elle et arrivai hors d'haleine. Joanna me serra contre elle, me fit asseoir au salon et prépara du thé. Je crois que je lui parlai de bien des choses concernant cette journée-là — je me souviens qu'elle me répondit avec beaucoup de gentillesse et de compassion — et je dus même lui parler de Frieda, parce qu'elle me demanda pourquoi je ne lui avais pas demandé, à elle Joanna, de rester au côté de ma mère : elle l'aurait fait, me dit-elle, et était toujours prête à le faire si je le souhaitais. J'en fus touchée, mais je ne sais pas si je le laissai paraître. Il est plus probable que je restai assise là, immobile comme une pierre.

Il fallait qu'elle parte. Je décidai de rester un peu chez elle. Quand elle referma la porte, je retournai au salon et me rassis. Il y avait quelques journaux et revues sur la table basse. Je pris *House & Garden* et contemplai des photos prises dans une maison de campagne anglaise. C'était joli. Il y avait beaucoup de fleurs. Je reposai la revue, me levai et avançai jusqu'à la fenêtre. Juste à côté, on construisait un énorme immeuble. J'observai un des ouvriers, assez proche de moi pour que je puisse distinguer ses traits. Il était jeune. Soudain, à ma plus grande surprise, l'image bascula et je le vis la tête en bas, comme s'il tombait.

Je m'éloignai de la fenêtre, allai me rasseoir et pris un *New York Times*. Je parcourus un article en première page, consacré à un nouvel accord entre les États-Unis et le Canada « en vue de renforcer les mesures destinées à lutter contre la pollution phosphoreuse dans les Grands Lacs. Cependant — poursuivait le texte — lors d'une rencontre à Halifax (Nouvelle-Écosse), la discordance de vues entre les délégués américains et canadiens sur le fait que Washington n'a toujours pas proposé de programme pour la réduction des pluies acides qui... »

Je repliai le journal, le posai sur la table basse et me levai à nouveau. Je traversai la pièce, contemplai une petite marine qu'elle avait accrochée là, retournai m'asseoir et téléphonai à Edouard. Il me dit que son cours allait justement commencer et qu'il me verrait plus tard, comme prévu. Je raccrochai et contemplai le tapis. Je trouvai agréable la façon dont ses teintes bleues et blanches s'étaient décolorées. Je me levai encore, enfilai ma veste, allai à la cuisine et regardai la pendule. Trois heures trente-cinq.

Je quittai l'appartement de Joanna et retrouvai l'ani

mation de la Ire Avenue, la circulation, les coups de klaxon, la foule. Je voulus faire un peu de lèche-vitrines, mais il n'y avait guère que des pressings et des magasins d'alimentation, ce qui n'avait rien de bien passionnant. Je m'attardai cependant aux devantures : « Rien en usine, tout ici même ! » ; « Cuisses de poulet, vingt-neuf cents la livre ! »... Une espèce de fou, aux cheveux tout emmêlés et portant plusieurs couches de vêtements disparates, passa devant moi en titubant. J'évitai de croiser son regard, mais n'en ressentis pas moins comme une connivence entre nous. Je traversai l'avenue.

La pendule d'un café marquait quatre heures moins le quart. Je pressai le pas. Et si, au téléphone, elle n'avait pas dit toute la vérité ? Si en réalité elle allait mal et ne pouvait rien avaler ? Si elle n'arrivait à prendre que la moitié des cachets ? Tout à coup, ce fut comme si le couvercle que j'avais mis sur mes craintes avait sauté et que tout se répandît sur l'avenue. Et si, après avoir pris les cachets, elle se réveillait à l'état de légume ? Et si elle commençait à vomir avant même que...

— Bonjour, mademoiselle Rollin, murmura Belva. Votre mère se repose un peu. Elle s'est endormie il y a environ une demi-heure, je pense qu'elle se réveillera bientôt.

— Comment s'est passée la journée ?

— Très bien, mademoiselle Rollin, aujourd'hui ça a été très bien.

Je m'attendais à l'entendre ajouter : « Mais... » Pas du tout. Belva retourna à la cuisine et se remit à sa broderie. J'entrai dans la chambre. Ma mère était roulée en boule, le visage tourné vers le mur. Je restai là environ une minute, à observer sa respiration sous la couverture. Puis je me dirigeai vers la grande table, près de la fenêtre, et saisis la feuille où était noté le compte rendu...

Il y avait d'abord le rapport de l'infirmière de nuit.

21 h. Dalmane, 30 mg	*Pour le sommeil. Elle a très*
12 h 30. Demerol, 1,5 cc,	*bien dormi jusqu'à minuit.*
75 mg	*Demerol, contre la douleur. Bon résultat.*
6 h 30.	*Continué à dormir jusqu'à 6 h 30. Réveillée, télévision. Bonne humeur.*

Venaient ensuite les annotations de Belva :

8 h 30. Mylanta, 1 c.	*A mon arrivée, la patiente était levée et regardait la télévision. Elle paraissait de bonne humeur. Petit déjeuner et bain. Visite de sa sœur.*
11 h 50. Reglan, 1 c.	*Se recouche. A dormi jusqu'à*
12 h 30. Mylanta, 1 c.	*12 h 30. Repas : un œuf et 1/2 pain mollet.*

Je n'en crus pas mes yeux en lisant deux fois « bonne humeur »... Je reposai la feuille.

— Bonjour, ma chérie !

— Bonjour, maman.

Je me penchai pour l'embrasser et remis en place son bonnet blanc, qui était de travers comme s'il avait voulu se reposer un peu.

— Encore un câlin ? demanda-t-elle.

— Et comment donc !

Je me penchai à nouveau et la pris dans mes bras. Mais pas très longtemps. Je savais que ce genre de contacts étaient dangereux, qu'ils permettaient trop facilement aux sentiments de s'épancher. C'était une leçon que j'avais retenue, il y avait de cela bien longtemps, d'un cours de théâtre amateur. Le professeur nous avait dit :

— Si vous ne sentez pas la situation, il faut que vous fassiez quelque chose, n'importe quoi, et vous verrez que ça viendra. Sautillez sur place, par exemple, et vous commencerez à vous sentir plus heureux. Forcez-vous à pleurer, et vous verrez que toute la misère du monde montera en vous. Essayez...

Je préférais rester de glace, merci bien.

— Quand Edouard doit-il venir ? demanda ma mère.

Elle s'était redressée dans son lit et son visage paraissait plus lumineux, pour ainsi dire, plus rose, plus...

Elle s'était maquillée !

— Très bientôt, répondis-je dès que j'eus repris ma respiration. Dans une demi-heure, à peu près.

— Très bien.

— Edouard nous aidera à... rester calmes.

Ma mère appela Belva :

— Belva, maintenant que ma Betty est ici, vous pouvez rentrer chez vous. La journée a été longue.

Belva apparut sur le seuil et répondit :

— Très bien, madame Rollin.

— A propos, Belva, dis-je à mon tour, l'infirmière de nuit a dit qu'elle serait peut-être obligée de partir tôt, alors, si elle n'est pas là, vous n'aurez qu'à entrer. Vous... vous avez une clef, n'est-ce pas ?

— Oui, bien sûr. Je peux arriver plus tôt si vous voulez, mademoiselle Rollin.

— Mais non ! répondis-je avec peut-être un peu trop de vivacité. Ce n'est... ce n'est pas nécessaire.

— Très bien.

Nous nous dîmes au revoir de la même façon que tous les soirs, puis elle s'en alla.

Je m'assis dans le fauteuil, à côté du lit de ma mère, et inspirai lentement. Je songeai aux théories d'Elisabeth Kübler-Ross sur « le non-terminé » — sur la nécessité que l'on a de confier, avant de mourir, tout ce qu'on avait toujours gardé pour soi. Cette évocation me fit presque sourire : avait-on jamais vu ma mère se priver de clamer ce qu'elle pensait ? Néanmoins, nous avions sûrement des choses sérieuses à nous dire en cet instant.

— Betts ?

— Oui ?

— Il y a dans l'armoire un paquet de Bloomingdale's que tu devrais leur renvoyer. J'ai dû le payer dans les quinze dollars. C'est cet appuie-tête de baignoire que j'avais acheté pour toi mais dont tu m'as dit que tu ne voulais pas. Alors, occupe-toi de le leur rendre, d'accord ?

— D'accord.

Elle ferma les yeux, tandis que je me levais et m'avançais jusqu'à la fenêtre.

— Betts ?

— Oui, maman ?

— Il y a un autre paquet dans le placard à linge. Un cadeau pour le petit-fils Freedman. Veux-tu bien le lui envoyer ? C'est un très joli livre.

— Il l'aura.

— Ma chérie ?

— Oui ?

— Je t'aime.

Je sentis soudain grossir encore la boule que j'avais dans la gorge depuis un mois.

— Je t'aime aussi, maman.

Il faut tenir bon, me dis-je, tenir bon à tout prix. Je revins lentement vers le lit et lui pris la main. On voyait sur son annulaire la marque de l'alliance qu'elle avait retirée.

Elle s'aperçut que je regardais son doigt et dit :

— J'avais toujours pensé que ton père avait eu de la chance de mourir de cette façon-là, mais je ne vois plus les choses comme ça. C'est plus facile, bien sûr, mais si tu penses à tout ce qu'il n'a pas connu... L'année que je viens de vivre valait toutes les tortures du monde.

— Je suis heureuse que tu penses ainsi. Je n'en étais pas certaine.

— Mais bien sûr que si ! A part les deux dernières chimios, quand même ; là, je pense qu'ils ont joué avec mon corps. Il fallait qu'ils fassent quelque chose, alors ils ont imaginé de me torturer un peu.

Elle poussa un soupir.

— Je crois que je vais fermer l'œil quelques minutes.

— C'est une bonne idée.

Je me relevai, me penchai vers elle et l'embrassai sur le front. La poudre qu'elle s'était mise sur le visage dégageait une légère odeur parfumée.

— Ma chérie ?

— Oui, maman ?

— Tu paieras à Belva toute sa journée de demain, n'est-ce pas ?

— Mais bien sûr !

J'étais sur le point de sortir de la pièce, mais m'arrêtai tout à coup.

— Maman, tu as bien donné congé à l'infirmière de nuit ?

— Oui. Belva était sortie pour faire quelques courses, et j'en ai profité pour téléphoner.

Mon dieu ! me dis-je. Elle va vraiment le faire.

Arrivée dans le salon, je m'assis devant le piano. J'effleurai les touches du bout des doigts, d'abord les blanches, puis les noires, sans appuyer assez fort pour faire résonner les cordes. Sans doute n'entendis-je pas tout de suite Edouard qui tapotait à la porte. Mais, tout à coup, ce bruit me fit sursauter.

— Désolée, murmurai-je en lui ouvrant. Je pense qu'elle dort.

Il hocha la tête, posa sa serviette et accrocha son imperméable. Ensuite, nous allâmes nous asseoir dans le salon, l'un à côté de l'autre, comme de bons chefs de famille.

— Est-ce que c'est mon fils adoré ?

— Oui, Ida, répondit Edouard en bondissant. Je peux entrer ?

— Bien sûr, dit-elle.

Nous pénétrâmes ensemble dans la chambre. Je vis d'abord son lit, puis le réveil sur la table de nuit. Il était exactement cinq heures. Je sentis mes entrailles se nouer et former dans mon ventre comme une petite boule dure. J'eus envie de me pencher au-dessus d'elle, mais en fait je m'assis à côté de son lit. Edouard prit place de l'autre côté, se pencha et l'embrassa sur la joue.

— Essayons de rester dans un état normal, de garder tout notre calme, dis-je.

Comme si je n'avais pas été moi-même, dans la pièce, la seule personne sur le point de perdre son calme... J'allumai la télévision, où les informations locales venaient tout juste de commencer, sous le titre *La vie à cinq heures.* Edouard me lança un regard significatif et éteignit l'appareil.

La proposition que je fis ensuite n'était pas moins hystérique, mais elle se révéla plus fructueuse :

— Et si nous sortions quelques albums de photos ?

Sans attendre leur réaction, je me précipitai au salon et sortis du tiroir inférieur du buffet d'acajou cinq ou six grands albums de photos. Je revins en poser un sur la couverture et l'ouvris à la première page. Elle parut d'abord effrayée. Puis, les yeux toujours fixés sur la page, elle saisit ses lunettes. J'allumai la lampe de chevet. Ma mère sourit.

— Ça, c'est le premier anniversaire de Betty, dit-elle à Edouard en montrant une photo de famille où tout le monde était rassemblé autour d'une table. Betty resta endormie presque toute la journée, mais nous autres, nous passâmes une journée magnifique. Tu vois : tante Sarah, oncle Harry, Shany. Tiens, voilà Papa devant la maison de Clark Street. Je me souviens de ces géraniums, c'étaient les premiers que j'aie jamais eus. J'avais aussi un petit potager derrière la maison.

— Je m'en souviens. Tu me laissais parfois l'arroser et j'adorais ça.

— Nous avions aussi un potager dans l'Illinois, dit Edouard. Que faisiez-vous pousser, Ida ?

— Oh ! des haricots, des tomates. Les tomates étaient superbes. On pouvait les cueillir et les manger comme des fruits. Regardez, Edouard, savez-vous qui est là ?

Sur une petite photo représentant le spectacle que ma classe avait donné pour Noël à la fin de ma quatrième, elle désignait du doigt un des Rois Mages, un petit garçon maigre qui tenait un bâton.

— Je donne ma langue au chat, répondit Edouard.

— C'est Joel Goldin, dit ma mère avec un petit sourire, en observant les réactions d'Edouard.

Joel Goldin est notre dentiste.

— Je n'arrive pas à le croire ! Mais attendez... Qui est... On dirait que l'autre Roi Mage est ma femme !

— Qu'est-ce que tu penses de ces pantalons bouffants ? demandai-je.

— Ils n'ont rien de bouffant, dit ma mère. C'était moi qui avais fait ces costumes. Regardez, Edouard, celui-là aussi, c'était moi qui l'avais fait.

Elle montrait maintenant une photographie où j'apparaissais dans une longue robe blanche (pas assez longue toutefois pour dissimuler mes grands pieds), ornée de la bannière étoilée. Je portais sur la tête une couronne en carton et autour de moi se tenaient les autres filles de ma classe de première, qui ne donnaient guère l'impression de s'ennuyer moins que moi.

— Miss America, dit ma mère. J'avais passé toute la nuit à coudre ces bandes et ces étoiles. C'était un travail fait avec amour.

Sur la page suivante, on voyait la maison de Yonkers qu'elle avait fait déplacer, ainsi qu'une coupure tirée du journal de Yonkers, le *Herald Statesman*. Edouard lut à haute voix le titre de l'article : « Le casse-tête de la maison roulante. » Dans le texte, on expliquait que ma mère n'avait aucune idée de ce qui risquait de se produire pendant ce déplacement et que si elle avait dû recommencer, elle aurait préféré « acheter une maison faite pour rester à sa place ».

— Quel bobard ! dit ma mère. Je n'ai jamais dit une chose pareille. C'est la meilleure idée que j'aie jamais eue, et tout le monde le savait.

Elle tourna soudain la tête et regarda le réveil sur la table de chevet.

— Ce n'est pas l'heure, maintenant ?

Elle posa cette question de façon si impromptue que je l'entendis à peine.

— Presque, répondit Edouard.

Il était six heures moins vingt.

— D'abord la Compazine, hein ? demanda-t-elle.

Je hochai la tête. Elle tendit la main vers la table et attrapa un flacon de comprimés en disant :

— Elle est là.

Ce qui allait de soi. Ainsi que ce qu'il lui fallait pour l'avaler : une petite bouteille d'eau gazeuse et un verre. Comme à l'habitude, elle avait préparé la table à l'avance.

Je regardai ses mains pendant qu'elle ouvrait le flacon de Compazine.

— Un comprimé, c'est ça ?

Je hochai à nouveau la tête. Elle l'avala avec un grand savoir-faire, en le posant tout au fond de sa langue, et sans rien boire. Puis elle posa la tête sur l'oreiller et ferma les yeux. J'avais deux idées à la fois dans la tête : d'un côté que tout était maintenant en route, de l'autre qu'il n'était pas encore trop tard pour arrêter. Elle n'avait encore pris que de la Compazine. Elle n'était pas obligée d'aller plus loin, elle pouvait renoncer à son projet.

La voilà maintenant debout, elle se traîne jusqu'à l'armoire à linge. Edouard se lève pour l'aider, mais elle secoue la tête et dit :

— Restez assis

Sa chemise de nuit de flanelle — toute neuve, très jolie, blanche avec de petits motifs de fleurs — lui descend jusqu'aux chevilles. Elle est pieds nus — oh ! ces petits pieds de bébé qui avancent sans bruit sur le tapis... Elle s'appuie au mur pour marcher et nous la regardons comme si nous étions au théâtre, dans la pénombre de la salle, en train de regarder le seul comédien en scène à ce moment-là. Elle atteint enfin son but, ouvre la porte de l'armoire et y prend quelque chose. Puis elle se retourne et revient vers le lit, tenant le flacon de comprimés dans la main droite, dressé comme si c'était une petite torche pour éclairer son chemin.

Elle s'assied sur le bord du lit et pose le flacon sur la table de nuit, près de l'eau gazeuse et du verre.

— J'ai oublié le décapsuleur.

— Je vais le chercher, dit mon mari.

Il se lève, mais elle l'arrête.

— Asseyez-vous, Edouard, s'il vous plaît, dit-elle de sa voix d'institutrice. Je ne veux pas que vous touchiez à quoi que ce soit.

Elle s'est relevée et se dirige maintenant vers la cuisine. Puis elle revient, avec le décapsuleur. Elle s'assied de nouveau sur le lit.

— C'est l'heure ?

— Pas tout à fait, Ida, dit mon mari d'une voix presque inaudible.

Elle va le faire. Elle va vraiment le faire.

Ma mère prend dans sa main les comprimés, puis s'installe sous les couvertures, en lissant bien sa chemise de nuit. Elle contemple la fenêtre d'un air rêveur et soupire :

— J'aurais préféré mourir avec tous mes cheveux.

Je m'assieds sur le bord du lit, lui prends la main et y pose un baiser, sans rien oser dire.

— C'est l'heure, maintenant ? demande-t-elle.

On croirait presque que nous ne sommes plus là pour elle.

Cinq heures cinquante-huit. J'ai dans la tête la réponse à sa question, et ma tête ordonne à mes cordes vocales de formuler cette réponse. Ce sont mes cordes vocales qui refusent. Ma mère me regarde, comprend ma difficulté, se tourne pour regarder le réveil et répond elle-même :

— Oui, dit-elle du même ton que si la soirée était bien avancée et que chacun dût rentrer chez soi, c'est l'heure.

Elle s'assied et saisit le flacon de cachets. Elle l'ouvre et en verse soigneusement le contenu dans un creux de la couverture. Elle repose le flacon. Les fenêtres sont à moitié fermées et, hormis le petit bruit produit par le réveil à affichage numérique chaque fois qu'une minute s'écoule, la pièce est plongée dans le silence. Elle se tourne vers la table, prend la bouteille d'eau gazeuse de la main gauche et le décapsuleur de la droite. Elle essaie d'ouvrir la bouteille mais n'y parvient pas.

Edouard se lève et s'avance jusqu'à elle.

— S'il vous plaît, laissez-moi vous aider, Ida.

Elle refuse d'un signe de tête.

— Je veux que vous ne touchiez à rien. Je vais y arriver.

Elle essaie à nouveau, cette fois avec succès. On entend l'eau pétiller pendant que ma mère emplit le verre. Puis elle relève le buste et regarde le petit tas de comprimés rouges et brillants, sur la couverture jaune. On dirait des bonbons. Elle en prend trois ou quatre entre ses doigts, les pose sur sa langue, lève le verre plein d'eau gazeuse et les avale d'un trait. Puis trois encore. Bientôt elle a trouvé son rythme : prendre quelques comprimés, les poser sur sa langue, lever son verre, avaler ; et ainsi de suite...

— Tu y arrives, maman, dis-je dans un murmure. Tu y arrives. Ça marche très bien.

Je me suis mise debout. J'ai croisé les mains et les presse sur mon cœur comme pour l'empêcher de jaillir hors de ma poitrine. La pièce de théâtre a tourné à l'épreuve sportive : ma mère court le décathlon.

Je voudrais sortir de mon silence pétrifié et sauter de joie, agiter une banderole, siffler, crier, hurler. Hourrah, maman ! Tu y es, maman ! C'est gagné !

Elle est parvenue au but : le creux de la couverture où se trouvaient les comprimés est maintenant vide. Plus de comprimés. A moitié pour elle-même, elle dit :

— Maintenant, le Dalmane.

Elle n'a que cinq Dalmane à prendre et les avale en deux fois. J'ai l'impression d'entendre quelqu'un d'autre, dans ma tête, pousser un cri perçant. Je sais qu'Edouard est derrière moi, que si je tendais le bras en arrière je pourrais toucher le sien ; mais mon bras ne bouge pas, il est figé, comme mes cordes vocales, comme tout mon corps. Ma mère ramène les couvertures sur elle et rajuste l'oreiller, puis s'allonge, avec des mouvements très lents. La pièce s'est assombrie, il ne reste que la lumière dispensée par la lampe de chevet, qui donne au spectacle de ma mère dans son lit l'aspect d'une peinture à l'huile. Nous pénétrons dans la zone éclairée, mon mari et moi, et prenons place de chaque côté du lit comme pour une cérémonie. Chacun de nous lui prend une main et pendant un instant nous restons tous trois immobiles, dans une parfaite harmonie. Puis ma mère parle, sur un ton qui ressemble à un chant :

— Je veux que vous sachiez que je suis heureuse. J'ai rendu un homme heureux pendant quarante ans, j'ai mis au monde la plus merveilleuse des filles, puis, bien plus tard, j'ai trouvé un autre enfant que j'aime autant que si je lui avais aussi donné naissance. Personne n'a jamais mieux su que moi ce qu'est le bonheur. J'ai vécu une vie merveilleuse. J'ai eu tout ce qui compte à mes yeux. J'ai donné de l'amour et j'en ai reçu. Je remercie...

Elle s'interrompt soudain et ouvre les yeux.

— Je ne dors pas.

On eût dit que quelqu'un avait arrêté la musique et rallumé la lumière.

Je m'entendis répondre, avec un frisson dans le dos, tout mon sang devenu un bloc de glace :

— Mais tu vas t'endormir, maman. Ça n'agit pas immédiatement. Ferme les yeux, détends-toi. Nous sommes là. Tout va se passer très bien. Tu as fait ce qu'il fallait, tu l'as très bien fait. Ferme les yeux. Détends-toi. Ne t'inquiète pas. Nous sommes là. Nous t'aimons...

Pourvu que ça marche. Oh oui, pourvu que ça marche !

— Vous serez vite endormie, murmure Edouard. Vous allez dormir paisiblement.

— Ah oui, je commence à le sentir. Oh ! que c'est bon. Souvenez-vous que je suis la plus heureuse des femmes. Tel est mon dernier vœu : que vous vous souveniez...

Je lui dis :

— Je t'aime, maman, je t'aime.

Elle ne répond pas. Alors je plonge mon visage dans la tendre chair de son cou. Le ciment qui me maintenait commence à craquer. Je m'effondre et, les deux mains pressées sur ma bouche, je sanglote. Ce sont des sanglots lourds, mais qui ne durent pas longtemps. Car quand je relève la tête et la vois là, couchée si tranquillement, je comprends qu'elle a trouvé l'issue qu'elle cherchait, que la porte s'est refermée doucement derrière elle.

Cet ouvrage a été composé
par Comp'Infor, Saint-Quentin (Aisne)
et imprimé par
la S.E.P.C. à Saint-Amand-Montrond (Cher)
pour France Loisirs
123, boulevard de Grenelle, Paris

Achevé d'imprimer en mars 1990

Dépôt légal : mars 1990.
N° d'Éditeur : 16351. N° d'Impression : 687.

Imprimé en France